M000015443

05 10

STRAND PRICE
$1000

Cuento español de Posguerra

Letras Hispánicas

Cuento español de Posguerra

Antología

Edición de Medardo Fraile

SEXTA EDICIÓN

corregida, aumentada y puesta al día

CATEDRA

LETRAS HISPANICAS

Reservados todos los derechos. El contenido de esta obra está protegic
por la Ley, que establece penas de prisión y/o multas, además de las
correspondientes indemnizaciones por daños y perjuicios, para
quienes reprodujeren, plagiaren, distribuyeren o comunicaren
públicamente, en todo o en parte, una obra literaria, artística
o científica, o su transformación, interpretación o ejecución
artística fijada en cualquier tipo de soporte o comunicada
a través de cualquier medio, sin la preceptiva autorización.

© Ediciones Cátedra, S. A., 2000
Juan Ignacio Luca de Tena, 15. 28027 Madrid
Depósito legal: M. 38.835-1999
ISBN: 84-376-0634-9
Printed in Spain
Impreso en Anzos, S. L.
Fuenlabrada (Madrid)

Índice

Introducción

1*

Tendemos a creer que ser incluido en una antología es una bendición y, lo contrario, catastrófico, como si el antólogo nos abriera o cerrara las puertas de la Posteridad. En una sociedad nublada tradicionalmente por amistades del alma y enemistades de muerte, pocos creen que el escritor, escribiendo, adquiera derechos, y él solo, *mutatis mutandis,* se incluya o excluya en una selección. Esta antología intenta no dar paso a enconos ni favoritismos, porque, aunque buen número de los que están en ella fueron o son amigos míos, nadie discute sus méritos.

Deseo subrayar que se trata de *una* antología —como dirían ingleses y alemanes— y no de *la* antología del cuento de posguerra; otros antólogos han presentado el cuento español de la posguerra, o podrían presentarlo, con discrepancias estimables.

Por expreso deseo de la Editorial, me he limitado a «unas trescientas páginas», lo cual favorece la elección de cuentos cortos —que prefiero—, pero impide, asimismo, incluir nombres que, sin embargo, citaré. La inserción de uno de mis cuentos en tan menguado espacio, se debe a la resuelta insistencia de los editores, con la que más de un lector instruido quizá esté de acuerdo.

* * *

En 1959 —escribe Anderson Imbert—, trabajaban en España, desde el comienzo de la Guerra Civil, dos generaciones de cuentistas: los nacidos de 1900 a 1915 y los nacidos

---

* Véase, a continuación de estas páginas, el *Prólogo a la 5.ª edición,* en el que se habla de los nuevos autores incorporados a la Antología que, en esta *Introducción,* no se detallan.

de 1915 a 1930[1]. Sólo con fines didácticos acepto esos peldaños quinceañeros y me extiendo a una generación más, la que vino al mundo entre 1930 y 1945, añadiendo que Anderson Imbert se limita a nombrar a pie de página a dos cuentistas de la posguerra nacidos antes de 1900: Rafael Sánchez Mazas (1894) y Edgar Neville (1899), más conocido éste por su teatro, que figuran aquí. Aun abarcando otra generación, la *posguerra* del título de esta antología no resulta convencional, si se tiene en cuenta que la normalidad del país, más o menos aceptada, se inició en 1959, con el programa estabilizador de Ullastres y Navarro Rubio, tras los mal llevados tanteos de Arburúa.

He excluido a los dos gloriosos supervivientes del 98: Azorín y Baroja. Al extraordinario Ramón Gómez de la Serna, que vivió su genial limbo dramático en Buenos Aires. A Wenceslao Fernández Flórez, autor, antes del 36, de novelas cortas en *El Cuento Semanal* y libros de cuentos, excepcional uno de ellos: *Tragedias de la vida vulgar* (1922). En la posguerra publicó artículos y, entre otras, su mejor novela: *El Bosque Animado* (1947)[2]. Fuera también quedan los narradores de la España Desterrada o Peregrina (F. Ayala, M. Aub, E. F. Granell, M. Andújar, R. Chacel, R. J. Sender...), que motivaron estudios y antologías en su patria en los años 1962, 69, 70 y 77, y que hoy, felizmente, están «normalizados» en su país. La justificación para excluir a esos hermanos admirables la encontrará el lector, con creces, en el ensayo «Para quién escribimos nosotros», de Francisco Ayala[3].

---

[1] Enrique Anderson Imbert, *El cuento Español*, Buenos Aires, Columba, 1959, págs. 24-25.

[2] El relato en que la maestría de W. Fernández Flórez se hace, para mí, más ostensible es «La onza de chocolate», cuento de niñas en *Tragedias de la vida vulgar*. *Vid.* un artículo mío sobre sus cuentos (con título que no es mío) en *La Estafeta Literaria*, Madrid, núm 294, 20 de junio de 1964, págs. 8 y 9.

[3] Francisco Ayala, *Los Ensayos: Teoría y Crítica Literaria*, Madrid, Aguilar, 1971. Vuelto a publicar en *Confrontaciones,* Barcelona, 1972, págs. 171 a 198, y en *La estructura narrativa y otras experiencias literarias*, Barcelona, 1984, págs. 181 a 204. «Para quién escribimos nosotros» data de 1948.

2

Se ha descrito el cuento como «ese extraño género en el que se da la paradoja de ser, quizá, el más antiguo del mundo y el más tardío en adquirir forma literaria»[4]. Se le ha llamado ejemplo, fábula, apólogo, proverbio, hazaña, leyenda, narración, cuento, relato, novela corta y, en su ámbito, han librado batallas, de un lado, el cuento popular, el cuento infantil o la novela corta; de otro, el cuento literario. A este enredo terminológico-conceptual, se añade la falta de consideración casi unánime que le ha proporcionado su dimensión. Nada más pueril que tirarse de cabeza por el polo o el caramelo grande, considerando que el tamaño implica calidad, densidad y verdadera grandeza. Edgar Poe, al elogiar los cuentos y novelas cortas de Nataniel Hawthorne, insistiría en lo mismo que criticaba en «El Principio Poético»: «Que la extensión de una obra poética sea, *ceteris paribus,* la medida de su mérito, parece una afirmación harto absurda apenas la enunciamos; se la debemos, sin embargo, a las revistas trimestrales. Nada puede haber en el mero *tamaño,* considerado abstractamente, y nada en el mero *bulto,* si se refiere a un volumen; eso es, no obstante, lo que provoca la admiración continua de esas publicaciones plúmbeas»[5].

En España, algunos críticos en ciernes concebían el relato como un entrenamiento para hacer novela y exhortaban al buen escritor de cuentos a que escapara, de una vez, de esa «encrucijada»[6] y, el gran público, por razones de diversa índole, no tenía —ni quizá tenga aún— una idea clara de lo que es un cuento literario.

El cuento es considerado género o subgénero «menor»,

---

[4] Mariano Baquero Goyanes, ed., *Antología de Cuentos Contemporáneos,* Madrid-Barcelona, Lábor, 1964, «Estudio Preliminar», pág. XXI.

[5] Edgar Allan Poe, *Obras en prosa,* II, Ed. de la Universidad de Puerto Rico, Madrid, Revista de Occidente, 1956, pág. 194.

[6] Véanse, como ejemplos de lo que digo, *La Hora,* Madrid, 31 de octubre de 1957, págs. 16 y 17, y *La Estafeta Literaria,* Madrid, núm. 467, 1 de mayo de 1971, págs. 10 a 12.

aunque hay novelistas —lo escribió la Pardo Bazán— que no saben hacerlos[7]. Los desaires que ha recibido en España son de peso. Mencionaré sólo la pérdida de un libro de cuentos que fue Premio Nacional de Literatura[8]. No obstante, en la década de los años 50, el cuento se lo disputaban tirios y troyanos como fruto original, maduro, cuyo valor y alcance superaban, con mucho, los de la novela. Pero no quiero caer en la trampa, bien establecida, de ensalzar las excelencias del cuento *en comparación con* la insuficiencia novelística. Si las novelas hubieran sido más y mejores, excelentes incluso, los cuentos de aquella época hubieran seguido siendo de primera clase.

En 1955, la información secreta, el instinto político o el gusto literario de Luis Ponce de León, que dirigía entonces *Ateneo*, le hizo agrupar, en un número cuádruple de esa revista, originales de más de cien escritores, exageración palmaria que, sin embargo, no excluía a los que, realmente, *eran*[9]. La ocurrencia de Ponce de León pudo haberse motivado por las intenciones del abortado Congreso Universitario de Escritores Jóvenes (1956), planeado por estudiantes de izquierdas —Jesús López Pacheco y Fernando Sánchez Dragó, entre ellos— que, en sus boletines, presentaban «una explícita defensa del relato breve como forma característica de esa promoción»[10]. Buen ejemplo del relato breve que pensaban ellos lo hallará el lector en «El analfabeto y la bola de billar», de uno de los promotores, López Pacheco. En 1957, *La Hora,* revista universitaria, insertaba en sus páginas —¿en réplica otra vez?— una justa valoración y síntesis del cuento de aquellos años[11]. Se hizo, en fin, más que lógico editar una antología de ellos, que apareció en 1959, realizada por García Pavón. Elogiaba éste en el *Prólo-*

   [7] «El cuento será, si se quiere, un subgénero, del cual apenas tratan los críticos; pero no todos los grandes novelistas son capaces de formar con maestría un cuento.» Emilia Pardo Bazán, *La Literatura Francesa Moderna,* tomo III: «El Naturalismo», pág. 153.

   [8] *Con el alma aparte,* de Samuel Ros. Lo obtuvo en 1944.

   [9] Revista *Ateneo:* «Última Promoción», núms. 73-74-75-76, Madrid, 1955.

   [10] *Vid.* Santos Sanz Villanueva, *Historia de la Literatura Española 6/2. Literatura Actual,* Barcelona, Ariel, 1984, págs. 34 y 35.

   [11] E. Rada, «Antología y nómina del cuento joven español», *La Hora,* Madrid, 31 de octubre de 1957, pág. 16.

go, la calidad tan excelente de los incluidos, que eran autores, en conjunto, de cincuenta y dos libros de relatos «casi totalmente ignorados para el gran público y, con dolorosa frecuencia, para los más conspicuos críticos y tratadistas de la literatura española contemporánea». El desconocimiento del gran público era imputable a los grandes editores: «Pocas veces a lo largo de nuestra historia literaria, ha existido un género tan primoroso y pluralmente cultivado, a la vez que tan brutalmente despreciado, como el cuento español de esta hora»[12]. Esos cuentos, además de leerse al público en Colegios Mayores y tertulias literarias, se publicaban, primero, en diarios y revistas, y luego, reunidos en libro, en editoriales modestas, en las que fallaba, casi siempre, la distribución.

3

Cuando mi grupo generacional —Ignacio Aldecoa, Josefina Rodríguez, Rafael Sánchez Ferlosio, Carmen Martín Gaite, Jesús Fernández Santos, Alfonso Sastre...— empezaba a darse a conocer —mediada la década de 1940—, la situación del cuento era ésta:

Un diario de la mañana, *Arriba,* subvencionado por el Estado, agrupaba a varios escritores, la mayoría buenos prosistas, que colaboraban, sobre todo, en las abundosas páginas literarias de los domingos, prolongadas, a veces, en un suplemento titulado *Sí.* En *Arriba* leíamos cuentos, y también teatro, de escritores extranjeros contemporáneos (recuerdo a Lajos Zilahy, el húngaro de moda que «escogió la libertad», y una obra en un acto de Thornton Wilder: *Las Navidades de la Casa Bayard-The Long Christmas Dinner),* y, entre los españoles, de Tomás Borrás, Rafael Sánchez Mazas, Edgar Neville, Samuel Ros, Miguel Mihura, José María Sánchez Silva, Ramón Ledesma Mi-

---

[12] Francisco García Pavón, *Antología de cuentistas españoles contemporáneos (1939-1958),* Madrid, Gredos, 1959. Las dos citas en pág. 7.

randa, Miguel Villalonga, Gonzalo Torrente Ballester, y de la pareja, en pugna y en boga entonces, Juan Antonio de Zunzunegui y Camilo José Cela, éste recién llegado a las Letras. Zunzunegui escribió cuentos antes del 36[13]; estaba ahora abocado a construir su «flota», como llamaba al conjunto de sus novelas grandes, desde ¡Ay..., estos hijos! (1943), que obtuvo el Premio Fastenrath, de la Academia.

Además de *Arriba*, otras publicaciones acogían novelas cortas y cuentos: *Haz, Fantasía, Juventud, El Español, Vértice, Escorial...*

Rafael Sánchez Mazas (1894-1966), nacido en Madrid, crecido en Bilbao, fue un caso notable de perfecta personalidad dual, en un tiempo de mal llevar varias vidas o de encontrarse inmerso en riadas trágicas. Periodista en *El Sol*, colaborador de *Cruz y Raya*, redactor de *El Fascio*, corresponsal de *ABC* en Italia, crítico de arte y letras bajo el seudónimo de Xavier de Izarri, ensayista, poeta, fundador de Falange —carnet número cuatro—, sugeridor del color azul mahón de la camisa falangista, preso en la cárcel Modelo como miembro de la Junta Política consultiva de F.E., político de Franco en distanciamiento gradual de la España franquista, escribió libros — pocos— de gran belleza clásica y espléndida prosa, a los que no alcanzaron, parece, salpicaduras ni emociones de la arriesgada vida pública de su autor. Sus dos obras definitivas son: *La vida Nueva de Pedrito de Andía* (1950), novela de fondo autobiográfico que puede relacionarse con otra anterior, *Pequeñas Memorias de Tarín* (1915), y sus cuatro *Lances de Boda* (1951), éstos casticísimos, curruscantes, sabrosos y ejemplos de bien contar y buena prosa. El *lance* segundo, el *del pretendiente Orosio Frutos*, es un prodigio de pulso narrativo. La paletería y petulancia de Orosio, «bocota, sandio, pan mal cocido», su búsqueda indiferenciada y convencional de mujer, van desvelándose frase a frase, mientras la tía María Luisa le oye, le observa y se ríe de él, como el lector; se lo quita de encima a su hija Ricarda y va atrayendo al tontaina machucho hacia sus carnes gachonas para «ponerse las botas» con su dinero.

Edgar Neville y Romrée (Madrid, 1899-1967), conde de

---

13 *Vida y paisaje de Bilbao* (1926), *Cuentos y patrañas de mi ría* (1935).

Berlanga de Duero, diplomático, animador de la bohemia madrileña, periodista, escritor de cuentos y novelas, comediógrafo, guionista, director de cine y pintor, que acabó sus días escribiendo versos, estuvo en Hollywood dedicado a menesteres varios de la industria cinematográfica, como Enrique Jardiel Poncela, José López Rubio, y *Tono* (Antonio de Lara). Colaboró en *La Época, ABC, Buen Humor* y *Gutiérrez* y, en la Guerra Civil, creó *La Ametralladora,* con Mihura y *Tono.* Sus comedias encantaron al público sobresaliendo el éxito de *El Baile* (1952) y su continuación, *Adelita* (1955), que Neville prefería a las demás. Dialogaba con rara habilidad; frases generalmente breves, ágiles, ingeniosas, anegadas del más fino humor. Lo que escribió sobre *Adelita (ABC,* 14/I/55), es válido para sus cuentos: «He procurado, como hago siempre, huir de toda sobrecarga de argumento [...], que todo sea leve, sencillo y natural para que la condición humana de los personajes resalte con más vigor. Ni tesis ni lección.» Sus cuentos traslucen humor cosmopolita, picante, desenvuelto, y están escritos siempre con emoción, agilidad, frescura y positiva gracia. Así, «Su único amigo», muy conocido, y también «Fin», relato encantador —don de su genio era encantar—, por el que, el año 42, le prohibieron publicar durante dos años. Los incluyó en su libro *El día más largo de monsieur Marcel* (1965).

Samuel Ros, valenciano, nacido en 1904 y muerto en Madrid a los cuarenta años, hizo periodismo, cuentos, novelas y teatro. Se inició en el teatro poco antes de morir. Entre sus novelas, merece ser más conocida *Los Vivos y los Muertos* (Santiago de Chile, 1937). Tuvo la originalidad, en nuestra época, de amar con escándalo y delirio a una mujer, Leonor, muerta muy joven en circunstancias trágicas; a ella se refiere en gran parte de su obra. Sus temas fueron Amor y Muerte, y el Destino, el Sino. Su piel era pálida; su pelo, traje y corbata de riguroso luto. Asistió a la tertulia de Ramón Gómez de la Serna del Café de Pombo. Como otros, aprendió mucho de Ramón; basta citar los títulos de sus primeros libros para darse cuenta: *Bazar* (1928), *El ventrílocuo y la muda* (1930), *El hombre de los medios abrazos* (1932). Pero puede distinguirse muy bien un párrafo de Ros de otro de Gómez de la Serna. Al primero, más que sorprender, le interesa contar. Ros, a veces, sorprende contando, pero no cuenta, como Ramón, sorprendiendo. En su prosa se mezclan, con raro encanto, desesperación y amor, ironía amarga y ternura. Fundamentalmente, escribió cuentos. Él dijo de sí mismo: «Todo me lo podrán negar los demás, todo menos mi conciencia y mi vocación de cuentista. Posible es, que esto ni signifique nada ni valga nada... Pero una vez comencé siendo muy niño y desde entonces todo lo he convertido en cuento»[14].

En sus relatos hay obsesiones trascendidas, visión original, como en «Batllés Hermanos, S.L.», uno de los seis cuentos que se conocen de su último libro, nunca publicado, *Con el alma aparte*[15].

Quizá sea ésta la primera vez —en muchos años, al menos—, que Miguel Mihura (Madrid, 1905-1979) aparece en una antología de cuentos. Esporádicamente se afirmaba que, si era indiscutible su teatro, sus cuentos y artículos padecían, en cambio, injusticia. Hoy ya se habla de Mihura como «prosista de innegable interés»[16] y, por la misma razón, debería prepararse una edición, no sólo de sus *prosas,* sino también de sus mejores dibujos e historietas. Como director de *La Ametralladora* (1936-1939) y de *La Codorniz* (1942-1945) y autor temprano y desoído de *Tres sombreros de copa* (1932, estrenada ¡en 1952!) revolucionó el humor en España, que había tenido antes un gran guerrillero de la situación humorística y el absurdo: Enrique Jardiel Poncela.

El cuento que he escogido, «El amigo de él y ella», o sea, de Adán y Eva, «cuento persa de los primeros padres», tiene importancia, no sólo en sí mismo, sino por ese «amigo», uno de los primeros «señores» (y «señoras») mayores en la obra de Mihura, que no tienen nada que hacer y, entremetiéndose en todo, no reparan en enmendarle la plana al *Génesis* y volver patas arriba la historia del Paraíso. Este don Jerónimo, entre pí-

14 Samuel Ros, «Cuento de Navidad», *Vértice,* Madrid, núms. 50-51, 1941.

15 En Carlos Blanco Soler, ed., *Samuel Ros. Antología, 1923-1944,* Madrid, Editora Nacional, 1948, págs. 231 a 240. La *Antología* del doctor Blanco Soler, cuñado de Ros, es excesivamente breve. *Vid.* también mi libro *Samuel Ros (1904-1945). Hacia una generación sin crítica,* Madrid, Prensa Española, col. El Soto, 1972.

16 Sanz Villanueva, *op. cit.,* pág. 238.

caro e ingenuo, aprovechado y liberal, es del mismo linaje de don Sacramento y don Rosario, los viejos zascandiles de *Tres sombreros de copa,* y de otros y otras.

José María Sánchez Silva (Madrid, 1911), tras una infancia dura, se inició en el periodismo a los veinte años, en la escuela católica de *El Debate.* Ha publicado bastantes colecciones de artículos, cuentos literarios e infantiles y novelas cortas, y ha colaborado con Rafael García Serrano en guiones cinematográficos *(Ronda Española* y *Morir en España).* En el prólogo de *El hombre de la bufanda* (1934), su primer libro de cuentos —que él denomina «grotesquismos»—, esboza su ideario:

> Queremos ideas. Ideas expresadas en pocas frases, frases de pocas palabras, palabras con poquísimas letras. Sencillez, brevedad, sintetismo [...] Queremos fondo, extensión interior y síntesis externa, hondura de pensamiento con palabras rasas, a flor de tierra. Queremos poesía en el corazón y en el cerebro.

Creo que en él predomina la poesía del corazón, empañada, a veces, por cierto humorismo inoportuno que da un toque de crueldad o frialdad a sus relatos. Idealización del campo y lo aldeano («alabanza de aldea») y socarronería, son frecuentes en sus cuentos, en los que utiliza una técnica de contraste: poetización interrumpida por bruscos toques de realidad, como advirtió Iglesias Laguna[17]. Sánchez Silva se encuentra cómodo, a veces, en moldes tradicionales y pone en peligro su vigencia, aunque deba su fama mundial a un cuento para niños de esa factura, que fue llevado al cine con fortuna: *Marcelino, pan y vino* (1952), continuado en otras *Historias Menores* del mismo personaje (1956), y *Marcelino en el cielo* (1962), más otros cuentos infantiles: *Fábula de la burrita Non* (1958); en colaboración con Luis de Diego, *Luiso* (1959); *Colasín, Colasón* (1963), etc. Pero, si sale de los viejos moldes, consigue cuentos tan decidores y extraordinarios como «Tal vez mañana», de su libro *La ciudad se aleja* (1946). La mujer que huye de los sueños y el hombre sin hoy y sin mañana, ¿están locos, realmente? El narrador

---

[17] Antonio Iglesias Laguna, *Treinta años de novela española, 1938-1968,* Madrid, Prensa Española, 1969, pág. 309.

equipara la realidad (cordura) y la historia que narra (demencia) en un párrafo de queja que da sentido al relato:

> Dicen [...] que los pueblos del Norte suelen tener muchos más locos que los del Sur; pero tampoco saben los llamados cuerdos que, en estos últimos, los dementes son más dementes y en definitiva, apenas hay en ellos alguien que no lo sea, porque son pueblos que hace mucho tiempo sólo viven de la esperanza.

Álvaro Cunqueiro (1911-1981) nacido en Mondoñedo, Lugo, fue el menos solemne y más libre de los soñadores de posguerra; por eso —y por estar en gallego sus primeros libros— nadie reparó demasiado en su valor hasta bien avanzados los años 50. Aunque vinculado a la Prensa del Movimiento, volvió la espalda a una España de ceremonias hieráticas por los caídos y favoreció su relación dinámica y personal con la «Santa Compaña» o la «hueste». ¿Escapismo? Sí, pero de puerta abierta, hacedor, como el de don Quijote, «por *rechazo* y *denuncia* quijotescos de una sociedad pragmática y materializada, destructora de la belleza y la fantasía», como ha señalado, muy bien, María del Pilar Palomo[18]. En cualquiera de sus páginas es evidente el vuelo —humorístico, osado, irresistible— de la imaginación, que para él es alma y esencia de la realidad, hasta el punto de que un personaje suyo, Paulos, de *El año del cometa, con la batalla de los cuatro reyes* (1974), muere porque «había dejado de soñar»[19]. «¿No tiene pena de la vida quien, en la larga noche, no sepa decirse un cuento?», preguntaba, a veces, Álvaro Cunqueiro[20]. Y, en sus novelas, Ulises se dirige a su mentor, Poliades: «¿Qué es mentira?», y responde éste: «Quizá todo lo que no se sueña», y el viejo Simbad, soliviantado, interpela a Alá: «¿Entraremos en el Paraíso con nuestros sueños? ¿Para qué se nos dan si no son vida?»[21].

---

[18] Angel Valbuena Prat, *Historia de la Literatura Española*, tomo VI, *Época Contemporánea*, 9.ª edición ampliada y puesta al día por María del Pilar Palomo, Barcelona, Gustavo Gili, 1983, pág. 404.

[19] *Ibídem*, pág. 403.

[20] Citado por Néstor Luján en el Prólogo a su edición de Álvaro Cunqueiro, *Fábulas y Leyendas de la Mar*, Barcelona, Tusquets Editores, 1982.

[21] Valbuena Prat, *op. cit.*, pág. 403.

El texto que he elegido pertenece a *Fábulas y Leyendas de la Mar* (1982), y el humor y sabiduría de Cunqueiro para salir al paso de obstáculos «reales» se despliegan en esas pocas páginas con naturalidad y riqueza inigualables.

Cunqueiro y Mihura no han sufrido eclipse —de los varios que pueden afectar al español que escribe—, y, si me he extendido en ellos y los demás escritores de la inmediata posguerra, es por la certeza de que, pasados diez años, lo que en otros países sería historia última, en España se vuelve prehistoria. («Y español que tal vez recitaría / Quinientos versos de Boileau y el Taso, / Puede ser que no sepa todavía / En qué lengua los hizo Garcilaso»)[22].

4

Los cuentos fabulísticos, recreativos o ideáticos —con excepciones antes y después, como siempre—, dejan de ser la tónica de la narrativa breve. Se estrelló el cántaro de la lechera y muchos no esperan otra cosa que un presente precario. Si Poe vio que «con frecuencia y en alto grado el objetivo del cuento es la verdad»[23], pocas veces fue ese objetivo más claro que en los narradores nacidos de 1915 a 1930 y, con notable intensidad, en la llamada «generación del medio siglo», la de «los niños de la Guerra», que no fueron vencedores ni vencidos (perdedores, si acaso), ni promovieron nada, como «los hombres de la Guerra». El cuento ahora «viene a cuento» y el lector «está en él», no sólo porque conoce lo que le cuentan, sino porque de él se habla y de ningún otro. Entre las características, muy consecuentes, de esos relatos —empeño ético, len-

---

[22] Jaime Fitzmaurice-Kelly, ed., *Fábulas Literarias de Tomás Iriarte,* en las Prensas de la Universidad de Oxford, 1917, págs. 40 y 41. Otros cuentistas interesantes son Jacinto Miquelarena, Enrique Jardiel Poncela, Eusebio García Luengo, Pedro de Lorenzo, Eulalia Galvarriato, José Antonio Muñoz Rojas, Ramón Carnicer, Vicente Soto, Manuel de Pedrolo, Francisco Alemán Sáinz, Arturo del Hoyo, Manuel Alonso Alcalde y Concha Lagos, cuyo único libro de cuentos, *La vida y otros sueños,* Madrid, Editora Nacional, 1969, lleva un prólogo mío.

[23] Edgar Allan Poe, *op. cit.,* pág. 323.

guaje coloquial, pasividad denunciadora en tantos personajes, testimonio social o situaciones existenciales—, quizá la más conmovedora y expresiva sea la del final abierto, que deja un regusto de melancolía y esperanza, de carencia o pérdida; es preciso cooperar con el autor, continuar cavilando o sintiendo: hacer algo. Y es obvio, por supuesto, que lo que se narra está en pie y puede repetirse; la danza sigue; el cuento no ha terminado *todavía*. Y los finales posibles *esperan*.

Pocas veces ha sido la fábula tan *apóloga*, recordativa de la que presenció Leo Frobenius en África, entre los Bena Lulua: una vieja, con fama de loca, repetía, incansable, la misma historia. Esa mujer, «el día en que la maledicencia destruyó su esperanza de pasar junto a un viejo el ocaso de su vida, prorrumpió en lamentos sobre su triste caso, relatado en forma fabulosa, como acaecido a tercera persona, repitiéndolo a todos, a partir de entonces, maniáticamente»[24]. Nuestros narradores se contaban a sí mismos, «la misma historia», en tercera persona; España, en sus cuentos, se narraba en tercera persona, con fidelidad. Gonzalo Sobejano lo apunta con singular agudeza: «Lo que define al cuento literario moderno [...], parece ser, más que ninguna otra cosa, su condición *partitiva:* su capacidad para revelar en una parte la totalidad a la que alude.» Y, puntualizando, añade: «El cuento literario moderno (no el tradicional, fundado en la *admiratio,* en la maravilla), es la sinécdoque de la novela: la parte por el todo. Escoge una parte, un aspecto, un punto, a través del cual remite a la totalidad»[25]. Tal vez se comprenda, al leer esto, por qué a Antonio Beneyto le pareció que una antología extensa de narradores podía titularse *Manifiesto Español*[26], y por qué algunos no sentíamos urgencia en escribir novela.

Quizá la España de Camilo José Cela (Iria Flavia, la Coruña,

---

[24] Citado por Ramón Menéndez Pidal en el «Estudio Preliminar» a Gonzalo Menéndez Pidal y Elisa Bernis, *Antología de Cuentos de la Literatura Universal,* 3.ª ed., Barcelona-Madrid, Lábor, 1958, pág. XXII.

[25] Gonzalo Sobejano, ed., Miguel Delibes, *La Mortaja,* Madrid, Cátedra, 1984, «Introducción», págs. 53-54.

[26] Antonio Beneyto, ed., *Manifiesto Español o una Antología de Narradores,* Barcelona, Ediciones Marte, 1973. Contiene 181 autores.

1916), y la de Miguel Delibes sean las más remotas e irreconocibles para mí, es decir, las más personales, sin que olvide, por supuesto, que un escritor no es un funcionario del Catastro, ni tiene por qué serlo. Pero tiendo a ver como «invenciones» —vocablo que usa mucho el escritor galaico—, la crueldad sempiterna que se refleja en Cela y la cargante estolidez del pueblo en Delibes. Yo cambiaría el acento de la crítica nacional a imperfecciones más evidentes, que Galdós, por ejemplo, supo ver y ahí siguen.

Cela es el escritor de la era franquista, la transición y la democracia desde *La familia de Pascual Duarte* (1942), lo cual quizá sugiere, que se propone, por encima de lo demás, escribir —en valiosísima prosa—; o sea, ser un espectador inafectado y peculiar que luego escribe. El tema de este admirable escritor sin temas es España —viajes a La Alcarria, al Guadarrama, al Pirineo de Lérida, del Miño al Bidasoa, a Ávila, a Andalucía, etc., y varias «historias» de España—, sus caminos, pueblos, costumbres y diversiones, la gente y sus dichos, su parla más familiar y en chancletas, con tendencia siempre a una sola postura. A Cela le interesa el analfabeto, el bárbaro, el mendigo, la dueña, el señorito cursi, el oficinista espeso, el escritor malo, la beata, el tonto, el ciego, el rico bruto, el verdugo, las incoloras, tísicas, dignas, caritativas damas de la provincia, el sudor, la sangre, la charanga... Creer en la vigencia española de muchas de sus páginas es, poco más o menos, considerar vigente *El médico de su honra*, de Calderón. Pero esto es sólo un aviso parcial, porque, en las mismas páginas, su oficio admirable de prosista sigue en vigor, y esas gentes, y el coloquialismo con que las presenta, totalmente recreados, nos sorprenden y divierten por su «tremendismo», más humorístico que tremendo. Cela, admirador y exégeta del pintor escritor Gutiérrez Solana, opina que no hay arte sin exageración.

Las más bellas exageraciones cortas se encuentran en sus apuntes carpetovetónicos, que no son, según él, artículos ni cuentos:

El apunte carpetovetónico pudiera ser algo así como un agridulce bosquejo, entre caricatura y aguafuerte, narrado, dibujado o pintado, de un tipo o de un trozo de vida peculiares de

25

un determinado mundo: lo que los geógrafos llaman, casi poéticamente, la España árida[27].

Así es el desolado «apunte» que recojo, donde la cuádruple bestialidad aldeana —autoridad, público, toreros y toro— rebajan la «fiesta nacional» a delincuencia común y solidaria.

Rafael García Serrano (Pamplona, 1917), periodista, combatiente del frente nacional, primer novelista de la Falange —*Eugenio o Proclamación de la Primavera* (1938)— y Premio Nacional de Literatura por una novela que fue calificada de «volteriana» y sufrió abusiva expurgación de la Jerarquía Eclesiástica —*La fiel infantería* (1943)—, madrugó como escritor de cuentos en libro con unidad temática —*Los toros de Iberia* (1944)—, adobado con cierto regodeo y desafío casticistas, bien escrito —como todos los suyos— y caro a su vitalismo —reincidiría en 1963 con *Los Sanfermines*— y al del resto de los pamplonicas. Tema, sin embargo, nada local, tratado por españoles y extranjeros desde el primer cuarto del siglo XVII.

De *El domingo por la tarde* (1962), otro de sus libros, recojo la sutil presentación de un ex famoso del fútbol, convertido ahora en balón pateado por la publicidad comercial y los ganapanes cínicos de la radio.

* * *

Sin traspasar la década de los 50, los títulos de algunos libros de cuentos podrían darnos idea aproximada de su contenido, quejoso de carencias, discrepante, o las dos cosas: *El hombre y lo demás* (1953) y *Tiempo pasado* (1956), de Jorge Campos; *Historias de la cuenca minera* (1953), de Manuel Pilares; *Cuentos con algún amor* (1954), de Medardo Fraile; *Espera de tercera clase* (1955), de Ignacio Aldecoa; *Cabeza rapada* (1958), de Jesús Fernández Santos; *Los desterrados* (1958), de Ramón Nieto. En 1958, la censura prohibió el título —*Golfos*— de un libro de Lauro Olmo, que hubo que reemplazar, entonces, por otro, inexpresivo y sin gracia: *Doce cuentos y uno más*.

27 Camilo José Cela, Prólogo a *El Gallego y su cuadrilla* Barcelona, Destino, 1955, págs. 7 y 8.

En los años 60, no son menos reveladores los títulos: *Las ataduras* (1960), de Carmen Martín Gaite; *Caballo de pica* (1961), de Ignacio Aldecoa; *A ninguna parte* (1961) de Josefina Rodríguez; *Las noches lúgubres* (1964), de Alfonso Sastre; *Cuentos de verdad* (1964), de Medardo Fraile[28]; *La guerra de los dos mil años* (1967), de Francisco García Pavón, *La rebelión humana* (1968), de Ricado Doménech. Y prescindiendo de la sugestión del título, los cuentos de *Tres en un sueño e historias de la Artámila* (1961), de Ana María Matute, son, intencionalmente, hermanos de los anteriores.

Atender primero al hombre y, luego, a lo demás; tiempo pasado, que acaso fuera mejor; espera e historias de los jornaleros; la cabeza rapada de los golfillos ciudadanos y los rapaces de aldea; los desterrados en su propio país; la desesperanza; las ataduras de toda clase; la guerra o posguerra de los dos mil años; los sufridos caballos de pica de los oficios humildes..., lo que llamaron *realismo social (realismo socialista,* en algunos), entre otras denominaciones que han desembocado en la etiqueta aséptica *generación del medio siglo,* dando evidencia de la personalidad varia, difícilmente unísona, de esos escritores. Hay que tener en cuenta, además, que su actitud no sólo responde a una toma de posición ante la situación de España, sino también a una corriente, difícilmente infiltrada, de la cultura europea del momento: *¿Qué es la Literatura?,* de Sartre, se publicó en 1948.

Junto a aquellos cuentos, evocaciones reiteradas de infancia, preocupaciones menos comunitarias, más personales —no siempre, ni necesariamente de «evasión», ni soslayando el compromiso con la Historia vivida—, engrosaron libros de gran calidad: *Cuentos de mamá* (1952), *Cuentos republicanos* (1961) y *Los liberales* (1965), de Francisco García Pavón; *Helena o el mar del verano* (1952), de Julián Ayesta; *El Bosque*

---

28 Creo conveniente aclarar que, en *El Ciervo,* Barcelona, año X, núm. 96, junio 1961, pág. 15, escribí: «Vaguedad por vaguedad, aunque sé lo que me digo, milito en *lo humano* antes que en *lo social.* Me parece más hondo, difícil y ambicioso. Lo humano es lo único que me interesa sin proponérmelo.» Podía haber dicho, con el cuentista Kazakov, que «la única tradición válida es ser honesto».

(1952), *Kikirikí Mangó* (1954) y *Una exhibición peligrosa* (1964) de Carlos Edmundo de Ory; *Primeras hojas* (1955), de Alonso Zamora Vicente; *Historias de cada día* (1957), de José Amillo: *Las afueras* (1958), de Luis Goytisolo; *Cuentos de la buena y de la mala pipa* (1960), de Manuel Pilares; *Hombre a solas* (1961), de Carlos Clarimón; *La noticia* (1958) y *El insolente* (1962), de Manuel San Martín.

5

Cela es el más conocido de la generación segunda que señala Anderson Imbert. Con los demás, ensayaré dos grupos, atendiendo a una ligera prioridad en edad y/o publicaciones.

a) Alrededor de 1950, establecen su nombre como narradores Campos, García Pavón, Ayesta y Ory. El cuento comienza a ser objeto de polémicas y atención, que redundan en la variedad de revistas (y diarios) que le dan cabida —*Ínsula, Ágora, Cuadernos Hispanoamericanos, Índice, Ateneo, La Hora, Alcalá, La Estafeta Literaria...*—, en artículos de Prensa y proliferación de premios: el prestigioso Sésamo, patrocinado por Tomás Cruz, el Leopoldo Alas, el Gabriel Miró, el Hucha de Oro...

Jorge Campos —Jorge José Renales Fernández Campos— (Madrid, 1916-1983), tras haber publicado estudios literarios y ocho libros de cuentos y novelas cortas, obtuvo el Premio Nacional de Literatura por *Tiempo pasado,* en el que describe en prosa llana, con leve humor y buen pulso narrativo, vida, calles, hechos y tipos que él conoció en Valencia; muchos de ellos, desplazados de su profesión, deambulantes, adaptándose a nuevos y humildes puestos después de la Guerra. El escritor fue recluido en el campo de concentración de Albatera hasta el 30 de abril de 1939, y «El anochecer de los suicidios» (del libro póstumo *Cuentos sobre Alicante y Albatera* —1985—), es un recuerdo trágico del comienzo inhumano de la paz; la posguerra incipiente del caos y el odio.

Los libros de Francisco García Pavón (Tomelloso, 1919), amante de su pueblo y de La Mancha, son una evocación rica, original y viva de su ciudad y las gentes que conoció allí; de su familia, niñez y adolescencia. Pero en ese mundo, dándole esperanza, inquietudes y frivolidad a la vez, penetra la crisis política española de más de medio siglo (dictadura de Primo de Rivera, Segunda República, Primavera del 39). Sus cuentos abundan en comparaciones acertadas, humanidad y gracia, y cualquier español reconoce ese mundo como cercano o suyo.

«Servandín» es uno de los prodigios que nos depara, a veces, un cuento en pocas líneas (como también ocurre con «Hombre a solas», de Carlos Clarimón, y «Ese niño gordo a quien sus padres compraron un balón», de Manuel Pilares). Según la idea mostrenca de *realidad*, «Servandín» no puede ser más real; sin embargo, palabra por palabra, frase por frase, vale por un curso de psicología, pero con emoción, además. Analizar, por ejemplo, las implicaciones en el texto de la última frase, nos llevaría a escribir varias páginas.

Libro de historias fantásticas es *La guerra de los dos mil años*, acierto todo él, desde el título a la confirmación del autor en su oficio de fabulador, en el cuento o capítulo final. Fantasía de raíz española, arropando una sátira sociopolítica a veces dura, aguda siempre, de impresionante y lujosa plasticidad.

Julián Ayesta (Gijón, 1919), diplomático, ingeniosísimo animador de las tertulias literarias de posguerra, narra en su único libro el veraneo junto al mar de un adolescente que descubre el amor; amor con alas, correspondido, inocente, vigoroso y sazonado con mitos y declinaciones griegas, verbos latinos, Historia Antigua, Platón, Aristóteles... El refinado mundo familiar, la desazón y angustia del pecado, las amistades, la incipiente lucha por la posesión, la rotundidad y el misterio de la naturaleza, la fugacidad del tiempo estival, recrean en el libro, *Helena o el mar del verano*, un paraíso transitorio, pleno de patetismo y hermosura.

Carlos Edmundo de Ory (Cádiz, 1923), benjamín de la «Juventud Creadora» y de su revista *Garcilaso*, fundador heterodoxo, con el pintor y escritor Eduardo Chicharro Briones, del «Postismo», poeta, cuentista y gaditano universal que ha establecido su «llama parlante» en Francia, pasando por el Perú, «pudiera haber nacido muy bien en Praga, como Kafka y Rilke, o

29

en la isla Mauricio, como Malcom de Chazal»[29]. O en Charleville, como Rimbaud, el gran enfermo, el gran delincuente (de la palabra), el gran maldito y el supremo sabio. Sus cuentos bordean o se zambullen gozosamente en lo ilógico, o en esas zonas que el tópico ha hecho invisibles y actúan o sufren sin que nadie lo advierta; o en la encarnación misteriosa de lo irreal. Su lenguaje se impregna, a veces, de pátina antigua (o inaugural, con invención de vocablos) y oscila entre la torpeza y la gracia que, con frecuencia, van juntas, además del humor —que no quiere serlo— y la viabilidad de dos o más lecturas del cuento.

Ory ha escrito: «Me interesa menos la belleza que la energía»[30]. En «El paquete postal», la realidad más cotidiana llega a ser absurda con naturalidad, y lo que nos queda de la historia es ese aire cargado de tensión en la buhardilla que produce, al final, el llanto oportuno, sin causa aparente, de una niña dormida.

En esos años, acogen relatos la mayoría de los diarios y revistas. Antonio Rodríguez Moñino crea, en 1953, *Revista Española,* dirigida por Aldecoa, Ferlosio y Sastre, para aglutinar y dar voz a un grupo de escritores más jóvenes. Aparecieron seis números y, en sus páginas, procedían de revistas universitarias, como *La Hora,* Ignacio Aldecoa, Josefina Rodríguez, Carmen Martín Gaite, Rafael Sánchez Ferlosio, Jesús Fernández Santos, Alfonso Sastre y Medardo Fraile. Además de éstos, colaboraron Manuel Pilares, José Luis Castillo Puche, Luis de Castresana y Juan Benet, entre otros, y dos escritores del grupo anterior: Campos y Ory. En 1950 apareció *Clavileño,* donde también se publicaban relatos.

Manuel Pilares (Pola de Lena, Oviedo, 1921) había sido minero, peón de albañil, descargador de muelle, soldado, dibujante; era ferroviario y sería guionista de cine (más de treinta guiones), además de cuentista y poeta. Las situaciones absurdas que sabe crear son tan reconocibles como sorprendentes, es decir, tan suyas como nuestras, y eso es decir bastante en li-

---

29 Del «Prefacio», de Marcel Béalu, a Carlos Edmundo de Ory, *Aerolitos,* Madrid, El Observatorio Ediciones, 1985, pág. III.

30 *Ibídem,* pág. 88.

teratura. Su protesta es básicamente humana, con un ribete de zumba terca y suave que hace inolvidable el humor de muchos de sus cuentos[31].

b) Ignacio Aldecoa (Vitoria, 1925 – Madrid, 1969) escribió diez libros de cuentos y cuatro novelas, dejando al morir una inconclusa: *Años de crisálida*. Fue escritor de gran vocación, sencillo, bueno, revoltoso en el diálogo, amigo de costumbres y de gentes humildes, mal educado en apariencia, respetuoso en realidad, con un fondo de ternura que él ocultaba —mal a veces— y el corazón bien repartido entre la familia, un perro dogo, los amigos, los libros y —como buen vasco— las cosas y gente de mar y el arte culinario. Es elevado el número de sus cuentos antológicos y, en la mayoría de ellos, con maestría, gracia y buen oído para el diálogo, describe cómo matan el hambre, qué hacían en España para seguir viviendo, las gentes humildes. «La despedida» es ejemplo único de «cuánto exilio en la presencia cabe», lema machadiano del libro donde lo incluye: *Caballo de pica.*

Saber algo de inglés, aprender inglés, era, para muchos jóvenes de los años 50 y 60, empezar a abrir la puerta de la esperanza, aunque, también para muchos, la puerta no llevara «A ninguna parte». Lauro Olmo, en su comedia *English Spoken*, tocaría, años más tarde, el mismo tema que Josefina Rodríguez (León, 1926) —o Josefina R. Aldecoa, como firma sus dos novelas recientes, espléndidas, aparecidas en un corto plazo: *La enredadera* (1984) y *Porque éramos jóvenes* (1986).

Entre los novelistas que, además, escriben cuentos, figuran Carmen Laforet (Barcelona, 1921), Carmen Martín Gaite (Salamanca, 1925), Ana María Matute (Barcelona, 1925), Jesús Fernández Santos (Madrid, 1926), Rafael Sánchez Ferlosio (Roma, 1927), Juan Benet (Madrid, 1927), Juan García Hortelano (Madrid, 1928), y otros, Alejandro Núñez Alonso, José María Gironella, José Luis Castillo Puche, Miguel Delibes, Al-

---

[31] Otros cuentistas que deben tenerse en cuenta son: Adolfo Lizón, Meliano Peraile, Antonio Pereira, José Luis Acquaroni, Manuel Derqui, Juan Pablo Ortega, Francisco Caudet, Luis de Castresana, José María de Quinto, Ramón Solís y Roberto Ruiz.

fonso Albalá, José Manuel Caballero Bonald, Alfonso Grosso, Antonio Prieto, Francisco Umbral...

Nos referíamos antes a dos historias de locos que se entrecruzan en el cuento de José María Sánchez Silva, y vale la pena subrayar el número considerable de relatos en que se explora, en estos años, el tema de la demencia o el simple desequilibrio mental, más o menos leve. Ese hombre sin prisa por salir del manicomio —en Carmen Laforet—, horrorizado de incorporarse al mundo de los cuerdos: «El regreso». La mujer entrañable de Ana María Matute que decide borrar la muerte de su hijo en «La felicidad». El viejo que, durante un mes o más, espera a diario el expreso de Andalucía donde cree, porque sí, que va a llegar su hija única: «La Espera», de José Amillo (Madrid, 1922-1972). En Jorge Campos («El loco»), Carlos Clarimón («Ha vuelto»), Medardo Fraile («Sr. Otaola, Ciencias»), Manuel San Martín («El Talud»), y un largo etcétera.

Carmen Martín Gaite es autora de dos novelas cortas, *El balneario* y *Las ataduras,* que dan título a sendos libros que contienen también cuentos. Ha publicado en conjunto unos quince relatos, varios de ellos excelentes —«La trastienda de los ojos», «Variaciones sobre un tema», «Un alto en el camino», «La Tata»...—, y los demás no menos interesantes, pero desbordados, como tales cuentos, por quehaceres más bien de novelista. Nada nos hablará más y mejor de cómo es y piensa Carmen Martín Gaite que su extraordinario libro *El cuento de nunca acabar* (1983).

A Ana María Matute le atraen los escenarios pueblerinos sórdidos, broncos. No es raro hallar en sus cuentos al *bueno* y al *malo.* El primero, pobre, humilde, sufrido. El otro, no tan pobre, endurecido, egoísta, representante de una burguesía con carrera o dinero. Matute cuenta de la abundancia de su corazón, con adjetivación abultada, romántica, muchas veces. Las criaturas que prefiere son desheredados, trabajadores trashumantes, gente humilde, pero resignada y feliz por su entrega total. Hay ternura en sus relatos de soledad e incomunicación, de amor y odio emparejados, de fantasía, en los que algo de exageración refuerza su eficacia: parcialidad cordial, bellamente ingenua (y en el buen camino).

En la novela *Los Bravos* (1954) se advierten ya rasgos peculiares de muchos cuentos de Jesús Fernández Santos. El final abierto de los relatos, lo parece más aún en este escritor. Quizá porque la mayoría de ellos arrastran desazón, desgana, desesperanza, que les hace interrumpirse de pronto como si lo venidero fuera a ser lo mismo y nadie tuviera por qué hacerse ilusiones. El diálogo —frecuente en su obra— es apoyatura de la soledad, ganas de llenar un vacío o ahuyentar el miedo, incertidumbre en voz alta, tedio, desorientación, broma. Como en el cuento «Muy lejos de Madrid», en que se funden un drama personal con el nacional de la Guerra Civil, el diálogo asoma desflecado y, más que decir, crea un estado de ánimo. En este cuento de la contienda española —presencia reiterada en las páginas de Fernández Santos— hay que valorar el superlativo del título, que expresa la magnitud de los obstáculos más que la distancia. El cuento empieza ahí.

En «Los caballos», de Jorge Ferrer-Vidal (Barcelona, 1926), sólo hay un caballo y ha muerto; los otros, son los dos campesinos —padre e hijo— que trabajaban con él. Ferrer-Vidal ha hecho traducciones, ha escrito novelas, pero, sobre todo, cuentos. Son historias que nos hacen habitar una realidad extraña (con elementos externos muy corrientes; vulgares, con frecuencia), donde, a veces, tenemos la impresión de que los límites del género se desbordan o que la verdad de coherencia disiente demasiado, improbable o innecesariamente, de la exterior al cuento. Su personalidad es, sin embargo, innegable.

Entre los poquísimos cuentos publicados por Rafael Sánchez Ferlosio, el más conocido es «Dientes, pólvora, febrero»; después «Y el corazón caliente». Soslayo el tópico recogiendo otro, más cerca de lo que viene interesándole a Ferlosio en los últimos años: «El escudo de Jotán». Tiene aroma y fuerza de parábola y un eco, apenas perceptible, del apólogo del *Libro de los Jueces* (9, 8-20). Pero aquí se trata de una ciudad pequeña del Turquestán Oriental, al norte del Kuen-Lun, junto al desierto de Gobi. Cuando el tinglado de telones y telas de la farsa se abate y la escena se vuelve tierra desnuda vemos que la «actuación» de los poderosos es siempre más real —y más trágica— que la de los débiles.

De Juan Benet ha escrito Josefina Rodríguez que es «la personalidad literaria más sofisticada del tiempo que vivimos»[32]. En su cuento «Obiter dictum» se expresa muy bien, como el autor cree, «que el espacio mítico es un complemento gemelo y contrapuesto al espacio no mítico»[33]. La logomaquia del mítico interrogador y el nada mítico señor Gavilán, acaba en combate nulo y el lector, al final, sospecha de los dos y un poco más, incluso, del representante de la Ley. El cuento tiene andadura experimental y desembarazo dialéctico, como otras muchas páginas de este escritor.

Con un libro, *Nuevas amistades* (1959), que no logró interesarme, Juan García Hortelano se acercó al éxito de *El Jarama*, publicado tres años antes. Debo añadir ahora que, a partir de su segunda novela (menos elogiada) y su primer libro de cuentos, *Gente de Madrid* (1967), García Hortelano me interesa cada vez más. «El último amor», una de sus fábulas «apólogas» y «Petición de mano», «milesia», me han tenido indeciso mucho tiempo, por el accidente mínimo de ser aquélla cuatro páginas más larga que ésta. Las dos son extraordinarias y, en ambos casos, los títulos son tópicos, pero el contenido, no.

Olmo se dio a conocer con las historias de sus «golfos de bien», Neville y Mihura simultanearon la narrativa con su dedicación teatral, Alfonso Sastre (Madrid, 1926), ya dramaturgo, ensayista y agitador número uno del teatro de posguerra, se reveló como escritor de relatos personalísimo con *Las noches lúgubres*, donde son temas obsesivos la defensa de la paz y la abolición de la tortura, en deliberado realismo *ad nauseam*, tan crudo que roza lo fantástico. Incluyo dos muestras de ese libro, en atención a la brevedad de una de ellas, «Nagasaki», cuento excepcional en diez líneas: minicuento «atómico» capaz de liberar cuatrillones de ergios. Es imposible contar más en menos. La tortura, internacionalmente prohibida, continúa aplicándose en unos setenta países y «La Santa Hermandad» —ironía en el título—, pese a su humor —«pues es verdad que el humor es una planta extraña que surge hasta en las situacio-

---

32 Josefina R. Aldecoa, ed., *Los niños de la guerra*, Madrid, Anaya, 1983, página 124.

33 Juan Benet, «Prólogo» a *Cuentos Completos*, Madrid, Alianza, 1977, 2 vols., I, pág. 8.

nes más trágicas y catastróficas»[34]— crea un ámbito degradado escalofriante de absurdidad y miseria.

6

Creo que a partir de la última generación incluida aquí, y en adelante, se da mayor tendencia a hacer novela, aunque ése no sea el caso de los pocos representados en estas páginas. ¿Por qué? Quizá pueda atribuirse al asentamiento de un nuevo utilitarismo: la novela aporta más dinero y fama. Esta simplicidad verdadera es alentada por editoriales de peso —poco heroicas, en general—, interesadas en publicar sólo cuentos *de novelistas,* como si la novela fuera salvoconducto del cuento. Tal vez lo sea *comercialmente,* pero olvidan que hoy, por razones diversas, el público es más fácil de manipular que nunca y el editor que emprenda una política divulgadora del cuento sin olvidar detalle, podría encontrar beneficios.

Desorientación, represión laberíntica interminable —como en «El anochecer de los suicidios», de Jorge Campos— aparece también en «Posguerra», de Ricardo Doménech (Murcia, 1938), alentador del cuento en *Acento cultural.* Y otro episodio amargo, más conocido, lo da Alfonso Martínez-Mena (Alhama de Murcia, 1928) en «Apenas nada», donde la miseria humana más sórdida, bien establecida, disfruta de recogida de basuras motorizada. En idéntica línea de realismo crítico o testimonial —el testimonio negativo es crítica en sí—, podemos situar el cuento, antes citado, de Jesús López Pacheco (Madrid, 1930), en que un pobre recluta del campo no encuentra su patria en el mapa de Europa, no sabe dónde está España.

Manuel San Martín (Manuel Sánchez Martín, Carbajosa de la Sierra, Salamanca, 1930 – Andorra, 1963), dejó dos libros de cuentos, dos novelas, varios artículos y una carta autobiográfica larga, interesante, bellísima, a Emilio Romero, escrita en América, que el director de *Pueblo* publicó en su periódico, del 2 al 9 de julio de 1963. San Martín fue jesuita en Salaman-

---

[34] En «Estrépito y Resplandor», de *Las noches lúgubres,* Madrid, Horizonte, 1964, pág. 241.

ca, legionario en África, administrador de carreteras en construcción en Andorra, donde vivió seis años, viajero por Europa y América, lector y vividor insaciable; un *play-boy* con el peso de la luz de Dios, que él esquivaba y sentía. «Salud y otros misterios» es el cuento de un rompecabezas vital soñado por un niño precoz que, cuando llega el momento de realizarlo, se ventea una guerra, faltan piezas y no hay más que cielo oscuro.

Escritor «social» fue desde muy joven Daniel Sueiro (Ribasar, La Coruña, 1931-Madrid, 1986) y, aunque disperso en varios menesteres de pluma, su dedicación al cuento es primordial. Relevantes son sus estudios sobre la pena de muerte, que han contribuido en España al movimiento abolicionista de la última pena, pero «El día en que subió y subió la marea» trata, con originalidad, otro tipo de pena capital de mayores alcances y no a largo plazo: la contaminación. No hay tanta diferencia entre esos ingentes residuos de basura que el mar deja en la playa y la suciedad de los pulmones o una camisa al anochecer en cualquier ciudad como Madrid.

«A finales del siglo XIX y principios del XX se dio en Asturias una escuela, una manera —o como quiera llamarse— *narrativa*, a la que pertenecen algunos de los más bellos cuentos de nuestra literatura, en cualquier época»[35]. Las cuidadas Ediciones Noega y GH, de Gijón, y varios escritores asturianos nuevos parecen hacer rebrotar con fortuna esa tradición.

Julia Ibarra (Lugo, 1923, de padres asturianos y residente en Oviedo), aparece aquí representada con uno de los acertadísimos cuentos, «Angor pectoris», de su primer libro (1983), y Luis Fernández Roces (Pumarabule, Asturias, 1935), que ha publicado antes tres novelas, con otro que podría ostentar como lema la airosa didascalia de Lope, «Un soneto me manda hacer Violante»: «Relato de noche». Creo, sinceramente, que no le hubiera importado firmarlo (ni el anterior) a Julio Cortázar, aunque es probable que no hubiera acertado a acabarlo tan bien[36].

---

[35] Mariano Baquero Goyanes, Prólogo a Julia Ibarra, *La melodramática vida de Carlota Leopolda*, Gijón, Ediciones Noega, 1983, pág. 16.

[36] Cuentistas dignos de estudio son, además, Rafael Azcona, Mauro Muñiz, Ramón Nieto, Eduardo Tijeras, Antonio Martínez Menchén, Jorge Cela Tru-

*　*　*

Deliberadamente, no he hecho distinción entre *cuento, narración* y *relato,* por razones que pedirían otro prólogo y, también, por quitar monotonía a lo escrito.

Las notas pretenden sólo orientar al estudiante, pudiendo resultar en algún caso impertinentes para el lector general. No creo que tenga que indicar, de todos modos, que mi mayor deseo es que se lean los cuentos de una vez, sin interrupciones, antes o después de consultar las notas o sin consultarlas (si no es necesario).

El libro que he utilizado con mayor frecuencia ha sido el *Diccionario de la lengua Española* de la R.A.E., Madrid, 1956, decimoctava edición, que cito con la abreviatura (DA).

He usado en casi todos los casos primeras ediciones, cuando me lo permitía el oscuro mundo del cuento, semiclandestino y arrinconado, con tiradas cortas, reediciones raras, etc.

En la bibliografía de cada autor señalaré, con un asterisco y referencia completa, los libros de donde proceden los cuentos. Sólo enumero libros de cuentos literarios e infantiles y novelas cortas (que, al publicarse, se acompañan, a veces, con algún cuento).

El interés de críticos y editoriales por el cuento de posguerra no ha estado a la altura de su importancia, ni mucho menos, y hasta, acéfalamente, se ha conspirado contra él en beneficio de otros. El lector no extrañará, pues, que la bibliografía remita con alguna frecuencia a novelas y novelistas, con tal de ofrecer datos, si no de los cuentos, al menos del autor, por escasos que sean. Los textos citados a pie de página en la Introducción no figuran en la Bibliografía, y el lector debe tenerlos en cuenta.

---

lock, Enrique Cerdán Tato, Carlos Murciano, Rodrigo Rubio, Felipe Mellizo, Antonio Beneyto, Luis Goytisolo, Rafael Conte, Baltasar Porcel, Rafael Soto Vergés, José María Sanjuán, Félix Grande, Pedro Antonio Urbina, Esther Tusquets, Pedro Crespo, José María Bermejo, Pere Gimferrer, Alfonso López Gradolí, Angel Palomino, Carlos Mellizo, Juan José Plans, Angelina Lamelas, Jesús Torbado, Eduardo Garrigues y José María Montells. *Vid.* mi reseña al libro *La Paga,* de Mauro Muñiz, en *La Estafeta Literaria,* Madrid, 13 de abril de 1963.

Prólogo a la quinta edición

Cuatro ediciones desde 1986, y reseñas en las que abunda el elogio, insinúan, al menos, que podemos poner este libro al día, corregir insatisfacciones previas y conceder algunas páginas más a esta nueva edición, lo que no significa que esta antología —ni cualquier otra—, logre ahora la perfección ideal, aunque se acerque más a ella. En el prólogo de 1986, me referí a las limitaciones de espacio que nos fueron impuestas y a la convicción de que la antología, en parte, podría haber sido distinta en otras manos, y eso lo atestiguan los nombres que figuran en las notas a pie de página —55 en total—, que constituyen una advertencia y un reconocimiento.

Críticos de relieve, como José María Martínez Cachero, Miguel García-Posada o José Luis González, entre otros, han echado de menos algunos nombres, de los cuales me parece justo atender a cinco de ellos. Tres de esos nombres, de hecho, entraron ya en el proyecto de la primera edición. Y debo aclarar que los editores y yo, hemos evitado la coincidencia innecesaria de autores con la antología de Ángeles Encinar y Anthony Percival, *Cuento Español Contemporáneo,* que ha aparecido también en «Letras Hispánicas».

Un párrafo de condolencia y recuerdo tengo que dedicar a siete escritores incluidos aquí, que han desaparecido en estos pocos años, alguno todavía joven, como Daniel Sueiro (1986); algunos amigos míos muy queridos, como Jesús Fernández Santos (1988) y Francisco García Pavón (1989), otros, en fin, no menos recordados y entrañables: Rafael García Serrano (1988), Manuel Pilares (1992), Juan García Hortelano (1992) y Juan

Benet (1993). Que para todos tenga ahora la paz el significado que no sabemos darle y el gran misterio sea luz.

En estos años también (1989) ha sido Premio Nóbel Camilo José Cela, al que, como españoles, felicitamos y damos las gracias por la parte y las páginas que nos tocan.

Los autores que incorporamos a esta edición son Tomás Borrás, Alonso Zamora Vicente, Juan Perucho, Fernando Quiñones y Andrés Berlanga.

Tomás Borrás (Madrid, 1891-1976), pombiano de perfil —en el retrato de Solana—, cronista de la Villa, escritor de cuentos (cerca de mil, según Sainz de Robles), autor y crítico de teatro, fundador, director y colaborador de periódicos, biógrafo, ensayista, poeta —los Borrases—, publicó cuentos en libro desde 1924 —quince libros durante la Posguerra—, y obtuvo el Premio Nacional de Literatura «Miguel de Cervantes» (1966) por *Historias de coral y jade*. Sin embargo, he elegido un relato que no se publicó en la Posguerra, sino en la Preguerra (1935), y lo hago por ser el cuento muy bueno y porque, el que vivió la Posguerra, puede atestiguar que la escena «republicana» que se narra es intercambiable con otra por el estilo de los años 40, sin retoques. Al que vivió aquellos años, ese cuento le evoca aquella abundancia de solares sucios, aquel perpetuo «estar en obras», aquellos albañiles gritones y a la intemperie (por dentro y por fuera), aquella desolación y penuria, crueles y egoístas, de la Posguerra. *El perro de la obra* ha sido, además, uno de los cuentos más celebrados de este escritor, que adoraba a los perros. Borrás es novelista, cuentista, escritor de mérito, pero, a menudo, desigual y, a veces, torpe. Otros cuentos suyos de calidad que recuerdo son *El niño nuevo, Los murcios, Así vivimos, Contienda de los cuatro hermanos, Cantata,* etc. Afecto al régimen de Franco —hecho que dañó su estima como escritor—, su peripecia vital y su personalidad siempre afable aparecen muy bien descritas en el libro de Dámaso Santos, *De la turba gentil... y de los nombres*[1].

Cuando Alonso Zamora Vicente (Madrid, 1916) tenía muy pocos años, había en la Sociedad de Autores más de 145.000 cuplés registrados, en las afónicas coplas callejeras se nombraba el

---

[1] Dámaso Santos, *De la turba gentil... y de los nombres,* Apuntes memoriales de la vida literaria española, Barcelona, Planeta, 1987, págs. 67 a 73.

Barranco del Lobo con temor y temblor y la calle de Toledo aún retenía mucho de lo que alabaron en ella Galdós y Mesonero Romanos. Ese ingenio popular, su afluencia comunicativa, ese drama de un pueblo, su vitalidad caótica y generosa, pasarían luego a las páginas de este narrador, no menos conocido como lingüista y crítico.

La gracia o la angustia de lo que se cuenta se humaniza en la parla de todos los días: frases hechas, modismos, proverbios, ecos de las circunstancias culturales en el habla coloquial madrileña, y aparece en sus páginas con «una ternura envolviendo la crueldad, una ironía intercalándose en lo solemne, una elegancia amparando la melancolía»[2]. Este escritor, uno de los puntales de la R. A. E. desde muy joven, ha llevado «la tenue académica» —según la acertada expresión de Perucho—, sin doncellerías ni distanciadoras torpezas, en su persona y en su obra. Su copiosa erudición, y el rigor que despliega en todo lo que hace, brotan sólo del acercamiento y de un entusiasmo que no va nunca más allá de la sonrisa, ni posa de superior o ceñudo.

De su libro *Primeras Hojas,* tan evocador y entrañable, he elegido *La primera muerte* (y podrían haber sido *Aleluyas, Pesadillas, De visita, Pascua Florida, Colegio* o *Polichinelas*), por la carga emocional de esa muerte *primerísima,* reflejada por el autor en el niño que, traído y llevado y a tientas, lo comprende todo sin entender nada, y se empecina en que su gran dolor sea el que le causaban antes y le causan ahora los zapatos. Un dolor que otros zapatos no mitigarán nunca.

Juan Perucho (Barcelona, 1920), levanta su peculiar acta notarial, en catalán y castellano, de todo lo que recuerda y sueña, lo que ve y siente, lo que inventa y lee, lo que sabe como los demás o sabe de otra manera y si sus apuntes nos dejan, a veces, con la miel en los labios, otras la evocación o la historia se empañan de una melancolía sonriente de gran belleza asomada a la fugacidad de la vida, como en *Madame d'Isbay en el Pirineo.* En sus mentiras, de real y falsa erudición, en sus apócrifos, se vela, con frecuencia, un secreto que esparce en ellas el aroma de lo innaccesible. Escribe libros «de realidades inventadas, extrañas, no

---

[2] José Manuel Caballero Bonald. Véase Bibliografía.

demostrables [...], que prueban que lo desconocido puede iluminarse a veces con el desconocido poder de la invención», como él mismo ha escrito, hablando de otra obra, en *El sagrado bosque de los monstruos*. Escritor singularísimo y prolífico, afiliado desde siempre a su propia personalidad en tiempos de gregarismo y filiaciones diversas y «obligatorias», ha levantado en sus poemas, novelas, cuentos, apuntes, crónicas de viaje, estampas, relatos, artículos, ensayos, un mundo mágico y humorístico de gran maestro, y es significativo que dedicara su novela *Les aventures del cavaller Kosmas* (1981), «A la memoria d'Alvaro Cunqueiro», su amigo y admirador admirado y gran lucubrador de fantasías, como él.

De los cuentos de Fernando Quiñones (Chiclana de la Frontera, Cádiz, 1930), al que se conocía entonces más como poeta, apunté hace bastantes años: «En Quiñones lo taurino —*La gran temporada* (1960)— parece haberse escrito queriendo pensar en otra cosa, con los dedos cruzados, y recuerda ese impresionismo andaluz perezoso, evocador, ralo, dramático, de *La oración del torero*, de Joaquín Turina»[3]. No creo ahora que fuera *ralo* su impresionismo, sino amalgamado, abundante. A la literatura de Quiñones le han ocurrido no pocas venturas desde entonces y una, excepcional, fue la presentación de su libro *El viejo país*, ganador del premio de cuentos que había instituido el diario *La Nación* de Buenos Aires, por uno de los miembros ilustres del jurado, Jorge Luis Borges que, esta vez, se aplicó a la lectura de un contemporáneo y le gustó.

Quiñones se encierra a su modo con cinqueños y, si consigue faena —*Muerte de un semidiós, Cuqui, Arcaico, El armario, El arquitecto, El Noroeste...*—, sale por la puerta grande con trofeos en las dos manos y el terno manchado y roto. Quiero decir que hay en esos cuentos estampa y drama, sabiduría y desplante, largura y riqueza, y la verborrea emplazadora y caliente de la agonía andaluza.

La emigración laboral a países europeos sobrepasó los tres millones de españoles en la década de los años 50 y, el cuento que he elegido, revela, paso a paso, el vía crucis de un matrimo-

---

3 En «Panorama del cuento contemporáneo en España», pág. 183. Véase Bibliografía.

nio de obreros andaluces en Alemania. *El armario* —esa antigualla vieja en la casa lejana que es intocable y lo encierra todo para Juani—, fue llevado al teatro por su autor con el título de *El grito* y, como tal, se representó en Madrid y en catorce ciudades más. La dirección corrió a cargo de Ángel Ruggiero. El hombre «en las últimas», al final del cuento, *está* en su pueblo andaluz, aunque esté muriéndose en Alemania.

En los cuentos *de aldea* de Andrés Berlanga (Labros, Guadalajara, 1941), asoma la oreja de la ternura por entre la crítica y el primitivismo vario que aparecen en su «relatoria» y los cuentos *de Corte* carecen de ella.

Leyendo su prosa sobria, enteriza, rica —por la justeza del vocabulario, no por recrearse en él—, se evidencia más la pobreza de lenguaje que padecemos: el *hombre medio,* de que se alimentan las estadísticas, se expresa ahora —o intenta hacerlo— con cuatrocientas palabras, la mitad de las pocas que ya usaba cuarenta años atrás. Y viene al pelo una frase dicha en un corro de niños que pretende hacer parlotear a una urraca dándole tabaco: «Si la urraca no sabe español, tanto se le importa arre que so.» (En el cuento de Berlanga, *Basilio, el de la urraca.*)

En esos relatos *del pueblo,* y en su novela *La gaznápira* (1984), los personajes llevan nombres de santos remotos, de los de reliquia falsificada y rancia; los meses del año quedan más claros relacionándolos con el santoral: por San Blas, San Juan, San Roque o San Miguel, en vez de en febrero, junio, agosto o septiembre. Y Berlanga escribe en ellos *abuelo* con minúscula y *Abuela* con mayúscula, porque, en los pueblos pequeños, se mal-llevan las casas si no hay mujer sabia, con experiencia de prole. Otra de las riquezas que se van. ¿A qué abuela se le permite representar hoy su intransferible papel o cuál de ellas lo interpreta a gusto?

Berlanga fue profesor de Periodismo, es escritor y periodista y vive el entresijo noticiero con pasión de archivo y de calle, de mentira y verdad. Si en su primera novela, *Pólvora mojada* (1972), criticó a los muchos esnobs pseudosocialistas que culebrearon entre el malestar sincero de los universitarios, en sus cuentos *de ciudad* denuncia esa nueva picaresca del establishment que consiste en emplear palabras con la intención culpable de no ser entendidos (y que tampoco entiende, a veces, el que las dice): *siner-*

43

gia, por cooperación; *incardinar,* por vincular; *pragmático,* por práctico; *actitudinal, dicotomía,* etc.; en usarlas equívoca o equivocadamente; en ponerles la máscara de la honestidad para distraer o confundir. No poco de eso aparece ya en el cuento *Españoles todos...*

Según el dicho de un personaje de Berlanga (el tío Yagüe, en su cuento *El Phantom, en el patatar),* quizá nos ocurra siempre «como a los músicos de Cimballa, que les amaneció templando».

Los cinco autores ocupan en el libro el lugar que les corresponde cronológicamente. He corregido erratas y errores en las notas y textos. He incorporado los nuevos libros de cuentos de los escritores incluidos y en la bibliografía se añaden sesenta títulos.

Bibliografía

ACQUARONI, José Luis, «Prólogo», Jorge Ferrer-Vidal, *El hombre de los pájaros,* Madrid, Espasa-Calpe, 1982.

AGUSTÍ, IGNACIO, «Rebelión y continuidad en la novelística española», *La Estafeta Literaria,* núm. 198, Madrid, 1 de agosto de 1960.

ALBALÁ, Alfonso, «Medardo Fraile: *A la luz cambian las cosas»,* Cuadernos de *Ágora,* núms. 43-45, Madrid, mayo-julio de 1960.

ALBORG, Juan Luis, *Hora Actual de la Novela Española,* Madrid, Taurus, 1958 y 1962, 2 vols.

ALBORNOZ, Aurora de, «La prosa narrativa de Alfonso Sastre», *Cuadernos para el diálogo,* XXVI, Madrid, julio de 1971.

ALLEGRA, Giovanni, «L'arte difficile (e poco coltivata) del racconto. Prose di un trentennio dello spagnolo Medardo Fraile», *Il Messaggero,* Venecia, 1 de mayo de 1985.

ALONSO, Santos, *La novela en la transición,* Madrid, Puerta del Sol, 1983.

ALVAR, Manuel, *Estudios y ensayos de literatura contemporánea,* Madrid, Gredos, 1971.

AMORÓS, Andrés, «Notas para el estudio de la novela española actual (1939-1968)», *The New Vida Hispánica,* XVI, 1, 1968.

— «Ricardo Doménech, narrador», *Cuadernos Hispanoamericanos,* núm. 231, Madrid, marzo de 1969.

ANDERSON, Farris, *Alfonso Sastre,* Nueva York, Twayne Publishers, 1971.

ANDRÉS-SUÁREZ, Irene, *Los cuentos de Ignacio Aldecoa.* Consideraciones teóricas en torno al cuento literario, Madrid, Gredos, 1986.

ARAGONÉS, Juan Emilio, «Miguel Mihura, académico», *La Estafeta Literaria,* núm 603, Madrid, 1 de enero de 1977.

Arce, Carlos, ed., *Premios «Sésamo» de Cuento,* Barcelona, Sagitario, 1975.

Asís, Dolores de, «Medardo Fraile. El cuento, oficio literario», *Eidos,* núm. 19, Madrid, 1963.

— *Última hora de la novela en España,* 2.ª ed., Madrid, Eudema Universidad, 1992.

Azancot, Leopoldo, «La melodramática vida de Carlota Leopolda», *ABC,* Sábado Cultural, Madrid, 6 de octubre de 1984.

Badosa, Enrique, «Prólogo», Lauro Olmo, *Doce cuentos y uno más,* Barcelona, col. Leopoldo Alas, Ed. Rocas, 1956.

— «Prólogo», Manuel San Martín, *La noticia,* Barcelona, col. Leopoldo Alas, Ed. Rocas, 1958.

Baquero Goyanes, Mariano, *¿Qué es el cuento?,* Buenos Aires, Columba, 1968.

— *El cuento español en el siglo XIX,* anejo L de la *Revista de Filología Española,* Madrid, 1949.

— «Los imprecisos límites del cuento», *Revista de la Universidad de Oviedo,* 1946.

Barbadillo, Francisco, «Medardo Fraile, ejemplario», *Argos,* número 2, Caracas, Universidad Simón Bolívar, 1981.

Barrero Pérez, Óscar, ed., *El cuento español, 1940-1980,* Madrid, Castalia, 1989.

— *Historia de la Literatura Española Contemporánea, 1939-1990,* Madrid, Istmo, 1992.

Basanta, Ángel, *Literatura de la Postguerra: La Narrativa,* Madrid, Cincel, 1981.

Berenguer, Ángel, ed., Lauro Olmo, *La camisa, El cuarto poder,* Madrid, Cátedra, 1984. (Introducción.)

Berlanga, Andrés, «Sobre el cuento», *Ínsula,* núm. 495, Madrid, febrero, 1988.

Bermejo, José María, «Medardo Fraile: Épica de lo cotidiano», *Nueva Estafeta,* núm. 25, Madrid, diciembre de 1980.

Blanco Aguinaga, Carlos, Rodríguez Puértoles, Julio, Zavala, Iris M., *Historia Social de la Literatura Española,* vol. III, Madrid, Castalia, 1979.

Blanco Vila, Luis, «Catorce cuentos, casi un soneto», *Ya,* Madrid, 25 de febrero de 1989.

Bleiberg, Alicia, ed., Ignacio Aldecoa, *Cuentos completos,* Madrid, Alianza Editorial, 1973 (Nota Preliminar y Bibliografía).

Bosch, Rafael, *La novela española del siglo XX. De la República a la Posgue-rra. Las generaciones novelísticas del 30 al 60,* vol. II, Nueva York, Las Américas, 1971.

Brandenberger, Erna, *Estudios sobre el cuento español contemporáneo,* Madrid, Editora Nacional, 1973.

— «Ein Meister der spanischen Kurzgeschichte», *Die Literarische «Tat»,* núm. 280, Zürich, 28 de noviembre de 1975.

— ed., *Cuentos Modernos. Moderne Spanische Erzählungen,* München, Deutscher Taschenbuch Verlag, 1993.

Buckley, Ramón, «Del realismo social al realismo dialéctico», *Ínsu-la,* núm. 326, Madrid, enero de 1974.

Burns, Adelaide, ed., *Doce cuentistas españoles de la posguerra,* Londres, George G. Harrap, 1968 (Prólogo e introducciones a los cuentos).

Caballero Bonald, José Manuel, «Fernando Quiñones, un hijo anda-luz de Baroja», *El Espectador,* Bogotá, 13 de noviembre de 1960.

— «Prólogo», Alonso Zamora Vicente, *Primeras Hojas,* Madrid, Es-pasa-Calpe, Selecciones Austral, 1985.

Cano, José Luis, «Francisco García Pavón nos habla del cuento», *Ínsula,* núms. 152-53, Madrid, julio-agosto de 1959.

— «Antonio Rodríguez Moñino y *Revista Española*», *Ínsula,* nú-mero 287, Madrid, octubre de 1970.

Castro, Américo, «El nihilismo creador de Camilo José Cela», en *Hacia Cervantes,* Madrid, Taurus, 2.ª ed., 1960.

Castellet, José María, *La hora del lector (Notas para una iniciación a la literatura narrativa de nuestros días),* Barcelona, Seix Barral, 1957.

Caudet, Francisco, «Conversación con Alfonso Sastre», *Primer Acto,* núm. 192, Madrid, enero-febrero de 1982.

Cela, Camilo José, *La obra literaria del pintor Solana,* discurso leído ante la R.A.E. el 20 de mayo de 1957 en su recepción pública, *Papeles de Son Armadans,* Madrid-Palma de Mallorca, 1957.

— «Prólogo», Alonso Zamora Vicente, *Sin levantar cabeza,* Madrid, Col Novelas y Cuentos, 1977.

Cerezales, Manuel, «Narraciones Breves», *Informaciones,* Secciones Especiales, Madrid, 30 de junio de 1961.

— «Los Cuentos de Jesús López-Pacheco», *El Mundo,* Madrid, 18 de febrero de 1990.

— «Ejemplario»», *ABC,* Madrid, 27 de mayo de 1980.

— «Lucha por la respiración», *ABC,* Mirador Literario, Madrid, 16 de mayo de 1980.

47

Cicco, Juan, «Crítica y realidad del cuento», *La Nación,* Buenos Aires, 18 de enero de 1970.

Compitello, Malcolm A., «Juan Benet and his critics», *Anales de la Novela de Postguerra,* 3, 1978.

Conte, Rafael, «Fantasía y Literatura», *Revista SP,* Madrid, 20 de noviembre de 1966.

— «Cuentos Completos. Medardo Fraile», *ABC* Cultural, Madrid, 13 de diciembre de 1991.

— «Confesiones de un escritor de cuentos», *ABC* Literario, Madrid, 26 de marzo de 1993.

Corbalán, Pablo, «Alta categoría literaria», Los libros de *El Sol,* Madrid, 20 de diciembre de 1991.

Córdoba, Santiago, «Entrevista con Edgar Neville», *ABC,* Madrid, 4 de enero de 1958.

Corrales Egea, José, *La novela española actual (Ensayo de ordenación),* Madrid, Edicusa, 1971.

Cózar, Rafael de, *Narradores andaluces,* Madrid, Legasa Literaria, 1981.

Cremer, Victoriano, «Nos han dejado solos, de F. Quiñones», *La Hora,* León, 5 de octubre de 1980.

Crescioni Neggers, Gladys, «Miguel Mihura: Iniciador del Teatro del Absurdo», *La Estafeta Literaria,* núm. 572, Madrid, 15 de septiembre de 1975.

Cuadernos hispanoamericanos, núms. 337-338 (julio-agosto de 1978); homenaje a Camilo José Cela.

Chabás, Juan, *Literatura Española Contemporánea, 1898-1950,* La Habana Cultural, 1952.

Chevalier, Marie, «Eufemismo y densidad de expresión en los cuentos de Medardo Fraile», *Cahiers de Poétique et de Poésie Ibérique et Latino américaine,* núm. 2, Université de Paris X Nanterre, Faculté des Lettres et Sciences Humaines, junio de 1976.

Davi, Hans Leopold, ed., *Spanische Erzähler der Gegenwart.* Eine Anthologie, Stuttgart, Reclam, 1968 (Vorwort).

Delibes, Miguel, «Literatura y Humor», *Hoja del Lunes,* Valladolid, 22 de junio de 1964.

Díaz, Janet W., *Ana María Matute,* Nueva York, Twayne, 1971.

Doménech, Ricardo, «Una reflexión sobre el objetivismo», *Ínsula,* núm. 180, Madrid, noviembre de 1961.

— «Sobre el cuento y sus problemas», *Lucanor,* núm. 4, Pamplona, diciembre de 1989 (Precedido de «Repertorio de los cuentos de Ricardo Doménech»).

DOMINGO, José, *La novela española del siglo XX. De la Posguerra a nuestos días,* vol. 2, Barcelona, Labor, 1973.

ENTRAMBASAGUAS, Joaquín de, en colaboración con María del Pilar Palomo, *Las mejores novelas contemporáneas,* Barcelona, Planeta, 1963-1971, vols. IX-XII.

ESTEBAN SOLER, Hipólito, «Narradores Españoles del Medio Siglo», *Miscellanea di Studi Ispanici,* Università di Pisa, 1971-1973.

Europe, revista mensual, París (enero-febrero de 1958); dedicado a «La Littérature de L'Espagne».

FERNÁNDEZ BRASO, Miguel, «Medardo Fraile», *Pueblo,* Madrid, 30 de junio de 1971.

FERNÁNDEZ-CAÑEDO, Jesús A., «Tres formas de la novela actual», *Archivum,* VII, Universidad de Oviedo, 1957.

FERNÁNDEZ SANTOS, Jesús, ed., *Siete narradores de hoy,* antología, Madrid, Taurus, 1963 (Presentación).

— «Ignacio y yo», *Ínsula,* Madrid, marzo de 1970.

— «La generación de los 50», *El País,* Madrid, 1 de mayo de 1984.

FERRER-VIDAL, Jorge, «Prólogo», Manuel Pilares, *Cuentos de la buena y de la mala pipa,* col. Leopoldo Alas, Barcelona, Ed. Rocas, 1960.

— *Confesiones de un escritor de cuentos, 1951-1993,* Pamplona, Hierbaola Ediciones, 1993.

— «Prólogo», Medardo Fraile, *A la luz cambian las cosas,* Madrid, Diptongo, 1993.

FIDDIAN, Robin, *Ignacio Aldecoa,* Boston, Twayne Publishers, 1979.

FRAILE, Medardo, «El cuento y su categoría literaria», *Informaciones,* Madrid, 22 de octubre de 1955.

— «Samuel estaba escrito», *Arriba,* Madrid, 4 de enero de 1959.

— «Panorama del cuento contemporáneo en España», *Caravelle,* 17, Toulouse, Cahiers du Monde Hispanique et Luso-Bresilien, 1971.

— «El Henares, El Jarama y un bautizo. La obra unitaria de Rafael Sánchez Ferlosio», *Revista de Occidente,* núm. 122, Madrid, mayo de 1973.

— «Guía del cuento contemporáneo en España», *Cahiers de Poétique et de Poésie ibérique et latino américaine,* núm. 2, Universidad de París (Nanterre X), junio de 1976 (El artículo de *Caravelle* corregido y ampliado).

— *Doña Berta,* núm. 5, Madrid, febrero de 1984. Antología Breve del cuento de posguerra (Presentación: «Recoger la casa por la ventana»).

— «Nachwort», Erna Brandenberger (auswahl und übersetzung) *Spanische Erzähler. Die Generation von 1914,* Munich, Deutscher Taschenbuch Verlag, 1985, dtv zweisprachig.

— «Crónica de mí mismo y alrededores», *Las Nuevas Letras,* núm. 8, Barcelona, 1988.

— «¿El resurgir del cuento?», *Ínsula,* núms. 512-513, Madrid, agosto y septiembre de 1989.

— «Los recuentos inútiles. Sobre el cuento español contemporáneo», *Atlántida,* núm. 3, Madrid, 1990.

— «El autor ante su obra. La naturalidad bien escrita», *El Sol,* Madrid, 6 de diciembre de 1991.

— «Prólogo», Pedro de Miguel, ed., *Navidad. Algunos Cuentos,* Pamplona, Hierbaola Ediciones, 1991.

GARCÍA-POSADA, Miguel, «El amor de Soledad Acosta. F. Quiñones», *ABC,* Madrid, 20 de mayo de 1989.

GARCÍA SERRANO, Rafael, «Las "novelas del 36". El tema de la guerra en nuestra literatura», *La Nueva España,* Oviedo, 3 de abril de 1955.

— «Aviso a la clientela», en *La fiel infantería,* Madrid, 4.ª ed., Sala, 1973.

GARCÍA VIÑÓ, Manuel, *Ignacio Aldecoa,* Madrid, E.P.E.S.A., 1972.

GIL CASADO, Pablo, *La novela social española,* Barcelona, Seix Barral, 1968; 1973, 2.ª ed.

GIMFERRER, Pere, «Tres heterodoxos», en *Treinta años de literatura en España,* Barcelona, Ed. Kairós, 1971.

— «Paraíso encerrado», *Destino,* Barcelona, 12 de mayo de 1973.

GÓMEZ DE LA SERNA, Gaspar, *Ensayos sobre literatura social,* Madrid, Guadarrama, 1971.

GONZÁLEZ, José Luis, «Cuento Español de Posguerra. Antología», *Rilce,* II, 2, Pamplona, Universidad de Navarra, 1986.

— *Papeles sobre el cuento español contemporáneo,* Pamplona, Hierbaola Ediciones, Col. La Letra Pequeña, Estudios, 1992.

GOÑI, Javier, «Josefina Rodríguez, testigo de una generación», *Informaciones de las Artes y las Letras,* Madrid, 23 de junio de 1983.

GOYTISOLO, Juan, *Problemas de la Novela,* Barcelona, Seix Barral, 1959.

50

GRANDE, Félix, «Instantáneas de Ory», *Cuadernos Hispanoamericanos,* núm. 178, Madrid, octubre de 1964.

— «Carlos, Carlos...», *Cuadernos Hispanoamericanos,* núm. 245, Madrid, mayo de 1790.

GUILLAMÓN, Julià, *Joan Perucho i la literatura fantàstica,* Barcelona, Edicions 62, 1989.

— «Juan Perucho, la literatura fantástica contra el realismo social», en *El relato fantástico en España e Hispanoamérica,* Madrid, Ed. Siruela, 1991.

GULLÓN, Ricardo, «Idealismo y técnica en Camilo José Cela», *Ínsula,* núm. 70, Madrid, octubre de 1952.

— «Prólogo», Ricardo Doménech, *El espacio escarlata,* Madrid, Endymion, 1989.

HIERRO, Nicolás del, «Otrosí, de Alfonso Martínez-Mena», *La Semana de Castilla-La Mancha,* Ciudad Real, 19 de febrero de 1989.

HIERRO, José, «El cuento como género literario», *Cuadernos Hispanoamericanos,* núm. 61, Madrid, enero de 1955.

IGLESIAS LAGUNA, Antonio, «El escritor Ignacio Aldecoa», *La Estafeta Literaria,* Madrid, 1 de diciembre de 1969.

— *Literatura de España día a día (1970-1971),* Madrid, Editora Nacional, 1972.

ILIE, Paul, *La novelística de Camilo José Cela,* 2.ª ed., Madrid, Gredos, 1978.

ILLANES ADARO, Graciela, *La novelística de Carmen Laforet,* Madrid, Gredos, 1971.

JIMÉNEZ MARTOS, Luis, «Unos cuentos de verdad», *Índice Literario de El Universal,* Caracas, 6 de septiembre de 1966.

JONES, Margaret W., *The Literary World of Ana María Matute,* University of Kentucky, 1970.

JURISTO, J. A., «Una antología del cuento español de Posguerra», *Ya,* Madrid, 28 de enero de 1987.

LASAGABASTER, Jesús María, *La novela de Ignacio Aldecoa. De la mímesis al símbolo,* Madrid, S.G.E.L., 1978.

LEY, Charles David, *La Costanilla de los Diablos (Memorias Literarias 1943-1952),* José Esteban, ed., Madrid, 1981.

Litoral, núms. 19-20 (abril-mayo de 1971); homenaje a Carlos Edmundo de Ory.

LIZCANO, Pablo, *La generación del 56. La Universidad contra Franco,* Barcelona, Grijalbo, 1981.

López Martínez, José, «Los premios literarios, hoy: "El Sésamo"», *La Estafeta Literaria,* núm. 576, Madrid, 15 de noviembre de 1975.

— «Los premios literarios, hoy: El "Ateneo de Valladolid", de novela corta», *La Estafeta Literaria,* núm. 596, Madrid, 15 de septiembre de 1976.

— «Los premios literarios, hoy: Certamen Internacional de cuentos "Diario Regional", de Valladolid, *La Estafeta Literaria,* número 615, Madrid, 1 de julio de 1977.

— «Los premios literarios, hoy: "Hucha de oro", de cuentos», *La Estafeta Literaria,* núm. 613, Madrid, 1 de junio de 1977.

López Rueda, José, «Los últimos cuentos de Medardo Fraile», *El Telégrafo,* Guayaquil, 9 de abril de 1961.

Lucanor, Revista del cuento literario, núm. 6, Pamplona (septiembre de 1991), ed. por José Luis Martín Nogales —en español y en inglés— y dedicado a «El cuento en España 1975-1990». Todos los números de *Lucanor,* que codirigen José Luis González y José Luis Martín Nogales, tienen un extraordinario valor para el estudioso del cuento.

Luján, Néstor, ed., Álvaro Cunqueiro, *Fábulas y Leyendas de la Mar,* Barcelona, Tusquets Editores, 1982 (Prólogo).

Lytra, Drosoula, ed., *Aproximación crítica a Ignacio Aldecoa,* Madrid, Espasa-Calpe, Selecciones Austral, 1984.

Llop, José Carlos, *La ciudad invisible,* Palma de Mallorca, Olañeta Ed., 1991.

Mainer, José Carlos, ed., *Falange y Literatura,* Textos Hispánicos Modernos, XIV, Barcelona, Labor, 1971.

— «Las revistas de la Falange», en Francisco Rico, ed., *Historia y Crítica de la Literatura Española,* VII, Barcelona, Crítica, 1984.

Martínez Cachero, José María, *Novelistas españoles de hoy,* Oviedo, S.E.U., 1945.

— *La novela española entre 1939 y 1969. Historia de una aventura,* Madrid, Castalia, 1973; nueva edición ampliada *Historia de la novela española entre 1936 y 1975,* 1979.

— «Tres libros de cuentos», *Ínsula,* núm. 492, Madrid, noviembre de 1987.

— «El cuento de nunca acabar», *Saber/Leer,* núm. 18, Madrid, octubre de 1988.

— «Prólogo», Julia Ibarra, *Cuentos de ánima trémula* (2.ª parte, páginas 187-192), Oviedo, Ed. No Venal, Alsa, 1989.

— «Todos los cuentos de Medardo Fraile», *Saber/Leer,* núm. 62, Madrid, febrero de 1993.

Martín Gaite, Carmen, «Un aviso: Ha muerto Ignacio Aldecoa», *La Estafeta Literaria,* noviembre de 1969; reimpr. en *La búsqueda de interlocutor y otras búsquedas,* Madrid, Nostromo, 1973.

— «Mucha miseria y ganas de alegría», *Diario 16,* Madrid, 9 de octubre de 1978.

Martín Nogales, José Luis, *Los cuentos de Ignacio Aldecoa,* Madrid, Cátedra, 1984.

— «Reivindicación del cuento», *Diario de Navarra,* Pamplona, 11 de marzo de 1987.

Martínez-Pereda, Fernando, «El arte de imaginar la realidad», *Leer,* núm. 50, Madrid, febrero de 1992.

Martínez Ruiz, Florencio, «Elogio y nostalgia del Premio Sésamo», *ABC,* Madrid, 7 de mayo de 1978.

— «El cuento en su plenitud», *Magisterio Español,* Madrid, 15 de febrero de 1980.

— «Otrosí, de Alfonso Martínez Mena», *ABC,* Madrid, 12 de agosto de 1989.

— «Lucha contra el murciélago y otros cuentos, de J. López-Pacheco», *ABC,* Madrid, 21 de abril de 1990.

Martínez Torrón, Diego, *La fantasía lúdica de Álvaro Cunqueiro,* Ed. do Castro, La Coruña, Sada, 1980.

Mellizo, Felipe, «Españoles, Hispanistas, Solitarios», *Pueblo,* Madrid, 7 de enero de 1969.

Merino, José María, «El cuento: narración pura», *Ínsula,* núm. 495, Madrid, febrero de 1988.

— «Género corto, pero no menor», *La Vanguardia,* Barcelona, 16 de noviembre de 1990.

Marra-López, José Ramón, «Charla con Lauro Olmo», *Ínsula,* núm. 175, Madrid, mayo de 1961.

— «Ana María Matute; Novelas y Cuentos», *Ínsula,* núm. 186, Madrid, mayo de 1962.

— «Los novelistas de la generación de 1936», *Ínsula,* núms. 224-225, Madrid, julio-agosto de 1965.

Mesa, Roberto, ed., *Jaraneros y alborotadores. Documentos sobre los sucesos*

53

estudiantiles de febrero de 1956 en la Universidad Complutense de Madrid, Madrid, Ed. Universidad Complutense, 1982.

MIGUEL, Pedro de, ed., *Navidad. Algunos cuentos,* Pamplona, Hierbaola Ediciones, 1991.

MIHURA, Miguel, *Tres sombreros de copa, La bella Dorotea, Ninette y un señor de Murcia,* Madrid, Taurus, 1965 (Con artículos de Mihura, Monleón, Torrente Ballester, Llovet, Ionesco, Doménech, W. Fernández Flórez, Tono y críticas de españoles y extranjeros).

MONTES, Cecilio, «Retorno de la literatura comprometida (Sobre *Lucha por la respiración)»*, *Nuestra Bandera,* núm. 114, Madrid, septiembre de 1982.

MORÁN, Fernando, *Novela y semidesarrollo,* Madrid, Taurus, 1971.

MUNK BENTON, Gabriele von, «El español visto por unos cuentistas de hoy», *Cuadernos,* París, agosto de 1963.

MUÑOZ CORTÉS, Manuel, «El cuento como biografía de urgencia en Medardo Fraile», *Arriba,* Madrid, 9 de agosto de 1964.

MURCIA, Juan Ignacio, «Carlos Edmundo de Ory», *Cahiers de Poétique et de Poésie ibérique et latino américaine,* núm. 2, Université de Paris X-Nanterre, junio de 1976.

NAVALES, Ana María, *Cuatro novelistas españoles. M. Delibes, I. Aldecoa, D. Sueiro, F. Umbral,* Madrid, Fundamentos, 1974.

NORA, Eugenio de, *La novela española contemporánea (1927-1960),* II$_1$ y II$_2$, Madrid, Gredos, 1962. Y *La novela española contemporánea (1939-1967),* vol. III, 2.ª ed. ampliada, Madrid, Gredos, 1962, 1971.

NÚÑEZ ALONSO, Alejandro, «Medardo Fraile: *Cuentos de Verdad»,* Cuadernos de *Ágora,* núms. 85-93, Madrid, noviembre-julio de 1963-64.

NÚÑEZ, Antonio, «Encuentro con Daniel Sueiro», *Ínsula,* núm. 235, Madrid, junio de 1966.

— «Encuentro con Francisco García Pavón», *Ínsula,* núm. 255, Madrid, febrero de 1968.

O'FAOLAIN, Sean, *Short Stories. A Study in Pleasure,* Boston, Little Brown & Co., 1961.

OLMO, Lauro, «Prólogo», Jorge Ferrer-Vidal, *Confesiones de un escritor de cuentos, 1951-1993,* Pamplona, Hierbaola Ediciones, 1993.

Operador, núm. 1 (abril de 1978); dedicado a Carlos Edmundo de Ory.

Orgaz, Manuel, «Los cuentos ejemplares de José María Sánchez Silva», *Cuadernos Hispanoamericanos,* núm. 145, enero de 1962.

Ortega, José, «Recursos artísticos de Rafael Sánchez Ferlosio en Alfanhuí», *Cuadernos Hispanoamericanos,* núm. 216, diciembre de 1968.

— «Nuevas direcciones en los novelistas españoles de la "Generación de medio siglo"», *Norte,* XIII, núms. 4-6, Amsterdam, 1972.

— *Ensayos de la novela española moderna,* Madrid, Porrúa Turanzas, 1974.

Padrós de Palacios, Esteban, «Prólogo», Jorge Ferrer-Vidal, *Sobre la piel del mundo,* Barcelona, Ed. Rocas, col. Leopoldo Alas, 1957.

Palomo, María del Pilar, «La novela española en lengua castellana (1939-1965)», en *Historia General de las Literaturas Hispánicas,* vol. VI, Barcelona, Vergara, 1967.

— «El simbolismo como desmitificación narrativa de la realidad: en torno a Sánchez Ferlosio», en Alvar, Manuel, ed., *Novela y novelistas. Reunión de Málaga, 1972,* Málaga, Instituto de Cultura de la Diputación Provincial, 1973.

— «Álvaro Cunqueiro: *Vida y fugas de Fanto Fantini della Gherardesca»,* *El comentario de textos,* II, Madrid, Castalia, 1974.

— «Medardo Fraile o el intimismo narrativo», *Crítica,* núm. 766, Madrid, junio de 1989.

Pasajes, núm. 5, Pamplona (1985). Dedicada a Juan Perucho.

Pereda, Rosa María, «Josefina Aldecoa: "La nuestra es una generación sin poder"», *El País,* Madrid, 29 de mayo de 1983.

Pont, Jaime, «Carlos Edmundo de Ory o el deseo: Del amor absoluto a lo visionario cósmico», *Cuadernos Hispanoamericanos,* números 289-290, Madrid, julio-agosto de 1974.

Porcel, Baltasar, «Entrevista con Álvaro Cunqueiro», *Destino,* Barcelona, 8 de marzo de 1969.

Prjevalinsky, Olga, *El sistema estético de Camilo José Cela,* Valencia, Castalia, 1960.

Pujol, Carlos, «Prólogo», Juan Perucho, *El Basilisco,* Madrid, Rialp, 1990.

— «Juan Perucho: el mágico prodigioso», Universidad Autónoma de Barcelona, Bellaterra, 1986.

Quiroga, Elena, *Presencia y ausencia de Álvaro Cunqueiro.* Discurso leído el 8 de abril de 1984 en su recepción pública en la R. A. E., Publicaciones de la Academia, 1984.

RICO, FRANCISCO, ed., *Historia y crítica de la literatura española:* Domingo Ynduráin, *Época contemporánea:* 1939-1980, VIII, Barcelona, Crítica, 1981.

RIDRUEJO, DIONISIO, «Año de Vísperas», *Destino,* núms. 1835 y 1836, Barcelona, 2 y 9 de diciembre de 1972.

RILEY, E. C., «Sobre el arte narrativo de Sánchez Ferlosio. Aspectos de *El Jarama»*, *Filología,* IX, 1963.

ROBERTS, Gemma, «Jesús López Pacheco: Lucha por la respiración y otros ejercicios narrativos», *Anales de la narrativa española contemporánea,* vol. 5, University of Nebraska-Lincoln, 1980.

RODRÍGUEZ, Josefina, ed., «Prólogo», Ignacio Aldecoa, *Cuentos,* Madrid, Cátedra, 1977.

RODRÍGUEZ PADRÓN, Jorge, «Medardo Fraile y el cuento español de la Post-guerra», *El Día,* Santa Cruz de Tenerife, 14 de junio de 1970.

—*Jesús Fernández Santos,* Madrid, Ministerio de Cultura, 1982.

ROGER, Isabel M., «La trampa social en los relatos de Medardo Fraile», *Revista Hispánica Moderna,* núm. 1, año XLIII, Nueva York, junio, 1990.

ROMÁ, ROSA, *Ana María Matute,* Madrid, E. P. E. S. A., 1971.

ROMERO, Luis, «Ana María Matute frente a sus personajes», *Destino,* Barcelona, 18 de julio de 1964.

ROSA, Julio M. de la, «Notas para un estudio sobre Ignacio Aldecoa», *Cuadernos Hispanoamericanos,* núm. 241, Madrid, enero de 1970.

RUBIO, Fanny, *Revistas Poéticas Españolas, 1939-1975,* Madrid, Turner, 1976.

RUBIO, RODRIGO, *Narrativa Española 1940-1970,* Madrid, E. P. E. S. A., 1970.

RUEDA, Ana, *Relatos desde el vacío,* Madrid, Orígenes, 1992.

SÁINZ DE ROBLES, Federico C., *Diccionario de la Literatura,* vol. II, Madrid, Aguilar, 1949.

— *La promoción de «El Cuento Semanal», 1907-1925,* Madrid, Espasa-Calpe, Col. Austral, 1975.

SALADRIGAS, Robert, «Monólogo con Álvaro Cunqueiro», *Destino,* núm. 1836, Barcelona, 9 de diciembre de 1972.

SÁNCHEZ LOBATO, Jesús, *Alonso Zamora Vicente,* Madrid, Ministerio de Cultura, 1982.

SANTIAGO, Michel, «Medardo Fraile. Los ojos del cuento», *El Uroga-llo,* Madrid, enero-febrero, 1992.

SANTOS, Dámaso, *Generaciones juntas,* Madrid, Bullón, 1962.

— «Prólogo», Alfonso Martínez-Mena, *Antifiguraciones,* Col. Novelas y Cuentos, Madrid, Magisterio Español, 1977.

SARRIAS, Cristóbal, «Cuentos de otras latitudes, de J. Ferrer-Vidal», *Vida Nueva,* Madrid, diciembre, 1987.

SASTRE, Alfonso, «El abominable método de las generaciones», *El País,* Madrid, 31 de mayo de 1984.

SANZ VILLANUEVA, Santos, *Historia de la novela social española (1942-1975),* 2 vols. Madrid, Alhambra, 1980.

SÉNABRE, Ricardo, «La obra narrativa de Ignacio Aldecoa», *Papeles de Son Armadans,* núm. 166, Madrid-Palma de Mallorca, enero de 1970.

SOBEJANO, Gonzalo, *Novela española de nuestro tiempo,* Madrid, Prensa Española, 1975, 2.ª ed.

— y KELLER, Gary D., eds., *Cuentos Españoles Concertados. De Clarín a Benet,* Nueva York Harcourt Brace Jovanovich, 1975 (Estudio Preliminar).

SOLANO, Francisco, «Perduración de un género», *El Sol,* Madrid, 3 de diciembre, 1991.

SOLDEVILLA DURANTE, Ignacio, *La novela desde 1936,* Madrid, Alhambra, 1980.

SPIRES ROBERT C., *La novela española de Posguerra,* Madrid, Cupsa, 1978.

SUÁREZ SOLÍS, Sara, *El léxico de Camilo José Cela,* Madrid, Alfaguara, 1969.

The Texas Quarterly, IV (Spring 1961), Image of Spain.

TIJERAS, Eduardo (ed.), *Ultimos Rumbos del Cuento Español,* Buenos Aires, Columba, 1969. (Introducción de 103 págs.)

— «Noticia sobre la colección Leopoldo Alas», *Cuadernos Hispanoa-mericanos,* núm. 115, Madrid, julio de 1959.

— «Segunda noticia sobre la Colección Leopoldo Alas», *Cuadernos Hispanoamericanos,* núm. 125, Madrid, mayo de 1960.

TORRENTE BALLESTER, Gonzalo, *Panorama de la Literatura Española Contemporánea,* Madrid, Guadarrama, 1956.

TOVAR, Antonio, «Escritor, ser sensible», *Gaceta Ilustrada,* Madrid, 1 de junio de 1980.

Triunfo, núm. 507, Madrid, junio de 1972; dedicado a «la cultura en la España del siglo xx».

Umbral, Francisco, «Un profesor español», *El Norte de Castilla,* Valladolid, 11 de abril de 1970.

— «Medardo Fraile entre los hippies». *La Estafeta Literaria,* número 443. Madrid, 1 de mayo de 1970.

— *La noche que llegué al café Gijón,* Barcelona, Destino, 1978.

Uriz, Francisco J., *España Cuenta,* Madrid, Edelsa/Edi 6, 1990.

Valls, Fernando, «Introducción», Juan Perucho, *Rosas, diablos y sonrisas,* Madrid, Espasa-Calpe, Col. Austral, 1990.

Varios Autores, *Ignacio Aldecoa. A collection of Critical essays,* University of Wyoming, 1977.

Varios Autores, *Antología* (desde 1967) *del premio «Hucha de Oro». Los mejores cuentos.* Varios volúmenes, col. Novelas y cuentos, Madrid, Magisterio español, desde 1969.

Varios Autores, *Novela española actual,* Fundación March, 1976.

Varios Autores, *From Fiction to Metafiction,* Essays in Honour of Carmen Martín Gaite, University of Nebraska, 1983.

Varios Autores, *Ínsula,* núm. 496, Madrid, marzo, 1988.

Varios Autores, «La situación de las letras españolas. El cuento», *República de las Letras,* núm. 22, Madrid, julio, 1988.

Vázquez Dodero, José Luis, «Novelistas Españoles de Hoy (Datos para un padrón)», *Nuestro Tiempo,* Madrid, núm. 19, enero de 1956; núm. 21, marzo de 1956; núm. de 28 de octubre, 1956.

— «Introduction au roman espagnol d'aujourd'hui», *La Table Ronde,* París, núm. 145, 1960.

Vázquez Zamora, Rafael, «Narraciones breves: Carlos Clarimón, *Hombre a solas», Destino,* núm. 1251, Barcelona, 29 de julio de 1961.

Vega Pico, Juan, Madrid, Col. Narradores de Hoy, Ediciones Puerta del Sol, 1960. «Prólogo» a *Premios «Sésamo». Cuentos 1956-59,*

Vega Picó, Juan, «Prólogo» a *Premios «Sésamo». Cuentos 1956-59,* Madrid, Col. Narradores de Hoy, Ediciones Puerta del Sol, 1960.

Villán, Javier, «Carmen Martín Gaite habitando en el tiempo», *La Estafeta Literaria,* núm. 549, Madrid, 1 de octubre de 1974.

Villanueva, Darío, *El Jarama, de Sánchez Ferlosio. Su estructura y significado,* Santiago de Compostela, Universidad, 1973.

— *Estructura y tiempo reducido en la novela,* Valencia, Bello, 1977.

Wood, Guy H., «Los relatos de E. Hemingway y F. Quiñones», *Actas de las Primeras Jornadas sobre Literatura Gaditana,* Universidad y Diputación de Cádiz, 1989.

YNDURÁIN, Francisco, «Novelas y novelistas españoles, 1936-
    1952», *Rivista di Letterature Moderne,* Florencia, enero-marzo
    de 1952.

ZAMORA VICENTE, Alonso, *Camilo José Cela (Acercamiento a un escritor),*
    Madrid, Gredos, 1962.

Cuento español de Posguerra
Antología

Tomás Borrás*

El perro de la obra

No se daba cuenta de cómo ocurrió. El perrito chillaba, agitándose en el estercolero. La luz cruda le hería los ojos. ¿Qué fue de aquel calor aterciopelado? ¿Y de aquel néctar, azúcar líquido, que le llenaba el estómago, amodorrándole? No le encontraba ya pronto a su boca. El perrillo, arrastrándose por la basura, todo lo rozaba con el hocico, husmeando, con olfato ávido. Sólo tropiezos con cosas frías: latas de tomate despanzurradas, puñales de vidrios, paja podrida, astillas, rebuños[1] de papel, fango. No se daba cuenta de cómo ocurrió; pero estaba allí, desesperado, perdido. Sosteniéndose sobre sus patas débiles —a veces caía de costado—, se fue unos metros más allá del estercolero y encontró un pingajo de carne. Estaba a punto de desfallecer, y aquel manjar, triturado a medias con las encías, calmó el agudo dolor de su estómago. En sus exploraciones dio con un charco. Saciada también la sed, el perrito, después de hocicar una pulga molesta, se sentó sobre sus patas y se puso a contemplar la vida.

---

* *Casi verdad, casi mentira,* Madrid, 1935; *Noveletas,* 1924; *Sueños con los ojos abiertos,* 1929; *Las vacaciones de cinco presos,* 1937; *Unos, otros y fantasmas,* 1940; *Diez risas y mil sonrisas,* 1941; *Cuentos con cielo,* 1943; *Buenhumorismo,* 1945; *La cajita de asombros,* 1946; *Cuentacuentos,* 1948; *Antología de los Borrases,* 1950; *Azul contra gris,* 1951; *Algo de la espina y algo de la flor,* 1954; *Pase usted, Fantasía,* 1956; *Yo, tú, ella,* 1958; *Circo secreto,* 1959; *Rueda de colores,* 1962; *Trébol, diamante, corazón y pica,* 1964; *Historias de coral y de jade,* 1966.
[1] *Rebuño:* Rebujo, envoltorio u otra cosa de forma parecida.

La vida era un desfiladero de asfalto entre casas altísimas. El animal fue de un lado para otro sin encontrar más que las superficies lisas de las paredes. Estaba tan lejos el final de la avenida —quizás allí hubiese algo que comer—, que no se decidió a emprender el camino. Arrimado al zócalo, descansada el hambre en bostezos, persiguiendo alegre alguna mosca —no lo podía remediar, era un niño—, se le pasó el día. Por la noche, débil y con miedo, clamó con agudos gemidos. Nadie le hizo caso.

Llevaba dos días en ronda, vagabundo, cuando hizo el primer descubrimiento: la ventana de un sótano. Por allí salía tufillo a cocina, aroma que le envolvió, cálido y sustancioso. La boca se le hizo agua; masticaba el olor y se agrandaba su hambre. Aulló con ahínco, desesperado. Otro perro, desde el interior, le contestó agresivo, furioso. Sus ladridos fueron secundados por innumerables perros que se asomaban, uno a cada ventana, el belfo trémulo, los colmillos al aire. Aquél fue su segundo descubrimiento.

—En cada habitación hay un perro —se dijo—. Estas casas están hechas para nosotros. Guisan dentro comida de la que nos gusta. ¿Cómo me proporcionaría una casa de éstas?

Sintióse elevado por una mano ruda. Dos voces de tono gordo, que cortaban las sílabas con navaja popular, interrumpieron sus reflexiones:

—Es muy majete. Miálo.

—Es un tuso[2].

—¡Si no le quió pa la exposición canina!

El perrito se enarcó cuando la mano rasposa le acariciaba, recorriendo el lomo. Fue introducido en el bolsillo de una chaqueta, y así le transportaron. El bolsillo olía a tabaco; estornudaba y, sin saber qué hacer, gañía[3].

—Tié mimos.

—Ya se le pasarán.

Las dos voces carraspeaban, y la mano áspera obligó al perro a meter la cabeza. Se durmió. Seguía dormido, cuando le dejaron en el suelo.

---

2 *Tuso:* Perro callejero, sin raza. Se usa como interjección para espantarlo o llamarlo.

3 *Gañir:* Aullar el perro cuando le maltratan. Quejarse un animal.

—Te digo que es un tuso. No tié raza.

—Bueno, ¿y qué? Hará su papel en la obra.

Le ataron por el cuello con una cuerda de esparto; el otro extremo de la soga estaba apresado por tres «manos» de ladrillos[4]. El perro podía describir alrededor una circunferencia de pocos metros.

Los dos hombres se sentaron sobre espuertas y se pusieron a comer. El perro devoró con ansia pedazos de pan y embutido. Luego bebió, en un cubo, agua que sabía a cal. Golpeaban cerca un trozo de hierro. Uno de los hombres se fue. El otro se echó a dormir. El perro se tumbó a su lado y le lamía la manota áspera.

Por la noche, después de terminar lo que le dejaron en una tartera, se vio libre: le quitó el hombre la tomiza[5]. El perro, sacudiéndose el escozor del cuello, hizo un viaje por los lugares adonde había sido conducido.

Su alegría fue estruendosa. Aquello era un edificio en construcción. Saltó los montones de yeso, metió las patas en la lechada[6], se revolcó en la arena, hizo equilibrios al pasar por las vigas de hierro, convulso de júbilo, voltejeando el rabo. ¡Le estaban haciendo una casa! Una casa como las que tenían otros perros: futuro olor a comida bien guisada, ventanas para asomarse a la calle. Mucha envidia les tuvo y mucho odio cuando, al oírle gemir de hambre, aparecían foscos a hacerle frente. Sus ladridos egoístas advertían al que entendía su lenguaje:

—¡Perro, perro!

Es decir, que allí estaba ocupada la habitación.

—¡Perro, perro! —exclamó él en sus ladridos al primer ruido que oyó. Aquella casa era la suya, y ahora prohibía el paso a los posibles intrusos.

*

---

[4] *Una mano de ladrillos:* Número variable de ladrillos factible de ser acarreado por un hombre con las dos manos.

[5] *Tomiza:* Soguilla de esparto.

[6] *Lechada:* Masa fina de cal, yeso o argamasa, usada para blanquear paredes y para unir piedras o hiladas de ladrillo.

Un año tardaron en concluir la edificación. El guarda seguía llamándole «¡Tuso!», y dándole de comer mendrugos, garbanzos y pellejos de longaniza. Por el día estaba atado a la puerta, sobre un montón de virutas. De noche le soltaban y el perro recorría la mansión que le estaban preparando.

—No comprendo por qué hacen tantas habitaciones para mí solo. En esta pondré los huesos; esta otra para dormir la siesta; aquí me echaré junto a la lumbre, en invierno; el pasillo, para perseguir a los gatos; la terraza, para jugar con los gorriones.

Pero le sobraban cuartos en cada uno de los pisos.

—Serán para la perra y las crías. ¡Ah! Los hombres que me dan de comer vivirán también aquí.

Como suprema felicidad se le ocurrió que una de las estancias quizás fuese para almacenar cortezas de queso.

El perro era ya grandote, fuerte, desgalichado. Cuando el viento le traía el olor de un semejante, daba un brinco hasta la puerta de la valla y se ponía a ladrar con todas sus fuerzas:

—¡Perro, perro!

Algunas veces otros canes famélicos, de mirada amarilla y gesto sumiso, se le aproximaban lentos, vergonzantes, mendigándole.

—¡Perro, perro! —se desgañitaba él, indignado, dispuesto a no dejarse arrebatar su casa.

Los chuchos, después de detenerse un momento callados y humildes, se iban a medio trote, volviendo la cabeza, jadeantes de camino sin reposo, heridos por las dentelladas de los afortunados.

*

Un día se marcharon los obreros. El guarda, en vez de sujetarle con la soga, le gritó:

—¡Tuso!

Y le señalaba la calle. El perro movió el rabo y el guarda le pegó un ladrillazo en las ancas. Corría, huía, perseguido por la pedrea; hasta la noche no se atrevió a volver. La casa estaba cerrada.

El día siguiente fue de trajín en el edificio que le habían hecho. Entraban y salían, instalando muebles, hombres desconocidos. El perro, desde la acera de enfrente, esperó con paciencia que terminasen. Al oscurecer, la casa se iluminó. El corazón del perro palpitaba. De la ventana del sótano salía tufillo a comida. Satisfechísimo, entróse por el portal. Desde allí subió sobre la alfombra mullida. Las puertas de las estancias, abiertas, dejaban ver lo acogedor de los hogares, los rincones en sombra tenue, el almohadón sobre el cual iba a enroscarse para reposar.

—¡Perro, perro!

Salía uno de cada piso a ladrarle, a impedir que ocupase su puesto. ¿Se habían adelantado? ¡Eso era un despojo! Aquella casa la construyeron para él; estuvo un año sufriendo los trabajos, la intemperie, la escasa ración; él cuidó que ningún otro tuso se introdujera en su dominios.

—¡Perro, perro! —le gritaban.

No le parecían perros. No eran como los que lucharon con él en la calle. Parecían animales extraños: minúsculos, bolas de pelo, fisonomías alargadas hasta lo deforme, o de hocicos aplastados. No tenían el olor consabido. Ladraban, eso sí:

—¡Perro, perro!

Todos los pisos tenían su habitante. Quedóse quieto, desconcertado, sin saber qué hacer, sin atreverse a desafiarlos para conquistar su derecho a la felicidad, para reconquistar su paraíso.

El portero acudió al escándalo de tanto ladrar y ladrar.

—Es el perro que guardaba la obra —dijo.

Quitóse el cinturón, y le dio de zurriagazos.

—¡Fuera de aquí!

El perro, aullando de dolor, se fue escaleras abajo. En el portal le alcanzó el último golpe.

—¡Largo!

La portera comentaba:

—¡Mi madre, qué chucho más asqueroso!

Corrió despavorido hasta que no pudo más. Se detuvo lleno de baba, tragando con ansia el aire, desencajada la lengua.

La noche en serenidad, el aire de calor dulce. El perro se tendió junto a una boca de riego, después de beber. Con el hocico entre las patas miraba, a la claridad de los faroles, cómo cruzaban por la calle aquellas sombras apresuradas e indiferentes, que eran los hombres. Comprendió que hay un oficio, el de perro de obra; lo que se edifica no es para él. Enfrente, hecha con tablo-

67

nes mal clavados, había una valla. El perro se acercó con gesto sumiso, lento, vergonzante.

—¡Perro, perro!

Ya había otro allí. Le ladraba frenéticamente, dispuesto a no dejarse arrebatar la plaza, como antes había hecho él. El perro, después de detenerse un momento para mirar «su casa», agachó la cabeza con amargura y se fué a buscar, de obra en obra, dónde encontrar trabajo.

Rafael Sánchez Mazas*

Lance del pretendiente Orosio Frutos[1]

—Orosio, hijo, en mal punto viniste, que me sacaron la muela a mediodía y estoy como tonta.

—Eso, pronto pasa. Siete me quité yo en una tarde. Y que bien sanas eran.

—Alguna borricada tuya.

—¡Cosas de mozo, tía! Por ponérmelas de oro. Por ir a presumir en ferias.

—Sí que llamarían allá la atención.

—Pues ve ahí. El que lo tiene lo gasta[2].

—Bambolla no te ha de faltar.

—Y que las llevo como siete soles. Hasta el cepillo me compré en la farmacia. ¡Por lucirlas! En este mundo, tía, todo es el lucimiento.

—Cállate, bobo. Más te valiera una de las tuyas que las siete falsas.

---

* *Cuatro lances de boda,* Montaner y Simón, Barcelona, 1951; *Las aguas de Arboleda y otras cuestiones,* 1956.

[1] Sánchez Mazas fechó este cuento en *Coria. La Feria de San Pedro, 1945.* Hay en él expresiones del habla extremeña, como la interrogativa *¿lo qué?,* por ¿el qué?, el empleo arcaizante de posesivo con artículo: *con el su permiso de usted, para la mi señora* (con el permiso de usted, con su permiso; para mi señora, para la señora), y rasgos, más extendidos, del castellano vulgar y rural, como *riquismos,* por pérdida de vocal postónica: riquísimos. Castellanizaré o aclararé en nota algunas expresiones.

[2] *Pues ve ahí. El que lo tiene lo gasta:* Ya ve usted. El que tiene dinero lo gasta.

—Sí, sí. En cuanto subo al tren y me las ven, me toman por un personaje.

—¡Quita para allá, hombre! ¡Quita para allá! Pues, ¿y con las gafas? ¡Qué raro te me haces con las gafas, Orosio!

—Hay que llevarlas, tía. Hay que llevarlas. O se es, o no se es.

—Pero ¿has perdido vista de veras?

—¿Y qué he de perder? A mí lo que me sobra es vista. Y pesquis[3].

—Pues ¿y entonces?

—¡Toma! ¡Por vestir! Siempre serán el mejor adorno de la persona de cultura. Lo que es, en eso, tía, no hay quien las mueva.

—Pues ¡hala, hijo! ¿Qué te voy a decir? ¡Duro con ellas y adelante con los faroles![4]

—Ya lo decía mi pobrecita madre: «Quien dijo gafas, dijo ciencia.»

—Y tú te lo creíste.

—¿Qué no? Mire usted aquí mismo. Todos los que han salido a ver mundo, ¡paf!, todos con gafas. Y voy yo por ahí, por la sierra, y de seguida todos a preguntarme: «¿Y qué? ¿también usted estuvo por las Américas? ¿Y en la Facultad? ¿Y en Madrid?» Eso se pregunta al hombre de gafas. Y, con eso, tía, uno se ahueca, uno se engrandece. Pues, ¿y qué duda coge?[5]

—A ti, en todo te da por lo grande.

—Diga usted que sí, tía. Diga usted que sí. Y que hoy la traigo a usted un cesto de ciruela claudia como para un obispo.

—Echa para acá, a ver.

—Vele aquí, que se hace la boca agua sólo mirarle. Pruebe una, tía.

—¡Ay, Orosio! ¡Pero qué riquismas!

—Usted coma, tía.

—Lo que es contigo, en esta casa, ya no se compra fruta. ¿No fue el miércoles, que mandaste al Silverio con los melocotones?

---

[3] *pesquis:* cacumen: agudeza, perspicacia (DA).

[4] *¡Duro con ellas y adelante con los faroles!:* Continúa con las gafas y con la bambolla.

[5] *¿y qué duda coge?:* ¿y qué duda cabe?

—¡Y aún ha de catar usted los moscateles! Aquello del Pedrizo es un alabar a Dios, un Aranjuez[6], un paraíso terrenal.

—Y que lo digas, hijo.

—Ande. Cómase usted otra cirolita. ¡Esta! ¡Que sí! ¡Esta! Yo mismo se la pongo en la boca. Esto no daña.

—¡Orosio! ¡Orosio! ¡Pero qué frutal tienes! Y que te metes al bolsillo buenos miles de duros con el tren frutero.

—Ande, coma. Lo mejor para el gobierno del vientre, fruta de hueso. Ya lo dijo mi agüela. ¿Y no quiere otra?

—¡Ay, basta, Orosio!

—Pues todo esto y más que yo tuviere para que se lo papen a mi salud[7], usted y la Ricarda. ¿He dicho bien, tía?

—Has dicho de perlas[8]. Tú siempre tan cumplido.

—¿Y mi prima Ricarda? ¿A dónde está mi prima?

—Luego la verás, hombre, que ha ido a las Madres. Y agradecerá mucho tu fineza.

—Lo sabe usted, que gusto de ser fino. Ni me va el ser de pueblo. Más me cuadran las capitales con esta figura.

—Sí que vienes hoy muy bien vestido.

—Usted se fije, tía. Hasta bastón y guantes traigo. No me falta detalle. Un paquete.

—¿Y viniste así con la ciruela?

—¿Qué hacer? ¿Quién la iba a traer viniendo yo?

—Hijo. ¡Como tan elegante vas!

—Véame usted. Un guante puesto. El otro se tiene así, cogido, en la visita. De esto, sé yo bien.

—Y el sombrero. ¿No te le quitas? Vendrás muy bien peinado.

—Vengo superior. Pero mi padrino me ha dicho que no me descubra. Que con estas calores, si entro del sol al fresco, me podría enfermar de la cabeza. Y usted, tía, ¿qué dice a eso? ¿Me enfermaré? ¿Y si cojo un relente?

—Llevas ya un rato regular, hijito, y no creo yo que te enfermes.

---

[6] *Aranjuez* (Madrid), en la vega del Tajo, es famosa por sus jardines y su huerta, especialmente de fresa, fresón y espárrago blanco.

[7] *para que se lo papen a mi salud*: para que se lo coman a mi salud.

[8] *de perlas*: perfectamente, de molde (DA).

72

—Entonces, me descubro con el su permiso de usted, tía. ¿Y qué le parezco?

—¡Muchacho! ¡Qué raya tan derecha! ¡Qué ondulación! ¡Qué cocas![9]. ¡Vaya que estás bien guapo, Orosio!

—¡El «pollo fruta»![10]. Y que vengo hoy de estreno, pero que de pies a cabeza. Hasta el calzoncillo y la elástica[11], en seda natural. ¡Bien curioso voy!

—A pollo de moda y a bien puesto nadie te ganará.

—Ni a limpio. No me gusta a mí la guarrería. Y que si vengo, tal como hoy, del Pedrizo a Navalmelgar para una visita, pues, antes de salir, ya se sabe. ¡Al tinajón! ¡Paf! ¡Hala, a bañarse! Y a echarse perfume. Y si son las fiestas de la Santísima Virgen del Moral, pues a bañarse. ¡Hala! Y a echarse perfume. Sin rechistar. El día de mi santo onomástico[12]: lo mismo. Pascuas y Carnavales: lo mismo. Noches de baile y de teatro: lo mismo. ¡A bañarse y a perfumarse! No bajarán de treinta y cinco los baños de limpieza y placer que me tomo anualmente. Y eso, sin contar pediluvios, y baños de asiento medicinal, que me recetó don Hipólito, y hasta de mostaza y vinagre.

—Pues, ¿y qué tuviste?

—El exceso de idea, tía. El hervor del cacumen. ¡Cosa seria! ¡Que me mato a pensar!

—¿Y tanto te desgastas del cerebro?

—¡Pero y mucho! ¡Una consumición! La sobra del talento, que me va a changar la cebolleta[13]. Vamos, que, mentalmente, soy como aquel que dice, un pensador. Un intelectual.

—¿Qué me dices?

—¡Lo que usted oye, tía! ¡El talento! ¡Esa es mi cruz!

—Todos hemos de llevar alguna, Orosio, y si Dios Nuestro Señor te hizo tan listo, habrás de sufrirlo y resignarte.

---

[9] *coca:* cada una de las dos porciones en que suelen dividir el cabello las mujeres, dejando más o menos descubierta la frente y sujetándole por detrás de las orejas (DA).

[10] *«pollo fruta»:* el joven en sazón, sin faltarle detalle.

[11] *la elástica:* prenda interior de punto, con mangas o sin ellas, que se usa para abrigar el cuerpo (DA). Camiseta.

[12] *mi santo onomástico,* redundancia humorística: el día de mi santo o el día de mi onomástica.

[13] *changar la cebolleta:* trastornar la cabeza.

—¡Más que Lepe![14]. Y muy cavilador. Hasta lo profundo.

—¡Pero, muchacho! ¿A qué cavilas? ¡Si todo te sale a ti a pedir de boca!

—¡Me sale! Me sale, sí, porque cavilo. Sin mí, todo se echaría a rodar. Yo soy como el freno.

—Pero, ¡si lo lleva todo tu padrino! ¡Todo! ¡Hasta la firma!

—¡Lo lleva! ¡Lo lleva! Según y conforme. Él, pues, a su cosa: mucho hacer cuentas; mucho triquitraca con la máquina de escribir. Pero, ¿y la idea? ¿De quién es la idea? ¿Y el ten con ten?[15]. ¿Y la pauta? ¿Quién ha de darla? Pues, ¿y la compaginación de todo aquello? El asunto de la fruta, tía, es de mucha responsabilidad.

—Pues, ¿sabes lo que dicen?

—¿Lo qué?

—Pues que te buscas otros rompecabezas y que por lo del capital, bien descansado vives.

—¿Y quién dijo eso? ¿Usted lo cree? ¿Usted lo sabe, tía?

—Yo ni entro ni salgo. Allá penas.

—¿Y, qué más han dicho?

—Pues, que andas muy arrebatado. Que no se hace carrera contigo. Y que con treinta y tantos años, que tienes, bien podrías sentar la cabeza.

—¡En eso estamos! Y a eso vengo, ¡que me quiero casar, tía!

—¿Y con quién?

—Pues, que la quiero sacar a la Ricarda de esta pobreza. Eso le digo.

—¡Por ahí habías de acabar! Pero mira lo que te digo yo, hijo. Ni la Ricarda está para ti, ni sabes tú lo que te dices.

—¡Y no lo he de saber! ¡Lo saben las piedras! ¡Que usted, tía, es muy loca! ¡Que aquí no se administra, y donde se saca y no se mete se llega al hondón!

---

[14] *Más que Lepe:* ser más listo o saber más que Lepe. Proverbio. Ser muy perspicaz y advertido. Dícese por alusión a don Pedro de Lepe, obispo de Calahorra y La Calzada y autor de un libro titulado *Catecismo Católico* (DA).

[15] *ten con ten:* tiento, moderación, contemporarización (DA).

—Y a ti, ¿quién te dio vela en este entierro? ¿Qué tiene que hacer la administración con que tú la pretendas y ella te acepte? ¿Te han de quitar los mocos en tu casa y quieres arreglar la ajena? A ti te han engañado, Orosio.

—¿A mí? ¡Como si no lo he visto! En esta casa mucho hacer flores de papel, mucho tocar el piano, mucho convite a vino y dulces, mucho lucir la cinturita. Y, siempre, cuentas por pagar y las hipotecas hasta el cuello. Y la olla, ¿qué? Hasta hambre están pasando aquí. No puedo verlo. Quiero que coman, tía.

—Pues nada, hijo. Ya nos bajó, contigo, el redentor del monte. Contigo, a freír churros, a merendar huevos, a asar pollos y a partir jamones. Pero, y tú, ¿no te mantienes ahora de verdura y agua?

—Y el té. Y la fruta. Y el ajo crudo. Y, de noche, la tila. El sistema inglés.

—Bien está para ti. Todo hierba.

—¡Toma! El que se cura, dura. Pero eso vegetal es por el otoño. Para la purgación de la sangre. En cuanto me casara, otra cosa sería.

—Oye, Orosio. Y antes de venir a esta casa con tu pretensión, ¿no consultaste a tu padrino?

—¡Que no! ¡Que no! Ese no quiere. Ni oírlo.

—¿Y eso?

—Pues ve ahí. Porque él es opuesto. El Silverio es el que me ayuda. Ese, sí. Y le dije yo esta mañana: «¡Silverio! El tiempo se me está pasando y he de casarme este año mismo que rondo ya los treinta y seis. Bajo, con el correo de la una, de aquí dos horas, para Navalmelgar. Y no pasa de hoy lo de pedir a la Ricarda. ¿Qué te parece?» «Anda, corre —me dijo—, que ya cogen el cielo con las manos aquella gente [16]. De aquí tres meses, el procurador te lo dice, las embargan y se han de ver la Luisa y la Ricarda con la boca al viento. Contigo, se ponen las botas en esa casa y te han de recibir bajo palio.» Eso dijo él.

—Y aquí estás tú ya, calabaza. Bien dicen muchos, que tu

---

[16] *que ya cogen el cielo con las manos aquella gente:* que su situación económica es desesperada.

padrino ni te debía dejar suelto. ¡Pues buena nos ha caído aquí! A ver si te pones ahora furioso y quieres raptar a la Ricarda con escaleras, como a la sobrinilla del alcalde. ¡Más tontadas has hecho y dicho, bocota, sandío[17], pan mal cocido, que pelos tienes en la cabeza!

—¿El qué? Bueno. ¿Que me critican el carácter alegre? ¿Que soy algo bromista? Eso me pierde a mí, que doy siempre que hablar con este buen humor y las ocurrencias que tengo. Y usted, ¿no da que hablar? ¿No dicen también que es alegre? Pues, tal para cual, tía, y olivo y aceituno[18], todo uno.

—Ciruelo serás tú. O alcornoque[19].

—Lo que tengo yo es la buena sombra. Mucho chiste. Bien se parten de risa conmigo, que no hay otro cual yo para coronar una fiesta. Luego te critican. En estos puebluchos no puede uno descollar por nada. ¡La cochina envidia, que es peor que la sarna! ¡Y, como coja yo a uno de esos tíos, lo majo! ¡Lo desnuco! ¡Vaya si lo majo! ¡Por éstas! ¡Me he de cegar un día!

—No te congestiones, Orosio. No me pongas esos ojos de sangre, que pareces un animal. Te voy a soltar la corbata y a abrirte el cuello de la camisa, a ver si te refrescas. Anda, déjame, rico.

—Bueno. Diga usted que soy algo especial, un original y, lo que se dice, un poco raro. Eso no se discute. ¿Que no me parezco a todo el mundo? Ni quiero. ¡Hasta ahí podíamos llegar! Yo tengo mis cosas, mis caprichos, mis genialidades. Pues como todos los talentos. Me hubiesen dado más estudios y quizás sería a estas horas un genio mundial. Un polígrafo.

—Tu abuelita la que se murió diría eso.

—Y mi padre. Ese sí que tenía ojo. Yo he salido a él.

---

[17] Este sandío (sandio) acentuado puede deberse a una errata, o a una intención deliberada siguiendo la línea de hablantes incultos que tienen los personajes. También puede ser un juego más de palabras entre las múltiples alusiones a frutas (sandía) que hay en el cuento.

[18] Aceituno es sinónimo de olivo. Tía y sobrino son iguales.

[19] *Ciruelo:* hombre muy necio e incapaz. *Alcornoque:* persona ignorante y zafia (DA).

—Ya ves. Lo llamaban el Cabezón, por la cabeza fuerte, que tenía.

—Mucho. Mucho. Lo que se llama un cabezón era aquel hombre. ¡El más que se ha visto! ¿Eh, tía?

—Sí que nadie lo descalzaba[20] en eso.

—Pues siempre decía de mí, desde que tuve el uso de la razón: «Éste, es como el hambre, un rayo, más listo que Cardona»[21]. ¿No se recuerda usted, de pequeño, lo que era yo para aprender sermones? ¡Y versos! Todo lo quería imitar yo. «Este angelito —le solía decir el difunto don Eustaquio a mi tía Teresa—, este angelito, es ya un orador de cuerpo entero. Nada, nada, señora, que, si no se nos tuerce, nos va a salir una lumbrera el muy picaruelo. Éste viene de casta» Pues aquél soy yo, tía.

—Y tanto. Como que te hubieron de enseñar a leer a los diecinueve años, para que no te malograras de niño prodigio.

—Y ya ve usted. El leer es lo mío. El día se me va leyendo. Por la mañana, la Prensa. Por la tarde, las obras de mi biblioteca particular: biografías, traducciones, los estudios sociales. ¿Y sabe usted lo que me ha dicho el médico?

—¿Qué te ha dicho?

—Que me caliento demasiado con la cultura y que mejor si cogiese un maestro para aprender a desleer. Eso ha dicho.

—Bien, Orosio. Quedamos conformes en que eres el sabio Salomón. Pero con la Ricarda no te casas.

—¡Que está usted en la higuera, tía! La boda se ha de hacer. ¡Y sin remedio!

—No sé cómo.

—¡Como que sí! A usted no se lo dicen. ¡Como que se ha dado ya el escándalo! Y ella fue la que me comprometió.

—¡Ella!

—¡Ella! ¡Ella! Y delante de más de ciento y cincuenta personas. Eso fue lo gordo.

---

[20] *Sí que nadie lo descalzaba en eso:* Nadie le aventajaba en eso.

[21] *Este es como el hambre:* expresión con que se pondera el despejo, trastienda y expedición de alguno (DA). También se dice «más listo que el hambre». *Un rayo, más listo que Cardona,* lo mismo.

—Sí que sería gordo delante de toda aquella gente.

—¡Y menuda campanada[22] se dio! A usted se lo ocultan, para que no la mate a palos. Ni yo quería hoy abrir boca. Por la fuerza, hablo.

—¿Y cuándo fue eso? ¿Y dónde?

—El otro año. En la feria de Castromayor. En el baile de sala. ¡Que nos pusimos en evidencia, tía!

—¿Y tanto se comprometió ella, dices?

—Hasta lo último. El amor y el fuego no saben encubrirse.

—Déjate de sentencias ahora y cuenta lo del baile.

—Una fiesta hermosa. De lo que no se ve. Y lo de siempre, tía. Las niñas a comerme con los ojos y los hombres a convidarme y a reírse conmigo, en irrisión continua. ¡Hasta me cerraron en la carbonera, para oírme cantar el gorigori![23].

—Nada, tú, como siempre, el rey de la fiesta.

—Eso mismo. Un triunfo personal. Y grande.

—Anda. Vete ya al bulto[24].

—Bueno. Conque se finaliza el baile y, en las despedidas, va don José Marrueco, el de la luz, y dice, como en un discurso: «¡Ricarda! —y ella estaba entre las dos primas de Alagón— ¡Ricarda! ¿A que no te atreves a dar un par de besos a tu primo Orosio, que ha sido el mejor galán de esta fiesta y tanto nos ha divertido toda la noche?»

—Entonces pasaría lo gordo.

—Lo increíble. Que va la Ricarda y, más fresca que una lechuga, me agarra fuerte, fuerte, por las dos orejas y me plantifica[25] dos besos, uno en cada carrillo, que se oyeron hasta en la estación. Bien que nos aplaudieron, tía, y gritaron ¡vivan los novios!, como a la puerta de la iglesia. No faltó más que la bendición. Y así nos quedamos comprometidos, la Ricarda y yo, para toda la vida. Pero, ¿se ríe usted? ¿De qué se ríe? ¿Qué fundamento tiene usted de risa? ¡Usted no está bien de la cabeza! ¡Bah! ¡Usted está loca!

---

[22] *campanada:* escándalo o novedad ruidosa (DA).

[23] *gorigori:* voz con que vulgarmente se alude al canto lúgubre de los entierros (DA).

[24] *Vete ya al bulto:* vete ya al grano: cuenta lo que importa, lo principal, y déjate de superfluidades.

[25] *plantifica,* vulgarismo: planta, da.

—¡Déjame que me ría, Orosio, que me parece verlo! ¿Y te cogió fuerte, fuerte, de las orejas, dices?

—Usted está hoy como tonta con lo de la muela. No se ría, ¡que está aquí de por medio la dignidad de la familia! ¡Y la honra! Hágase cargo, tía, que es usted una madre. No debe reírse. ¡Fíjese que de mí no se burla nadie! ¡Pero que jamás! ¡Antes muerto!

—No me burlo, hombre.

—Pues ya lo sabe usted. ¡Por si las moscas!

—Pero tú, ¿no comprendes que aquello fue una niñería?

—¡Eh! ¿Qué niñería? ¡Sólo la muerte puede ya separarnos!

—A buen seguro, ello se concertó por una apuesta entre muchachos, por alguna de esas bromas de fin de baile; algo como un castigo del juego de las prendas.

—¡Está usted en la luna! ¡Pero si allí no había prendas! ¡Ni por sombra![26].

—Y, además, tú, Orosio, para muchas cosas de la vida no eres más que un niño.

—¿Qué niño? ¿Qué niño? ¿Qué dice? ¿Y la representación que yo ostento? ¿Y mi personalidad? ¿Y mi experiencia? ¡Hasta ahí podíamos llegar!

—Niño o mozo o viejo, tanto da. Con la Ricarda, no te casas tú.

—¿Y quién la ha de mirar a la cara ya, por muy hermosa que Dios la haya formado? ¿Dónde encontrará, ni con candil, un mejor partido que yo, en cien leguas a la redonda? ¿Quién habrá que mejor la quiera? ¿Con quién se ve sino conmigo, gravemente comprometida? ¿Quiere usted condenarnos a vivir sufriendo en el silencio? Tenga conciencia, tía. Parte el alma ver a esa niña locamente enamorada de mí. Yo también lo estoy de ella, tía, hasta las cachas, desde cuatro años hace. ¿Va usted a matarla?

—Descuida, hijo. Yo te respondo de que por tus pedazos no se ha de morir.

—Pues anda, anda, que a pesar de su orgullito bien se destruía por mí en sus adentros. ¡Hasta que no pudo resistirlo, tía! ¡Hasta que no pudo resistirlo! Y, en cuanto oyó la voz de don

---

[26] *¡Ni por sombra!:* En absoluto.

José Marrueco, que la dijo «Ricarda: he ahí a tu Orosio», ella se precipitó inconscientemente en mis brazos, pobrecita, palomita de mi corazón.

—Esto, Orosio, se va a acabar por donde pudo empezarse. Pero yo no hubiera querido que la noticia que te voy a dar se corriera por ahí, tan súpita[27].

—Esa noticia, tía, ¿es buena o mala?

—Tú verás. Estuvieron ayer acá los Hiniesto de la Jarilla a pedirme la mano de la Ricarda para su hijo Lorenzo. Es una boda más que buena.

—¡Una maldición, un estropicio, un inri[28] sería! Usted me lo dice para ver si desisto, pero no me ha de engañar a mí; no, porque de tal dislate no puede salir cosa cierta: Ni ella puede hacer eso ya. Es tarde. Sería matarla. ¡Matarla, Dios Eterno!

—Pues mira. Ahora está la Ricarda entretenida con las Madres en elegir dibujos para su ajuar de boda. Y, luego la verás, bien contenta.

—¡No ha de ser! ¡Aunque me lo juren! ¡No! ¡No!

—Pero, hombre. No te quedes como un palomino atontado. ¿Vas a llorar ahora?

—¡Se me hundiría el mundo!

—Vamos, anda. ¡Con los millones que tú tienes y las mujeres que hay en este mundo! ¡Qué se te iba a hundir!

—En eso lleva usted razón.

—Pues a otra cosa, mariposa.

—Diga usted que sí, tía. Diga usted que sí.

—Te voy a echar una copa de aguardiente añejo como para levantar a un difunto. ¿Me la desprecias?

—No, tía.

—Es fuerte. ¡Y fíjate, qué olor tan fino!

—De primera es.

—Anda. Pímplate[29] otra. Aquí tienes pestiños[30] también. Cómete uno conmigo. ¿Qué me miras?

---

[27] *tan súpita:* tan súbita, tan rápidamente.

[28] *un inri:* una nota de burla o afrenta (DA).

[29] *pimplar:* familiar: beber, especialmente vino y licores.

[30] *pestiño:* fruta de sartén, hecha con porciones pequeñas de masa de harina y huevos batidos, que después de fritas en aceite se bañan con miel.

—¡Oiga! Y usted, tía, ¿cuántos años tiene?

—¿Yo? Cuarenta y dos. ¿Y qué?

—Pues, que está usted bien buena.

—Oye. ¿Y te gusto?

—¡Vaya!

—Pues tú, que eres tan fino en los piropos, nunca me has echado a mí ninguno. Y, tan mal, no me peino[31].

—La sujeción. La contención de uno, con aquello de ser usted prima segunda de mi difunta madre. Pero vamos, que, con usted a cualquiera se le va la vista. ¡Más vale no verla!

—¿Tan mala soy contigo?

—¡Lo peor del mundo! ¡La perdición! ¡Y que me tiene usted mala ley! Siempre a ponerme verde y a despreciarme, cuando yo querría besar donde usted pisa. ¡Lo que es para mí, peor que usted, nadie!

—Me lo dices eso porque no te doy la Ricarda.

—¡La Ricarda! ¿Qué tiene que ver la Ricarda? ¡Lo que es ésa! Para mí bien de más estaba.

—Pero, ¿no andabas perdido por ella? ¿No se te hundía el mundo si se prometía con otro?

—Usted se lo figura. ¡Bah!

—¿Cómo? ¡Si tú me lo jurabas hace un minuto!

—Nada. Que soy muy caballero, tía, un gran caballero. Nada más eso ha sido. Palabra.

—¿Ahora sales con esto? ¿No te bebías los vientos[32] por ella? ¿No ibas tras de ella, siempre, desde cuatro años hace, que no me la dejabas vivir, de feria en feria?

—Ve ahí. ¡Como ella se comprometió! Pues, por conciencia, tía, que me dispuse a apechugar con ella. Como fuese. Después de todo, a falta de pan buenas son tortas; y mejor que ayunar, comer trucha[33].

—¿Vas a decir ahora que no te gustaba, cernícalo?[34]

---

[31] *Y, tan mal, no me peino:* Y, tan mal, no estoy.

[32] *beber* uno *los vientos por* algo: desearlo con ansia y hacer cuanto es posible para conseguirlo (DA).

[33] *a falta de pan buenas son tortas; y, mejor que ayunar, comer trucha:* proverbios: Si no se tiene lo mejor o lo más apropiado cuando se necesita, cualquier otra cosa puede servir.

[34] *cernícalo:* aquí, hombre ignorante y rudo (DA).

—¡Pché! Monilla es. Pero, si se la mira bien mirada, escasilla. Y poco apañada en el conjunto. Este verano, yo no sé, parece que está como floja la muchacha. Para decir verdad, verdad, verdad, lo que ella mejor tiene, aquellos ojitos que te pone y aquella boquita de pitiminí[35]. Pero es muy engreída ella y no vale, no, tanto, tanto, como ella se cree. ¿Dónde va a parar con su madre? La mujer de ole[36] de esta casa es la que siempre ha sido. ¡La que siempre ha de ser!

—¡Quita de ahí, bobo! ¡Ya le quisiera yo los dieciocho años de la Ricarda para el día de fiesta!

—¡No diga usted eso, tía! ¡No lo diga ni en broma! ¡Que usted es para mí como el cerro del Potosí, como la Isla de Cuba y el Peñón de Gibraltar[37] de las mujeres!

—¡Qué tonto te pones, Orosio! ¡Hay que ver cómo te encalabrinas![38]. ¡Y qué ojos! ¿Te vas a beber otra copa?

—Lo que me va a matar es no encontrar mujer como usted en esta vida. ¡Ay si usted lo quisiera! ¡Sería lo más hermoso del mundo! ¡Ya lo dijo mi agüela! Todavía el año pasado lo decía, tres meses antes de morir: «Si yo fuera hombre, para mí, que se quitasen todas. ¡Nadie como la María Luisa!» ¡Ay, si usted lo quisiera!

—¿De veras, que te casarías conmigo, Orosio?

—¡Esta misma tarde! ¡A cierra ojos! Y que, con usted, no necesitaba yo ya de médico ni boticario. ¡A escape me libraba de todo mal!

—Tú no tienes más que aprensiones, bobito, que te meten por sacarte el dinero. ¿De qué te ibas a curar tú?

—De la tribulación del talento, que me recome, porque, con usted, me volvía yo tonto de remate, en cinco minutos. ¡El imbécil completo!

—¡Ay, Orosio, no seas malo, que me lo voy a creer!

—Se lo tenga usted por bien creído. Y que si usted, ¡ojalá!, y

---

[35] *boquita de pitiminí:* pequeña, menuda, como la rosa de pitiminí del rosal trepador.

[36] *mujer de ole:* mujer digna de admiración y alabanza.

[37] *como el cerro del Potosí, como la Isla de Cuba y el Peñón de Gibraltar:* como un tesoro, como una perla, como una fortaleza.

[38] *encalabrinarse:* excitarse, turbarse.

hubiere sido moza de mi tiempo, pues hace buen rato debería usted denominarse «la señora de Frutos».

—¡Hombre! ¡Si tú vas a mirar, no nos llevamos tanto! Tú treinta y seis y yo cuarenta y dos. Peor estabas con la Ricarda, en eso. Si te pones tres años tú y me quito yo tres, los dos nos igualamos, bonitísimamente, a treinta y nueve. Como en el juego de pelota[39].

—Por mí, hecho. Yo, lo que usted mande. Pero y en haciéndolo eso[40], ¿se querrá usted casar conmigo?

—Orosio, ¿no hemos quedado bien conformes, en que tú eres aquí el más guapo, el más elegante, el más limpio, el más listo, el más chistoso, el más galán, el más caballero, el más rico y, en una palabra, el mejor partido del partido de Navalmelgar?

—Algo me quiere usted subir, pero eso vengo a ser, más o menos.

—¿Y entonces? ¿Qué mujer del mundo no se querrá casar contigo? Yo y todas. Pero, mira, que yo soy pobre y tú millonario. Me tendrás que dar arras, y dote.

—Lo mío suyo es. ¿Para quién lo quería yo?

—Y me vas a dotar en cien mil duros.

—Mi padrino dirá que es mucho. Y yo digo que es poco.

—Diga lo que quiera. Siempre sería mucho menos de la décima parte de tu hacienda.

—Mi padrino dirá «que si no tienes mujer de balde» y «que si el que se casa por todo pasa». Y yo diré «que lo que bien se compra nunca es caro». Usted vale millones. Y dos millones he de poner yo para su dote.

—No merezco tanto.

—Usted es una mula fina, para pesarla en oro.

—Mucho me honras. Pero, para mí, con los cien mil duros

---

[39] *el juego de pelota*: debe referirse al juego de pelota vasca, contra pared: el número de tantos prefijado no debe pasar de 45, si se utiliza herramienta (cesta, remonte, punta corta, pala corta o *share*); de 35 tantos, como máximo, si se juega a mano y en individuales, y de 25 por parejas.

[40] *en haciéndolo eso*: ruralismo, anterioridad inmediata a otro acto (casarse): en haciendo eso, en cuanto hagamos eso.

83

bien está. En fin, lo que tú quieras, que en casa se ha de quedar todo. Esta misma noche, irás a don Jesús el notario, que vaya preparando la escritura. Ya te enseñaré yo cómo has de decirlo.

—¿Y si no lo sé decir, tía? ¿Y si lo hiciéramos los dos, después que nos casemos?

—La Ley no lo consiente. Lo tienes bien clarito en el artículo del Código Civil.

—¡Tía! ¡Que además de tan guapa me va usted saliendo bien lista!

—No tanto como tú. Y vamos con las arras, Orosio.

—Y que pida usted por esa boca.

—Me traerás, antes de la boda, pues me tocan a mí, las joyas que en tu casa hay: el collar de brillantes, que tu madre, la pobre, nunca se puso; unos pendientes de rubíes con cerco de perlas, grandes, antiguos; dos pulseras de aro de oro con peluconas[41] y medallas; otra con una perla fina de rosa y diamantes; un broche de zafiros, de muy buena montura, con diamantillos chicos. Y no sé si recuerdo más. ¡Ah, sí! El broche con un rubí grande y perlas medianas, que formaba aderezo con los pendientes, que te dije. Lo demás, gargantillas y arracadas de oro, de estas de pueblo, cruces, cadenillas y corales, puede quedarse allá, y veremos después lo que se haga. ¿Te parece bien?

—Todo ha de parecerme poco para la mi señora, para la reina y emperatriz que me llevo. Y poco me parecen a mí todas las joyas de mi casa. Y del mundo. Lo que yo quiero, es regalarla con algo mío. Poner aquí algo mío. ¡Un collar de perlas ha de ser y una sortija de esmeraldas!

—Tú me quieres humillar, Orosio. No valgo tanto, no. Y aún otra cosa quería pedirte. ¿Me dejas?

—Usted pida, tía. Pida. ¡Que aquí estoy yo!

—¡Que me llevarás, los veranos, a tomar las aguas de Cestona[42], y ya, en estando allá, nos podríamos pasar, si tú quieres,

---

[41] *peluconas:* onzas de oro, y especialmente cualquiera de las acuñadas con el busto de uno de los reyes de la casa de Borbón, hasta Carlos IV inclusive (DA).

[42] *las aguas de Cestona:* las del balneario de Cestona (Guipúzcoa), recomendadas para la diátesis úrica y colelitiasis.

mes y medio en San Sebastián. Los inviernos, me gustaría que me dieses alguna vueltecita por Madrid, Sevilla o Barcelona, y, así, con estos viajes, lucirías tú a tu mujer y yo a mi marido, con ese gran tipo que tú tienes para las grandes capitales. ¿He dicho bien, Orosio?

—¡Y que lo hemos de pasar como reyes! En España, por nadie nos hemos de querer cambiar usted y yo. Pero, ¿y la Ricarda? ¿Qué será de esa pobre Ricarda?

—Estará ya casada. Y como su marido tiene posición, levantará la hacienda, aunque esté muy hipotecada. Él puede. A la Ricarda, sabes, sólo la quedó lo del tío, porque lo mío se lo llevó la trampa.

—Entonces, sí que yo he venido como agua de mayo. ¿Lo ve usted? Ni el usofruto[43] la quedaba.

—No me quedaba. Pero me quedas tú. Todos dirán que por el interés y aun por la codicia te cogí. Pero ¿sabes lo que estoy viendo ahora? De repente lo vi, como de bulto.

—¿Y yo no lo he de ver? ¿Qué está viendo?

—Estoy viendo que eres, punto por punto, lo contrario de mi primer marido. Como el día y la noche sois. Y se me representa lo avaro y lo mezquino que era aquel hombre y lo liberal y generoso que tú eres. Todos los gustos me negó. Y tú siempre me das cuatro veces lo que te pido. A él se le había de ver todo el día triste, frío, con aquella cara tan agria para mirarme. ¡Y tú, que te me vuelves tan dulce, tan fogoso, tan alegre apenas si te miro! Hasta de novio, él era una mala traza, un desastrado, un sucio, con aquellas barbazas de ocho días. Y tú, tan buen mozo, tan curioso de tu persona, tan galán. A él se le pasó la vida renegando. Hastiado, estragado estaba de todo. Hasta el asco de sí mismo tenía. Tú te pasas de fanfarrón, de ufano y de satisfecho de ti. Por nadie te cambias ni te cambio. Aquel pobre marido mío, en nada de este mundo ni del otro creía; y tú, te crees todo lo bueno que oigas del cielo y de la tierra. La vida que él me dio fue un infierno de celos, de humillación, de malos tratos. ¡Ay, Dios mío, pobre de mí! ¡Qué vida! Y aquí estás tú, seguro de ti mismo, bien confiado en mí, rendido a mí, feliz, enamorado. Sólo en una cosa te pareces a

---

[43] *usofruto:* usufructo.

él, si en ello te entercas, Orosio. El tenía de verdad un gran talento, y de eso padecía. Pero él era un demonio. Y tú, un ángel.

—Angel debo ser. Bien me siento en el cielo. Bien se me cae la baba. ¡Como nunca!

—¡Ay, Orosio, Orosio! ¿Y no sabes, que ya no soy tu tía, que soy tu novia? ¡Anda, suéltame uno de esos discursos que sabes tú para las mozas! ¡Y llámame de tú, Orosio!

—De rodillas me tendré que poner, como en el teatro, y cogerte esa mano de diosa de la mar serena, para decirte todo lo que te quiero, gachona incalculable, luz de mi vida, estrella de mi corazón. Más te diré, si me miras, así, con esos ojos: ¡El Celeste Imperio! [44]. ¡Eso eres tú!

—Y yo ahora, Orosio, también yo te cojo, fuerte, fuerte de las dos orejas y te plantifico dos besos, uno en cada carrillo. ¡Bobo de mi alma!

---

[44] *¡El celeste Imperio!*: la antigua China.

Edgar Neville*

Fin

Se venía diciendo hacía mucho tiempo: la gente se moría cada vez más y cada día se hacían menos abriguitos de punto. Por si era poco, vinieron dos guerras seguidas de epidemias; la muerte era el pan nuestro de cada día. Hasta los que tenían que dar ejemplo de vida, que son los centenarios, se morían también; era espantoso; se morían hasta los portugueses...

Era tan inevitable la catástrofe, que la gente la había aceptado sin histerismo; pero el tono de la vida había cambiado, adaptándose a la realidad. Ya no se daban citas, ya no se decía: «hasta mañana»; la gente vivía al día, a la hora, preocupándose sólo de morirse lo mejor posible, de morirse sobre el lado derecho.

Hubo un momento en que apenas quedaba nadie, y los pocos que eran se reían al cruzarse en la calle, estoicos ante lo inevitable.

—Y usted, ¿cuándo se muere? —se oía decir de vez en cuando.

La tierra se puso nerviosa y se sacudió varias veces; Italia dejó de tener la forma de una bota.

Y una mañana no hubo nadie para hacer los desayunos: es que se había muerto todo el mundo.

Había un silencio tan grande, que parecía que alguien iba a

---

* *El día más largo de Monsieur Marcel*, Afrodisio Aguado, Madrid, 1965; *Obras Selectas*, 1969.

dar con la batuta en un atril; pero nada, ni un pitido, ni una orden, un silencio asombrado. Después de haber oído bien el silencio se percibía el tenue siseo de una cañería rota, que lo imponía más.

Las cosas esperaban al hombre, como todas las mañanas; lo esperaban angustiadas, sin comprender nada, destemplándose. Máquinas, casas, calles, ciudades, en espera, a punto de echarse a llorar.

Por las calles volaban frases últimas en demanda de un oído, y sombras de cuerpo, sin amo, corrían en su busca hasta encontrar la muerte al mediodía. Las alcantarillas daban el último suspiro de la ciudad.

La torre Eiffel, cruzando la boca de París, imponía el silencio de Occidente; el Sena corría de puntillas. De las estaciones habían salido todos los trenes. Era el 1.º de mayo de la muerte[1]. Los muertos dormían.

Los carteles aumentaban el drama, prometiendo lo que ya no se podría dar: retratos de actores y actrices desaparecidos, y las ¡100 girls, 100!, del Casino, que habían caído en fila como los soldados de plomo.

Sólo había vida en los relojes que tienen cuerda para muchos años, y su tic-tac eran los puntos suspensivos después de la palabra vida. A cada hora se ponían a sonar como unos tontos, recordando la hora que era a nadie, y a lanzar señales de auxilio con su telégrafo de banderas. Los segundos eran el pulso de la Tierra.

Un despertador que aguardaba el momento de dar su broma se desbordó en la habitación de Susana, tan violentamente, que la muchacha se incorporó.

Susana no había muerto, porque alguien había de ser el último en morir, y ése era precisamente su caso. Ella había seguido su vida ordinaria a través de la catástrofe. Por la noche había bailado y bebido en el mismo cabaret de siempre, y casi siempre había vuelto a su casa en compañía de un señor que nunca era el mismo y que la había abandonado a la mañana siguiente, dejándole 50 francos encima de la cómoda. A veces menos.

---

[1] *Era el 1.º de mayo de la muerte:* es decir, el día en que la muerte no trabajaba.

No leía periódicos, y sólo se levantaba para ir a su cabaret; el mundo, para ella, terminaba allí, en la puerta que da a las cocinas.

La noche anterior sólo habían sido seis o siete; faltaba el dueño y dos o tres parroquianos. A Susana no le había importado volver sola, porque al día siguiente quería levantarse temprano para ir a comprarse unos zapatos.

El despertador seguía gruñendo en el suelo, tratando de incorporarse, y eso acabó de desvelar a Susana, que miró a su lado para ver si había alguien y luego se levantó.

Susana, pensando que era el primer día que salía temprano a la calle y que iba a pasearse por tiendas y calles, quiso esmerar su *toilette*, eligió sus mejores medias y se pasó una hora larga ante el espejo maquillándose.

Mientras tanto, la hierba aplastada por la ciudad, dándose cuenta de lo ocurrido, pugnaba por levantar su losa.

Susana salió a la calle. Parece domingo —pensaba, al notar el silencio.

Caminaba sin darse cuenta del drama. Miraba a derecha e izquierda antes de cruzar las calles. No se daba cuenta de su soledad, a causa del reflejo de los escaparates, que multiplicaban su imagen y le producían sensación de multitud. Era como si una amiga fuese con ella. Entró en los Grandes Almacenes. Las altas bóvedas infladas de silencio parecía que iban a subir.

En los mostradores estaban los postreros retales con el último sobo humano. Los cartones de los precios eran las esquelas de las cosas. Susana empezó a sentir miedo y trató de vencerlo, haciéndose la distraída, interesándose en los objetos expuestos.

Cruzó el patio central tocándolo todo, pero sus tacones hacían tanto ruido que parecía que la seguían. Huyendo de sí misma, caminando de puntillas, llegó al departamento de los trajes de señoras. Allí había docenas de maniquíes de cera, y respiró más tranquila porque le parecía haber entrado en una casa donde hubiera una fiesta.

Susana se sentó en una butaca y empezó a hablar. Contaba cosas a las muñecas, teniendo mucho cuidado de no hacerles preguntas. Sin embargo, en los silencios volvía el miedo y los maniquíes aumentaban su aspecto de desalmados, de muertos sorprendidos en un gesto difícil.

El que nadie la contestase le dio miedo y salió a la calle gritando. Corría en busca de alguien con quien hablar, pedía socorro en las encrucijadas, llamaba a todos los teléfonos para caso de incendio y siempre el silencio negro.

Se sentó en un banco al aire libre, tenía menos miedo; pero pensó en la noche y comprendió que no podría pasarla en la ciudad, especialmente por las esquinas, que era lo que le hacía echar más de menos a la humanidad. Aquellas esquinas sin nadie detrás, sin la posibilidad de esconder a nadie.

Susana cogió un automóvil abandonado y partió en busca de alguien. Al principio todavía tocaba la bocina en los cruces, y sacaba la mano en las vueltas; al reflexionar, se indignaba con ella misma, y su mal humor le alejaba el miedo.

Rompió el espejo retrovisor, tiró el sombrero a la calle y se quitó el traje; era su respuesta al estado de cosas. En la plaza de la Ópera se quedó completamente desnuda. —Si queda alguien ahora viene, pensó. Pero nadie llegó a la oportunidad y en vista que no la querían desnuda entró en la mejor peletería y se puso el abrigo más caro. Pero nada. Huyendo de la noche en la ciudad, se alejó de ella en automóvil, no sin derribar un quiosco de periódicos llenos de noticias que ya no interesaban a nadie.

II

A cien por hora regresaba hacia Oriente todo lo que quedaba de la humanidad, lo que quedaba después de millares de años de la emigración humana en sentido inverso. Era un regreso al hogar; aquel fin de raza se había enrollado las medias por debajo de las rodillas para no romperlas.

Munich, Viena, Budapest; a las ciudades muertas les crecía la barba, y el auto de Susana espantaba perdices en las plazas de la Ópera.

Las ruinas traen el otoño, y los pájaros cantaban sobre la ciudad como sólo cantan en un octubre húmedo.

En las casas se habían quedado encerradas las moscas y sus cabezazos contra los cristales eran como un reloj más, con cuerda aún.

En las torres de las iglesias, las campanas parecían bailarinas ahorcadas.

A la tierra se le había quitado la fiebre y descansaba tranquila; nacieron árboles y nacieron piedras. Se movió lo inanimado y los continentes, al notar que no había nadie para corregirlos, cambiaron de estructura.

Los mapas, en las escuelas desiertas, tomaron pátina de grabado antiguo. Una estrella bajó a mojarse las puntas en el mar.

Entonces Inglaterra, no pudiendo resistir el sonrojo ante el caos, se hundió en el agua.

Susana se quitó el *soutien*[2] en Budapest y lo dejó abandonado en la vía pública.

Poco a poco había ido perdiendo el miedo y ahora distraía su rauda huida cantando cuplés del bulevar.

Así llegó a Constantinopla, donde los perros habían muerto sobre las tumbas de los turcos, como si durmieran: en forma de media luna.

Por esa calle que indudablemente lleva a Asia, Susana enfiló su automóvil. En medio del puente tuvo que detenerse. Había una bicicleta tirada a través del paso. Un caballero inflaba un neumático.

—A su edad podría usted saber no interrumpir la circulación —dijo Susana enfadada. El caballero cesó en su tarea y miró a la muchacha, que se echó a llorar y se echó en sus brazos.

Juntos siguieron el viaje; el desierto sonreía como el que está de vuelta de las cosas.

El caballero, profesor de Historia, hacía vagos gestos de mano. Citaba grandes nombres inmortales, que sonaban extrañamente en aquella desolación. Explicó a Susana el ciclo de las civilizaciones y tuvo frases de elogio para los griegos.

Susana poseía un concepto menos amplio de la humanidad. Sus grandes admiraciones eran para una prima suya, casada con un hombre que se emborrachaba mucho, pero que estaba empleado en la Dirección del Catastro[3]. Esa prima hacía unos

---

[2] *«soutien»*: abreviatura de la expresión francesa *soutien -gorge:* sujetador, sostén.

[3] *Dirección del Catastro,* organismo cuyo cometido es el «censo y padrón estadístico de las fincas rústicas y urbanas» (DA).

bordados como nadie en París, y en cuanto a coger un punto en una media, no había quien la igualase... La conversación de los dos últimos humanos quedaba detrás del automóvil, vibrando un momento, para caer después y confundirse con la arena.

El aire ceñía el fino tul al cuerpo de Susana.

—¿No le da a usted pena —prosiguió ésta— pensar que somos los últimos?

—Tal vez tenga remedio —contestó el caballero galantemente.

—Además —añadió intencionadamente—, los últimos serán los primeros.

Hubo un silencio embarazoso y llegaron a la confluencia del Tigris y el Eufrates. Allí se les terminó la gasolina.

Se sentaron en el suelo buscando temas de conversación; el caballero era el que los encontraba con más facilidad, diciendo de vez en cuando:

—Pues, sí; eso de que somos los últimos es porque queremos, señorita...

Tal vez fuera porque Susana había dejado el abrigo en el coche.

Y en esas estaban cuando llegó un señor de barba larga y aspecto bondadoso; junto a Él, el ángel de la espada de fuego. Venían del Paraíso terrenal, que está allí mismo.

Susana no lo reconoció al pronto.

—¿Quién es usted? —fue lo primero que le dijo.

El Señor estaba sonriente, lleno de buena voluntad.

—¿Qué hacéis aquí? —preguntó, y a su voz se hizo el eco donde no lo había.

—Señor —balbució el caballero—. Yo soy alemán, luterano. Esta señorita es francesa y católica; nosotros...

Dios interrumpió cortésmente:

—Ustedes me dispensarán si les digo que no entiendo nada de esto. Quiero saber qué hacen ustedes fuera del Paraíso, que es más bonito y más agradable que el descampado.

El ángel terció:

—Señor, los expulsó porque se comieron la manzana.

Dios: —¿Qué manzana?

Y el ángel, con un gruñido: —La manzana.

Dios rió de buena gana, y les empujó suavemente, diciéndoles:

—Vaya, vaya; veo que han interpretado con demasiada severidad el reglamento; volved a entrar, hijos, y aquí no ha pasado nada.

Y una brisa nueva remozó el planeta, mientras que Eva entraba buscando fruta.

SAMUEL ROS*

Batllés Hermanos, S. L.

Yo soy de los que pueden asegurar que, al menos una vez en su vida, han recibido una carta verdaderamente importante.

Pero no es posible tener la paciencia debida para comentar este asunto en buena forma literaria, como se merece.

Cuando el escritor inventa sus temas, le es muy fácil, casi diría necesario, recrearse en la forma y cumplirla como un arte, sin olvidar ninguno de los requisitos. En cambio, cuando el escritor se siente arrastrado por los hechos y por la realidad, entonces todo le acucia y apenas puede relatar con cierta coherencia aquello que sucedió. Eso del estilo viene, pues, a ser algo así como un bello disfraz cuando no se sabe qué decir o se tiene que inventar una mentira para poder decir algo. Cuando ocurren cosas como las que voy a decir, no hay más remedio que mandar el estilo al diablo.

La carta que yo recibí decía así:

«Distinguido señor: Enterados de la desgracia que le aflige, tenemos el honor de dirigirnos a usted con el fin de hacerle una oferta que no dudamos le ha de convenir.

Debidamente consultados nuestros archivos, nos es muy grato participarle que estamos en inmejorables condiciones

* Dr. Blanco Soler, ed., *Samuel Ros. Antología 1923-1944*, Madrid, Editora Nacional, 1948; *Bazar*, 1928; *Marcha Atrás*, 1931; *Cuentos de humor*, 1940; *Cuentas y Cuentos (Antología 1928-1942)*, 1942.

para poderle servir una muchacha exactamente igual a la que tuvo usted la desgracia de perder la víspera de su boda.

Caso de interesarle en principio nuestra proposición, le enviaremos un agente a indicación suya para que amplíe nuestra oferta, o puede usted, si así lo prefiere, visitarnos en esta su casa, donde encontrará toda clase de garantías y la lista completa de nuestros clientes, que pueden testimoniarle la solvencia comercial de la firma.

En espera de sus gratas noticias, quedan incondicionalmente a sus órdenes sus afectísimos amigos, q.e.s.m.[1], *Batllés Hermanos, S. L.*»

Como se puede suponer, yo me trasladé inmediatamente a la dirección que figuraba en el membrete de la carta, con el corazón palpitante de ansiedad. Cualquiera que haya pasado por el doloroso trance de perder un ser querido comprenderá fácilmente que no me parase a reflexionar en la posibilidad de la oferta de los Hermanos Batllés, S. L. Mi único deseo era volver a vivir las felices horas de mi noviazgo hasta la irreparable ruptura.

Los Hermanos Batllés tenían establecido su negocio en una casa de la ronda de San Pedro, en Barcelona, junto a unos almacenes destinados a los más variados productos.

En el primer momento advertí que todo el edificio, compuesto de una planta baja y dos pisos, estaba destinado al mismo y extraño negocio que me llevaba allí. Por todas partes aparecían grandes y viejos ficheros y montones increíbles de periódicos recortados.

Al fin, tras una larga antesala, me hicieron pasar al despacho de los Hermanos Batllés: un salón amplio y destartalado, con dos mesas gemelas; dos grandes ampliaciones fotográficas sobre ellas; dos mecedoras de rejilla de esas que significan el máximo confort del Levante español, y los viejos y grandes ficheros, casi destripados por repletos, y los increíbles montones de periódicos.

Las fotografías representaban dos señores muy parecidos, con sendas barbas de distinto tamaño.

---

[1] *q.e.s.m.:* abreviatura de «que estrechan su mano», o en singular.

Me di a conocer, mostrándoles la carta, y, tras de invitarme a tomar asiento en una mecedora, el hermano más joven comenzó la exposición de su oferta, mientras el otro hermano asentía con un permanente movimiento afirmativo de cabeza:

—Esta Casa, señor, fue fundada por nuestro abuelo —señaló la fotografía correspondiente a la mesa del otro—, quien tuvo el honor de descubrir el remedio eficaz para el más fuerte de los dolores humanos: el dolor que nace con la ausencia de los seres queridos. ¡Una de las más bellas ideas de la Humanidad, señor! Usted tendrá que perdonarme esta divagación, cuyo único objeto es demostrarle con toda claridad que su desgracia tiene remedio, y que éste se encuentra precisamente en nuestras manos.

—Siga usted, por favor —pedí, emocionado—. Confieso que vine con cierto escepticismo.

—Es natural; ocurre a todos así —me atajó el hermano mayor.

—Pero comienza usted a creer en nosotros, ¿no es cierto? —me preguntó el hermano más joven.

—Sí —afirmé con fe—. No omita detalles sobre la historia de su casa.

—Pues, como decía, nuestro abuelo, que usted puede contemplar ahí —volvió a señalar la fotografía—, cierto día, en el casino de Manresa, de donde era natural, hizo una extraña apuesta con un amigo, socio también de dicho centro recreativo y cultural... ¡No se extrañe ni se impaciente!... Pronto comprenderá que estoy hablando del origen de nuestra fundación... Los hombres no siempre han vivido con la actual despreocupación, y el hecho es que nuestro abuelo, por razones que no son del caso y que harían excesivamente larga esta exposición...; el hecho es que nuestro abuelo apostó, como decía, contra su amigo, que él era capaz de encontrar dos narices iguales en el mundo, y que se comprometía a presentar la nariz gemela de cualquier otra nariz que se le indicase; y quedó convenido que esta nariz fuese la del señor presidente del Centro Recreativo y Cultural de Manresa.

—¿Triunfó su abuelo? —pregunté con impaciencia.

—Totalmente, señor; triunfó el abuelo al cabo de cuatro años, faltando todavía uno para cumplirse el plazo fijado en la apuesta, y triunfó tras las pruebas más rigurosas de medida, peritaje y la irrefutable y última demostración del molde... Esto hizo crear a aquel gran hombre su teoría de los dobles humanos... La dificultad estribaba simplemente en la organización comercial para la debida explotación del negocio; es decir, en catalogar todos los seres del mundo y buscarles sus correspondientes. Tarea, como digo, iniciada por nuestro abuelo, seguida fielmente por nuestro padre, y al fin coronada con éxito por nosotros.

—¡¿Habrá sido un trabajo tremendo?! —apunté.

—Sí; pero nada hay difícil para la voluntad. Este es nuestro lema comercial, y aun más este otro: «Todo es más fácil de lo que parece», porque ya, en la misma feliz apuesta que dio origen a esta empresa, ocurrió algo significativo que lo explica.

—¿Y fue?

—Fue que nuestro abuelo, tras de correr medio mundo en busca de la nariz igual a la del señor presidente, dio, al fin, con ella en la misma casa del señor presidente, y no era otra que la de su propia mujer.

—¡Es increíble! —exclamé.

—Es verídico, señor. Nuestro abuelo vendió los magníficos telares que trajo de Mánchester, y con su producto y el de la apuesta fundó este negocio que actualmente regimos.

—En el fondo —me permití decir—, esto es algo parecido a los dobles que emplean los yanquis para su cine.

—Pero más perfecto, señor. Nuestra Casa no sólo se fija en el parecido físico, sino que atiende, con mayor interés si cabe, a la semejanza moral de los seres. Por lo demás, cronológicamente nos corresponde la prioridad de la idea, y si ciertas cosas se pudieran patentar, sería nuestra firma la que trabajase para América.

El hermano mayor de los Batllés abrió de pronto un cajón de su mesa, y tomando de él una fotogafía, me la disparó con una pregunta como un trabucazo:

—¿Quién es ésta?... ¡Diga!

—Elisa...., mi querida Elisa... Mi novia perdida... La ingrata mujer.

—¡Ca!... Esa muchacha no es Elisa, pero puede serlo, si usted quiere.

—¡¿Dice que no es Elisa?!... ¡¿Que no es ella?! —insistí.

—No. Termina usted de encontrar la grandeza de nuestro negocio, lo sublime de aquella idea de nuestro abuelo, que le animó a fundar esta Casa... Esa muchacha que usted puede ver, y que es exactamente igual a Elisa, vive en el Canadá, y su alma es todavía más parecida que el rostro a la de aquella otra que le enamoró a usted... Esa muchacha puede ser su mujer si usted lo desea y llegamos a un acuerdo.

—¿Cuánto? —inquirí secamente.

—Puesta en puerto de Barcelona, todo incluido, saldrá por unas ochenta y seis mil pesetas.

—Pero..., ¿y el idioma? —me atreví a puntualizar.

—El idioma aparte, señor; aunque podemos también encargarnos de dejarla en perfecto castellano, mediante un suplemento a convenir ulteriormente... Si la auténtica señorita Elisa hubiese fallecido[2], ésta que le ofrecemos tendría un precio mucho mayor. La especialidad de esta Casa son las pérdidas irreparables.

Yo firmé un cheque en el acto, y tomé una copia de la fotografía de la nueva Elisa que ellos me ofrecieron.

De la forma que he relatado me casé va ya para diez años. Ni que decir tiene que soy absolutamente feliz y tengo tres hermosos hijos: un varón y dos hembras.

Aunque hoy no sepa cómo sería actualmente la primitiva Elisa, estoy seguro de que mi mujer es exactamente igual a ella. Los años me han demostrado que no es tan difícil como creía que se parezcan dos mujeres. En el fondo, más difícil parecía que el abuelo de los hermanos Batllés encontrase una nariz gemela a la del presidente del Círculo Cultural y Recreativo de Manresa, y también acabó por encontrarla en casa del mismo señor presidente.

En cuanto al precio que pagué por mi mujer, no me arrepiento, y debo confesar, para evitar toda suspicacia, que lo

---

[2] *Si la auténtica señorita Elisa hubiese fallecido...*: Eso es lo que se deduce de frases anteriores: *tuvo usted la desgracia de perder / el doloroso trance de perder un ser querido / mi novia perdida...* Quizá los hermanos Batllés sólo estén tratando de que pague cuanto antes lo que le han pedido, no dándose por enterados de la muerte de ella...

considero como el mejor negocio de mi vida. Si se medita que mis desconocidos suegros quedaron en el lejano Canadá, estimo que a ningún hombre puede parecerle desgraciada la operación.

* * *

Del episodio de mi vida que me permití contarles nunca me hubiese acordado, a no ser por la imprevista visita que termino de recibir esta tarde. Naturalmente, como han adivinado ustedes, se trata de los Hermanos Batllés, S .L., a quienes no había vuelto a ver desde aquella lejana época perdida en mi memoria. Estábamos merendando en familia cuando los anunció un criado. De momento me quedé perplejo. ¿Quiénes podrían ser?

Acudo al salón donde me aguardan y les escucho en silencio. Los hermanos Batllés (¡ay!) han perdido aquellas iniciales S. L. que fueron su orgullo y que prestaron tanto brillo y tanto prestigio a su apellido. Los pobres están completamente arruinados, y desde el primer instante se expresan con absoluta franqueza, pidiéndome prestada una cantidad considerable para rehacer su vida y emprender otro negocio. Con todo interés les pregunto yo las causas de la quiebra, que escapan a mi razón, y ellos me las confiesan leal y sinceramente, siempre por boca del hermano menor.

—Al principio —comienza a decir— tuvimos muchos éxitos. Su propio caso lo confirma; pero a medida que pasó el tiempo nos demostró que nuestro pobre abuelo nunca tuvo razón, que sólo fue un soñador... Por desgracia, estaba equivocado en su raíz; era totalmente falso el planteamiento del problema humano que quiso resolver.

—¿Cómo es posible? —pregunto—. ¿Dónde pudo estar el error de tan bella idea?

—El error, señor, está en creer que la Humanidad quiere privarse del dolor de las ausencias. La Humanidad nunca podrá prescindir de ninguna de sus vanidades, y ésta de llorar las pérdidas, sobre todo si son irreparables, es una de las vanidades más queridas del hombre.

—Sin embargo —opongo—, no todos somos iguales. No

puedo creer que yo sea una excepción entre todos... Ustedes mismos me han confesado sus éxitos.

—Sí; pero éstos duraron poco; no tardamos en darnos cuenta de ciertas cosas al parecer inexplicables. Así, por ejemplo, hemos conocido viudos que se negaron a pagar quinientas pesetas por mujeres exactamente iguales a sus difuntas. ¡Eran ellos tan desgraciados y tan importantes en su misión de llevarlas flores a las tumbas...! Además, pronto comenzaron a llover sobre nosotros las reclamaciones, porque ningún cliente, pasado cierto tiempo, encontraba igual nuestro «envío» a la persona perdida. Siempre se hicieron inútiles nuestras protestas al asegurarles que el tiempo varía a las personas y que tampoco aquéllas que perdieron se conservarían igual a su recuerdo... Cierto marido, puedo asegurárselo a usted, llegó a reclamarnos ante los Tribunales una fuerte indemnización por daños y perjuicios.

—¿Qué pudo ocurrirle a aquel hombre para adoptar semejante actitud?

—Lo más natural; pero él no quiso entenderlo... A ese hombre le traicionó la mujer que nosotros le «servimos». Para él era indudable que la otra, la que perdió, jamás hubiera podido traicionarle... Aunque parezca mentira, no hubo procedimiento humano de convencerle de lo contrario, y tuvimos que pagar... ¡Como si cualquier ser, mientras vive, pudiera estar libre de cometer esas que los hombres llaman infamias y que tantas veces resulta que no son infamias! ¿No cree usted?

Tras un respetuoso silencio para su desgracia, yo intento consolarles hablándoles, incluso con exageración, de mi felicidad. Reconozco ante ellos que la debo exclusivamente a su firma comercial y que, al fin y al cabo, su pobre abuelo puede estar satisfecho, ya que, a pesar de todo, a él le cabe la gloria, por su hermosa idea, de haber remediado la desdicha de un hombre: La MÍA.

Como nunca hago nada sin consultar con mi mujer, dejo a los Batllés en el salón por un momento, para enterarla de la petición que me hacen estos hombres, con el fin de rehacer su vida.

Le pinto a Elisa la desgracia de los hermanos y la recuerdo con voz conmovida que nosotros les debemos nuestra alegría presente y nuestros queridos y hermosos hijos; pero... mi mujer es inflexible y tiene ideas propias sobre la administración, que yo no puedo variar.

Todos mis argumentos son inútiles, y sólo sirven para que ella me recrimine, según costumbre, mi carácter. Según Elisa, yo soy un manirroto, un hombre incapaz para la vida, dispuesto siempre a pagar cien por lo que otros pagan uno. La pobre es tan buena para mí y me quiere tanto, que cree que me conmueve el corazón cualquier sinvergüenza y que su misión en la vida consiste en protegerme.

Vuelvo, pues, derrotado junto a los hermanos Batllés, y me disculpo como puedo. Su situación es tan precaria que no tengo escrúpulo en entregarles lo que llevo en la cartera, y para compensarles de mi escaso apoyo material, me intereso por el nuevo negocio que desean emprender.

Mi negativa a aportar algún capital a su nueva empresa no parece afectarles gran cosa, contra lo que yo esperaba. Se conoce que han hablado entre ellos durante mi breve ausencia, y la esperanza de añadir a su apellido las iniciales S.L.[3] les tiene ilusionados como a dos niños. Cuando les pregunto por la índole del nuevo negocio que pensaban ofrecerme, ambos se miran, satisfechos entre sí, y me contestan a la vez con voz segura y convincente:

—«Pompas fúnebres», señor.

---

[3] S. L., es, por supuesto, Sociedad Limitada, pero son también las iniciales de Samuel (Ros) y Leonor (Lapoulide), su novia muerta.

MIGUEL MIHURA*

El amigo de él y ella

(Cuento persa de los primeros padres)

Él y Ella estaban muy disgustados en el Paraíso porque en vez de estar solos, como debían estar, estaba también otro señor, con bigotes, que se había hecho allí un hotelito muy mono, precisamente enfrente del árbol del Bien y del Mal.

Aquel señor, alto, fuerte, con espeso bigote y con tipo de ingeniero de Caminos, se llamaba don Jerónimo, y como no tenía nada que hacer y el pobre se aburría allí en el Paraíso, estaba deseando hacerse amigo de Él y Ella para hablar de cualquier cosilla por las tardes.

Todos los días, muy temprano, se asomaba a la tapia de su jardín y les saludaba muy amable, mientras regaba los fresones y unos arbolitos frutales que había plantado y que estaban ya muy majos.

Ella y Él contestaban fríamente, pues sabían de muy buena tinta que el Paraíso sólo se había hecho para ellos y que aquel señor de los bigotes no tenía derecho a estar allí y mucho menos de estar con pijama.

Don Jerónimo, por lo visto, no sabía nada de lo mucho que tenía que suceder en el Paraíso, e ingenuamente, quería hacer

---

* «El amigo de él y ella», *Sí,* Suplemento Semanal de *Arriba,* Año I, núm. 52, Madrid, 27/XII/1942; *Antología: 1927-1933,* 1978; *Mis memorias,* 1981.

amistad con sus vecinos, pues la verdad es que en estos sitios de campo, si no hay un poco de unión, no se pasa bien.

Una tarde, después de dar un paseo él solo por todo aquel campo, se acercó al árbol en donde estaban Él y Ella bostezando de tedio, pero siempre en su papel importante de Él y Ella.

—¿Se aburren ustedes, vecinos? —les preguntó cariñosamente.

—Pchs... Regular.

—¿Aquí no vive nadie más que ustedes?

—No. Nada más. Nosotros somos la primera pareja humana.

—¡Ah! Enhorabuena. No sabía nada —dijo don Jerónimo. Y lo dijo como si les felicitase por haber encontrado un buen empleo. Después añadió, sin conceder a todo aquello demasiada importancia:

—Pues si ustedes quieren, después de cenar, nos podemos reunir y charlar un rato. Aquí hay tan pocas diversiones y está todo tan triste...

—Bueno —accedió Él—. Con mucho gusto.

Y no tuvieron más remedio que reunirse después de cenar, al pie del árbol, sentados en unas butacas de mimbre.

Aquella reunión de tres personas estropeaba ya todo el ambiente del Paraíso. Aquello ya no parecía Paraíso ni parecía nada. Era como una reunión en Recoletos, en Rosales o en la Castellana. El dibujante que intentase pintar esta estampa del Paraíso, con tres personas, nunca podría dar en ella la sensación de que aquello era el Paraíso, aunque los pintase desnuditos y con la serpiente y todo enroscada al árbol.

Ya así, con aquel señor de los bigotes, todo estaba inverosímilmente estropeado.

* * *

Él y Ella no comprendían, no se explicaban aquello tan raro y tan fuera de razón y lógica. No sabían qué hacer. Ya aquello les había desorganizado todos sus proyectos y todas sus intenciones.

Aquel nuevo y absurdo personaje en el Paraíso les había

destrozado todos sus planes; todos esos planes que tanto iban a dar que hablar a la Humanidad entera.

La serpiente también estaba muy violenta y sin saber cómo ni cuándo intervenir en aquella representación, en la que ella desempeñaba tan principal papel.

Por las mañanas, por las tardes y por las noches don Jerónimo pasaba un rato con ellos, y allí sentado, en tertulia, hablaban muy pocas cosas y sin interés, pues realmente, en aquella época, no se podía hablar apenas de nada, ya que de nada había.

—Pues, si... —decían.

—Eso.

—¡Ah!

—Oveja.

—Cabra.

—Es cierto.

De todas formas no lo pasaban mal. Él y Ella, poco a poco, distraídos con aquel señor que había metido la pata sin saberlo, fueron olvidando que uno era Él y la otra Ella. Y hasta le fueron tomando afecto a don Jerónimo, que, a pesar de todo, era un hombre simpático y rumboso. Y los tres juntos hacían excursiones por los ríos y los valles y reían alborozados de vivir allí sin penas, ni disgustos, ni contrariedades, ni malas pasiones.

* * *

Una vez don Jerónimo les preguntó:

—Ustedes ¿están casados?

Y ellos no supieron qué contestar, ya que no sabían nada de eso.

—¿Pero no son ustedes matrimonio?

—No. No lo somos —confesaron al fin.

—Entonces, ¿son ustedes hermanos?

—Sí, eso —dijeron ellos por decir algo.

Don Jerónimo, desde entonces, menudeó más las visitas. Se hizo más alegre. Presumía más. Se cambiaba de pijama a cada momento. Empezó a contar chistes y Ella se reía con los chistes. Empezó a llevarle vacas a Ella. Y Ella se ponía muy contenta con las vacas.

104

Ella tenía veinte años y además era Primavera. Todo lo que ocurría era natural.

—La quiero a usted —le dijo don Jerónimo a Ella un atardecer, mientras le acariciaba una mano.

—Y yo a usted, Jerónimo —contestó Ella, que, como en las comedias, su antipatía primera se había trocado en amor.

A la semana siguiente, Ella y aquel señor de los bigotes se habían casado.

Al poco tiempo tuvieron dos o tres chiquitines que enseguida se pusieron muy gordos, pues el Paraíso, que era tan sano, les sentaba admirablemente.

Él, aunque ya apreciaba mucho a don Jerónimo, se disgustó bastante, pues comprendía que aquello no debía haber sido así; que aquello estaba mal. Y que con aquellos niños jugando por el jardín aquello ya no parecía Paraíso, ni mucho menos, con lo bonito que es el Paraíso cuando es como debe ser.

La serpiente, y todos los demás bichos, se enfadaron mucho igualmente, pues decían que aquello era absurdo y que por culpa de aquel señor con pijama no había salido todo como lo tenían pensado, con lo interesante y lo fino y lo sutil que hubiese resultado.

Pero se conformaron, ya que no había más remedio que conformarse, pues cuando las cosas vienen así son inevitables y no se pueden remediar.

El caso es que fue una lástima.

JOSÉ MARÍA SÁNCHEZ SILVA*

Tal vez mañana

I

> En derredor de Dios, como en derredor de
> una torre vetusta, doy vueltas desde hace miles
> de años.
>
> *Rilke*[1].

En la pequeña mercería del pueblo se desarrolla una escena de cierta violencia. La señorita Lina, de la colonia veraniega, se obstina en adquirir un bordado que al parecer no existe.

—Señorita —repite el comerciante—: le aseguro que está usted equivocada. Aquí no ha sido.

—¡Lo he visto con mis propios ojos! —replica airada la joven.

—Lo habrá visto; pero aquí no hemos vendido ese dibujo.

* *La ciudad se aleja*, Editora Nacional, Madrid, 1946; *El hombre de la bufanda*, 1934; *La otra música*, 1941; *No es tan fácil*, 1943; *Marcelino, pan y vino*, 1952; *Adelaida y otros asuntos personales*, 1953; *Historias menores de Marcelino, pan y vino*, 1953; *Aventura en el cielo de Marcelino, pan y vino*, 1954; *Historias de mi calle*, 1954; *Fábula de la burrita Non*, 1955; *Quince o veinte sombras*, 1955; *El hereje*, 1956; *Tres novelas y pico*, 1958; *Cuentos de Navidad*, 1960; *¡Adiós, Josefina!*, 1962; *Pesinoe y gente de tierra*, 1963; *Colasín, Colasón*, 1963; *Tres animales son*, 1966; *Un gran pequeño*, 1967; *Adán y el señor Dios*, 1967; *El segundo verano de Ladis*, 1968; *Los alegres ratoncillos de Jerez*, 1973; *Cosa de ratones y conejos*, 1981; *El chihuahua que mordió a Hernán Cortés*, 1981...

[1] Del comienzo del poema «El libro de la vida monástica», en *El libro de las horas*. Vid. R. M. Rilke, *Antología Poética*, estudio, versión y notas de Jaime Ferreiro Alemparte, 2.ª ed., Madrid, Espasa-Calpe, col. Austral, 1976.

—¡Es un bordado redondo, le digo; de hilo, con florecitas largas y bodoques[2] pequeños en seda! —insiste ella.

El comerciante cree apurada toda su paciencia. Lleva un buen rato discutiendo. Hay dos señoras que esperan hace mucho. El mostrador está lleno de piezas y cartones de bordados que ha sacado el comerciante.

—¡No me he de ir sin él! —exclama la señorita—. Ustedes sólo venden las cosas a quienes quieren.

—¡Esto ya colma la medida, señorita! —dice el comerciante, con sus ojos redondos fijos coléricamente en el aniñado rostro de su interlocutora.

De pronto, ha entrado Quimet[3], el chico de la tienda, avisando:

—¡Que viene Demetrio!

Enseguida, el comerciante ha dulcificado su expresión. Una de las señoras que esperaban se ha puesto en pie precipitadamente y mira hacia la puerta con asustada indecisión. Una innegable expectación se ha apoderado de todos.

—Siéntese, señora, no pasa nada —ha dicho el comerciante con forzada amabilidad.

—Pero ¿no es el loco? —ha preguntado la señora.

—Sí; pero es completamente inofensivo, ya lo verá usted. Conviene estar tranquilos, sin embargo.

La señorita Lina, en silencio, se ha vuelto hacia la puerta. Enseguida, ha entrado un hombre alto, bien vestido, destocado, de faz colorada, que se ha dirigido derechamente al mostrador.

—Buenos días, Demetrio —ha saludado el comerciante.

—Quiero lana. Madejas de lana —solicita Demetrio.

—Bien, muy bien, Demetrio. Ahora mismo. ¿De qué color las deseas?

—De tres, de tres colores.

La señorita Lina mira a Demetrio con gran curiosidad. La otra señora se ha tranquilizado aparentemente.

—De tres colores, ¿verdad? —el comerciante vuelve carga-

---

[2] *bodoque:* Relieve de adorno en los bordados.

[3] *Quimet:* Abreviación de Joaquimet, en catalán; Quinín, Quinito, Joaquinito, en castellano.

do de madejas—. Pondremos blanco, granate y amarillo. ¿Le parece a usted, Demetrio?

—Sí; granate, blanco y amarillo. Pero tengo prisa.

El comerciante ha envuelto las tres madejas. Lina sigue mirando al loco sin pestañear. Pudiera decirse que es un hombre hermoso. Quizá tenga cuarenta años. Es alto y fuerte. Viste de azul oscuro.

Demetrio ha recogido su paquete y ha depositado sobre el mostrador un montoncito de billetes. Enseguida, ha salido con grandes zancadas diciendo:

—Hasta otro día.

La señorita Lina, olvidando su bordado, le ha seguido. Demetrio camina de prisa. Muy pronto, Quimet, el chico de la tienda, ha corrido tras él gritando:

—¡Demetrio, Demetrio!

El loco se detiene.

—Que le sobra dinero —explica el chico.

Demetrio ha guardado los billetes sobrantes en el bolsillo de la americana y ha proseguido su marcha sin ver a la señorita Lina.

El pueblecito de la Costa Brava, visto en verano desde una alta ventana orientada a saliente[4], se extiende junto a la curva de la playa pedregosa. La cúpula del Santuario se levanta por encima de todo, si no se tiene en cuenta el friso oscuro de la lejana cordillera ondulante, apoyada suavemente contra el cielo azul. Entre los pinos las casitas veraniegas semejan grandes dados blancos, inmóviles, caídos así por la suerte de un gigantesco jugador. Algún ciprés eleva muy alta su lanza funeraria y hacia el lado del riachuelo yerguen sus testas plateadas unos cuantos olmos. Hay viñas también en el pueblo y algarrobos y almendros. Más allá, el puertecito poblado de barcazas, motoras y traíñas[5]. En las afueras, alejado un tanto del mar se acuesta el gran dado del Manicomio, con sus ventanas iguales, lanzando al aire el alegre seis doble de sus huecos cuadrados y

---

[4] *saliente:* oriente, levante.

[5] *traíña:* Red muy extensa que se cala rodeando un banco de sardinas para llevarlas así a la costa (DA). Podría ser también *traíñeras,* las barcas que pescan con traíña.

rojos, apenas interrumpidos por la línea viva y caprichosa de las macetas. Aquí vive Demetrio desde hace muchos años. Aunque todos dicen que está loco, le dejan salir a menudo, casi todos los días. Demetrio es popular en el pueblo; no le persiguen los chicos ni se burla nadie de él. Todos son sus amigos, aunque más amigo que nadie sea «Moro», el gran gato negro de la confitería. Muchas veces se ve pasear a Demetrio con el gato tras de sí o en sus brazos, mirándolo todo con sus grandes ojos amarillos.

La locura de Demetrio es una extraña locura. Una locura de cuerdo, claro. Los accesos le coinciden con las agitaciones marítimas. Hay una oscura relación entre los movimientos de su inteligencia y la frecuencia e intensidad de las olas. Alguna vez se ha dado el caso peregrino de que una tempestad lejana haya despertado a Demetrio en su cama blanca, presa del delirio. Sin embargo, siempre es inofensivo. Se limita a hablar, a razonar, a preguntar como un niño. Demetrio, sencillamente, no comprende que no llegue nunca mañana. Cuando le preguntan en el pueblo: «Qué, Demetrio, ¿cuándo salimos de la torre?», él suele responder invariable, con una sonrisa humilde: «¡Oh, muy pronto; tal vez mañana mismo!»

Sin embargo, mañana no llega nunca. Una noche, dos noches, muchas noches, ha velado junto a la ventana esperando el mañana prometido. Cuando amanecía tras los visillos, por detrás del mar, Demetrio preguntaba como un chico al enfermero:

—¿Ya es mañana?

Los enfermeros son buenos y amables; pero no saben, no comprenden casi nada. Y, no obstante, lo que Demetrio comprende muy bien es que el presente, el ya, el ahora mismo, no existen. Muchas veces, con las manos extendidas cerca de los ojos, él ve perfectamente cómo el tiempo se desliza entre los dedos, lento, pero inaprehensible. Nunca, tampoco, es ahora mismo. En cuanto se fija uno un poco, el *ahora* se convierte en *antes*. No hay presente, pues, sino sólo pasado y futuro, lejanísimo, arcano, caprichoso futuro. Esto desespera a Demetrio y a veces a sus médicos y a sus enfermeros, que le hacen tragar algo para que no piense, para que no se quede repitiendo hasta el vértigo la frase: «Ahora mismo, ahora mismo, ahora mismo», con la que él trata de sujetar al tiempo inútilmente.

109

En esta época de verano, Demetrio sale algo menos. Como hay gentes nuevas en el pueblo, desconocidas, burlonas, no le dejan salir para que no se excite. Si el tiempo empeora, tampoco puede salir. Generalmente, por las mañanas recorre el pueblo; por las tardes se acerca al mar y conversa con él. Son amigos. El mar le escucha con tranquilidad, sin impaciencia ni miedo, sonriente. Y le contesta. Siempre le contesta. Otras veces, le moja las sandalias por broma. Y luego se retira enseguida, riéndose con suavidad.

Demetrio pasea a su lado con los brazos a la espalda. La playa suele estar desierta a esas horas. Demetrio, siempre impecablemente vestido de azul oscuro, pasea junto a él y de pronto se detiene, se vuelve de frente y le habla con amplios ademanes y voz suave:

—Ya sabes lo que me han dicho ayer, ¿verdad? Pues bien; era mentira.

Demetrio pasea con cierta agitación y luego vuelve:

—Ya ves, mentira, mentira; creen que me engañan. ¡Que la noche baja, que la noche se acerca, que está alguna vez entre nosotros...! —Demetrio ríe, asqueado—. Escúchame: yo sé muy bien que la noche está más allá de ti, más allá del cielo, más allá de la altura donde alumbran las estrellas.

Demetrio se va suavizando paulatinamente cuando ha expresado sus quejas solitarias.

—Bien; te dejo. Voy a cenar. Hoy rechazaré las acelgas, pase lo que pase, te lo prometo. Estoy verdaderamente hastiado.

De regreso, Demetrio pasa junto a la confitería y produce con los labios un chasquido especial. «Moro» sale enseguida y arquea el lomo lustroso bajo la palma a menudo ardorosa del amigo.

—Adiós, «Moro». Oye: me han dicho que eso es mañana. Vendré por ti y nos iremos con el mar a mi casa. ¡Mañana, «Moro», por fin!

Demetrio sube por la carretera despacio. Quizá, por misericordia de Dios, no habiten su mente sino sólo el mar, el tiempo y «Moro», el brillante «Moro» de la confitería que a veces le sigue un rato hasta donde comienza el asfalto. Allí, en la frontera de lo desconocido, «Moro» se detiene. Eleva el largo rabo y lanza un maullido entre nostálgico y satisfecho. En alguna ocasión, cuando Demetrio se ha vuelto para decirle adiós, ha podido ver cómo fosforecían sus ojos redondos.

II

La familia de la señorita Lina, los padres, los hermanos, están satisfechos del tiempo, del pueblo y de la salud que la playa dorada les dispensa. (Además, parece que Trinitas se lleva muy bien con su conquista de este año.) Sobre todo, a Lina la encuentran ya bien. Apenas le queda algún resabio de lo pasado. Ha perdido, por fin, aquella manía de despertarse y gritar:

—Mamá, mamá: ¿estoy soñando?

Ha ganado algo de peso, come mejor y no siente tampoco, desde hace mucho tiempo, aquellas telarañas que le entorpecían la mirada. Este año, Lina goza de una mayor libertad: va sola a las tiendas, pasea por la playa sin compañía y ha empezado a leer algo, poquita cosa: alguna vida sencilla de Santos, algún poemita bucólico. Todo ello, claro, revisado y copiado a máquina por papá. Lina está bien, afortunadamente. Al principio, cuando llegaron, les hizo una visita un señor delgadito, muy distraído, que preguntó muchas cosas a la muchacha. Era el propietario de la torre cercana. La encontró muy bien.

Los días de diario hay que levantarse antes porque la misa se dice muy temprano. Lina y su familia van al Santuario. Dice la misa, como de costumbre, mosén Calbet. Es un viejecito muy simpático, que oye mal con un oído. Hoy lleva una hermosa casulla antigua en oro sobre verde.

Ha empezado la misa. Hay muy poca gente. Papá y mamá, leyendo un solo misal, ocupan el primer banco de la izquierda. Los dos chicos, Amelia y Lina, el primero de la derecha. (Trinitas está detrás, con Eduardo.) De pronto, un hombre alto ha subido las gradas del altar. Es el del otro día: Demetrio, el loco. El hombre ha llegado hasta el oficiante. Suena muy claro el diálogo. Acaban de oírse, muy juntos, el «Deus, tu conversus vivificabis nos» y la respuesta del ayudante: «Et plebs tua laetabitur in te»[6].

---

[6] Oh, Dios, si te vuelves a nosotros, nos darás vida / Y tu pueblo se alegrará en Ti.

—Mosén Calbet, mosén Calbet —ha dicho la voz de Demetrio.

El viejecito se ha vuelto sonriendo al reconocer la voz.

—Quiero ayudarle yo, mosén Calbet.

—Pues claro, hijo mío —ha respondido bondadosa e imperturbablemente el viejo.

Y enseguida la misa se ha reanudado:

—«Ostende nobis, Domine, misericordiam tuam» —ha cantado bajito mosén Calbet.

—«Et salutare tuum da nobis»[7] —ha exclamado muy alto Demetrio.

La misa ha ido fluyendo con toda normalidad. Demetrio ha ayudado minuciosamente. Nadie se ha extrañado, excepto la señorita Lina.

La señorita Lina es bajita, proporcionada, graciosa como una niña cuando no se ensimisma y dos feos surcos se le apuntan hacia las comisuras de los labios. Suele hacer las cosas de prisa y tiene movimientos de pájaro, sobre todo cuando anda a saltitos, con la cabellera oscura balanceándose sobre sus hombros. En su casa nadie habla de Demetrio. Ella sabe tan poco de él como de sí misma. ¡Dios mío, cuando no se recuerdan los sueños! ¡Pobre Demetrio, el loco inofensivo! ¿No será la locura un sueño? Se decía, siempre se ha dicho, que cuando estamos despiertos tenemos un mundo para todos, al revés de cuando durmiendo soñamos, que es entonces uno distinto para nosotros solos. Los cuerdos dicen que no hay bien más precioso que la imaginación; pero los cuerdos, los que por cuerdos se tienen y como cuerdos obran, no saben nada tampoco. No saben que, como dijo el poeta, «la realidad es algo que está muy lejos, algo que llega infinitamente despacio a los que tienen paciencia»[8]. ¿Y cuando los sueños no se recuerdan? Dicen —Lina lo ha oído mientras espiaba— que los pueblos del Norte suelen tener muchos más locos que los del Sur; pero

---

[7] Muéstranos Señor tu misericordia / Y danos tu Salvador.

[8] *como dijo el poeta...* El pasado y el presente, aunque no lo parezca, están abarrotados de poetas. Sánchez Silva cree recordar que era de Lin Yutang. Éste y Rilke fueron los «descubrimientos» que dejaron más huella en él por la época en que escribía este cuento.

tampoco saben los llamados cuerdos que en estos últimos los dementes son más dementes y, en definitiva, apenas hay en ellos alguien que no lo sea, porque son pueblos que hace mucho tiempo sólo viven de la esperanza.

Cuando Lina pasea sola tiene miedo a menudo; pero prefiere el miedo muchas veces a la compañía. Teme que no la entiendan. Ahora por la tarde, con la gente en el trabajo y los veraneantes de excursión, sesteo o pesca en las rocas lejanas, los caminos están deliciosamente desiertos, templados por el sol. Ahí mismo a la puerta de la tienda hay un gato asomado, sentado al sol, con sus grandes ojos que miran medio cerrados voluptuosamente. Parece pensar lo mismo que ella. Los bichos lo entienden todo. ¿Estarán locos también los animales? ¿O, simplemente, soñarán un sueño infinito? Lina se inclina y le rasca con suavidad la cabeza. Sus uñas rojas hacen un bello efecto entre el pelo sedoso y negrísimo del felino, que cierra los ojos y mantiene la cabecita apretada contra las uñas. Si Lina apoya un instante las yemas de sus dedos en la cabeza, siente el calor de la sangre, el movimiento de la piel y hasta las sensaciones de gratitud del pequeño animalejo.

—Se llama «Moro» —dice de súbito una voz a su lado.

Ella, inclinada, no alcanza a ver más que las piernas vestidas de azul de un hombre. Será el dueño. «Moro» es un nombre vulgar de gato; pero «Moro» agradece las caricias y se está quietecito.

—Es mi amigo también —insiste la voz dulcemente.

Lina se levanta. Es Demetrio, el loco.

—¡Ah, es usted!

—¿Me conoces? —dice él—. Todo el mundo me conoce. ¿Cómo te llamas?

—Lina.

—Lina es un bonito nombre. Yo me llamo Demetrio. Vamos, «Moro».

«Moro» se levanta y anda tras Demetrio. Van a volver la esquina y la muchacha les sigue.

—¿Quieres venir con nosotros?

—Sí —dice Lina.

Andan los tres hacia el mar. «Moro» camina perezosamente, estirándose a menudo con sus uñas clavadas en la arena.

—¿De qué me conoces tú? —pregunta Demetrio sin detenerse.

—Compró usted unas madejas de lana el otro día y estaba yo delante.

—Sí. No me han servido de nada. Quería yo salir de la torre con el hilo atado para saber volver a la hora justa. Pero se rompió.

—Claro —dice ella seriamente, con sus ojos repentinamente agrandados. Y enseguida piensa: «Parece un sueño»—. ¿Está usted bien en la torre?

—¡Oh, sí! Me quieren mucho todos; hasta los locos.

—Me han dicho que saldrá usted pronto.

Demetrio ríe complacido y exclama:

—¡Tal vez mañana mismo!

Lina se detiene un instante con la mirada pensativa.

—En el mío, hace mucho —dice estremeciéndose—, había uno que llamaba a todas las puertas. Quería saber lo que hubiese detrás de cada una.

Ha reanudado la marcha.

«Moro» se ha vuelto. No le place el agua, al parecer. Siguen los dos. Ella piensa: «¿Estará soñando?»

—Eres muy simpática, pequeña —dice él mirándola con detenimiento por primera vez.

—Y usted también —responde ella. Y piensa: «¿Y si le despertase yo, si le hiciese ver que sueña?» Y le pregunta, recordando algo que oyó en la tienda:

—¿Es verdad, Demetrio, que habla usted con el mar?

—Claro que sí; todos los días. ¿Te gustaría a ti hablarle? Es muy bueno siempre.

—Sí —afirma mientras piensa: «¡Si le despertase!»

—Pues vamos. Quiero que te conozca.

La ha cogido de la mano y camina ahora más de prisa. Aunque el sol desciende veloz hacia su ocaso, toda su luz parece quedarse flotando sobre el agua intensamente azul. A un lado de la playa, las aguas llegan mansas, apenas rizadas al contacto de las rocas sumergidas. Demetrio y Lina, de la mano, han llegado a la orilla. Un efecto de luz hace creer que el mar, a pocos pasos, es más alto que la tierra que sirve de base a sus pies. Demetrio está mirándola en silencio, con los ojos muy abiertos. Toda su figura refleja una familiar reverencia. Lina le deja hacer. De pronto, Demetrio habla con voz suave, humilde y llena de amor:

—Esta es Lina, mi amiga. Te la traigo para que la conozcas y me digas si te complace. Es muy buena.

Demetrio guarda silencio. Lina contiene su respiración. El agua se desliza hacia ellos y, a su retirada, arrastra la arena con un sonido melodioso y pequeñito como de niño que juega.

—Dime si te gusta —dice de nuevo Demetrio.

Guardan silencio un instante.

—«Sí» —dice por fin el mar.

—¿Has oído? —pregunta Demetrio a la muchacha.

—No —responde ella.

—Pues ha dicho que sí. Pero espera, ahora le oirás.

Le suelta la mano y se acerca más al agua, hundiendo en ella sus sandalias. Eleva la voz:

—Oye, ¿me dirás cuándo es mañana?

—«Mañana» —responde el mar como un eco.

—¿Has oído ahora? —pregunta él.

—No he oído nada —asegura Lina—; pero ¿por qué le preguntas eso?

—¡Oh! Porque he descubierto que mañana no es tan pronto como creen ellos. Verás —retrocede unos pasos—. Di tú: «ahora mismo».

—Ahora mismo —repite ella.

—¿Ves? Ya lo has dicho y ya ha pasado; ya no hay ahora mismo, ¿entiendes?

—Sí —se decide al fin—. Pero oye: tú estás soñando.

—¿Soñando? —pregunta él con los ojos dilatados.

—Sí; tú no estás loco; es que sueñas. Nada de esto es verdad. Vamos —le coge de las manos—. Despierta.

—¿Que despierte? ¡Oh, no duermo! Mira, éste es el mar —se inclina y recoge agua en su mano—. ¿Ves? El agua. Espera.

Y se dirige al mar sin soltar la mano a la muchacha.

—¿Verdad que no estoy soñando?

—«Verdad» —responde el mar.

—¿Ves? ¿No has oído? Acércate, acércate —y tira de ella hacia el agua.

115

—¿Sueño yo acaso, amigo mío?

—«No» —repiten las aguas claramente.

—¿Oyes, oyes ahora?

—No oigo nada; tú sueñas, Demetrio.

—¿Que sueño, que sueño? Ven más acá, acércate sin miedo.

El agua es profunda de pronto, y Lina se hunde hasta las rodillas. El frío le da miedo, un miedo repentino y casi feroz.

—¡Suéltame! —ordena.

—Tienes que oír, tienes que oír. Lo dice bien claro.

—No quiero, suéltame.

—¡Contesta ahora, para que ella te oiga! —grita Demetrio a las olas.

Lina se desase de un tirón y escapa hacia la arena, aterrada.

—¡Estás loco, loco, loco! —grita y sigue corriendo hacia el pueblo.

«Loco», repite Demetrio con tristeza viéndola irse. «Loco». Cuando ya no la ve se vuelve al mar:

—Tú solo sabes la verdad —le dice.

—«No estoy loco, no. Pero ella es como todos, como todos...» —se repite tristemente, moviendo la cabeza. Y luego acrecienta su voz y grita al mar:

—¿Verdad que no estoy loco?

—Verdad —responde el mar.

—¿Verdad que ella es como todos?

—Verdad —han dicho las aguas.

Demetrio, poco a poco, ha ido saliendo del agua. El sol se ha retirado y arde ya alguna fría luz eléctrica en el poblado. Con la cabeza un poco inclinada, Demetrio camina hacia él. Todo ocurre porque no llega mañana. Si un día llegase... ¡Si un día llegase mañana!

116

ÁLVARO CUNQUEIRO*

Epístola de Santiago Apóstol
a los salmones del Ulla[1]

Y aconteció que, subiendo la Barca Apostólica por las claras
aguas del río Ulla, y siendo por el tiempo alegre de abril, se
juntaron a babor y a estribor y a popa multitud de salmones,
todos los que estaban remontando el río, como suelen, para el
desove; y, como es verdad, según dijo el hagiógrafo griego[2],
que «los huesos de los santos, de los mártires y de las vírgenes

---

* Néstor Luján, ed., *Fábulas y Leyendas de la Mar*, Barcelona, Tusquets Editores, 1982; *Balada de las damas del tiempo pasado*, 1943; *El caballero, la muerte y el
diablo*, 1956; *Merlín y familia*, 1957; *Las crónicas del sochantre*, 1959; *Flores del año
mil y pico de ave*, 1968; *El descanso del camellero*, 1970; *Laberinto y Cía.*, 1970; *Tertulia de boticas prodigiosas y escuela de curanderos*, 1976; *Historias gallegas*, 1981; *Historia de una isla llamada Brenda*, 1982; *Tesoros y otras magias*, 1984.

[1] *Ulla*: río gallego rico en salmón, que desemboca en el Atlántico, en la ría
baja de Arosa, al norte de Pontevedra. En su orilla derecha, no lejos, está Santiago de Compostela.

Según tradición piadosa, los discípulos del Apóstol «pusieron su cuerpo y su
cabeza en una talega de piel de ciervo con aromas exquisitos; lo llevaron de Je-
rusalén a Galicia acompañados en su viaje marítimo por un ángel del Señor, y
lo sepultaron en el lugar en que, desde entonces, es venerado hasta el día de
hoy» (En López Ferreiro, *Hist. Igl. Sant.*, I, 392-405. Citado por Américo Castro, en *La Realidad Histórica de España* [1962], cap. IX). Es de este viaje marítimo, ya en aguas del Ulla, contracorriente, como los salmones, del que habla
Cunqueiro.

[2] Torrente Ballester escribió de Cunqueiro: «Su mundo es puramente imagi-
nario, con interpolaciones de una misteriosa erudición medieval y clásica, nunca comprobada en su puntualidad y exactitud.» Aunque hice algunas incursio-
nes nada fáciles para averiguar quién fue «el hagiógrafo griego», resultaron tan
infructuosas que ya no veía otro remedio que enfrascarme en los 247 tomos de

están vivos en sus venerados sepulcros, como si no los hubiese tocado el ala de la muerte corporal», y conservan milagrosamente el oído y la voz, aconteció que Jacobo muerto escuchaba a los salmones que unos a otros se preguntaban por aquella barca de luz que subía con ellos, y mucho más plateada, y que daba un perfume que se posaba en las aguas y llegaba a ellos, dulce y misteriosa canela. Se dijo Jacobo que no podía perder aquella ocasión para predicar la Buena Nueva a aquella población fluvial, hizo que de sus huesos brotase su imagen, tal como en vivo fue, y puesta esta figura suya de pie en el banco de la barca, apoyándose en el palo, y haciendo uso del don de lenguas, dijo:

«Hermanos: a la curiosidad vuestra por saber qué barca es ésta, a quién conduce y de dónde viene el insólito perfume que os sorprende, corresponde la mía por saber de vuestra nación, y si sois gentiles o ya habéis escuchado el nombre de Jesús. Yo os digo que prediqué que Jesús es el Hijo de Dios vivo, y, por predicarlo, en lejana tierra de la que nunca habréis oído hablar, porque allá no hay río que vaya al mar, fui degollado por gente incrédula y cruel. Ahora escucho vuestra respuesta y entiendo que sois salmones, de raza atlántica y gallega. Vosotros habláis en vuestra lengua de incierto origen, y yo os escucho en arameo, por favor y don del Espíritu Santo, y por el mismo favor y don, yo os hablo en arameo y vosotros me escucháis en vuestra parla natal. En verdad os digo que Jesús, Hijo de Dios, nació de María Virgen y fue crucificado, dando su vida por que nuestras almas fuesen sanas, salvas y perdonadas. Las vuestras, como la mía misma, y de nuestros propios pecados, que lo mismo peca un varón que un salmón, porque todos los pecados se reducen a uno: no amar a Dios sobre todas las cosas y no amar al prójimo como a uno mismo.»

El sol se había desplegado sobre la mañana. La barca se había detenido próxima a la ribera, donde crecían álamos y chopos, que ya regalaban el aire con la caricia de la hojillas recién nacidas. Los salmones rodeaban la barca, y saltaban unos sobre otros para mejor ver al Apóstol.

---

la *Patrología Griega,* de Santiago Pablo Migne. El piadoso lector me dispensará si no lo hago.

«Me llamo Jacobo, hijo de Zebedeo, y llego hasta aquí tras larga navegación, para ser enterrado en la tierra en la que se abren camino los ríos vuestros nativos. Por lo que me decís ahora mismo, aprendo que sois comestibles, y que es aquí en vuestro río que yo veo tan dulce, donde con frecuencia halláis la muerte. En verdad, sólo puedo enseñaros a despreciar vuestro cuerpo, haciendo que os fijéis muy especialmente en la caridad de vuestro espíritu. Quizás ahí esté la almendra de la cuestión. Tan limpia y generosa alma tenéis, que vuestro cuerpo, la carne, se beneficia de ella, y así es impar entre todas las de los demás peces, según decís. Pues os enorgullecéis de vuestra carne, lo que no deja de tocar los límites del pecado de soberbia, padecéis por ella, y así sois devorados, con lo que pagáis la penitencia. Por otra parte, no dejéis de pensar que hacéis felices a los que os devoran, pues sois alimento especialísimo, no cotidiano, sabroso, según os estoy escuchando. Por lo tanto, alegraos de la vida libre vuestra, nacidos en el río, criados en él para salir al mar de las grandes vacaciones, y luego, como Ulises —y permitidme que cite a un pagano simplemente como muestra de un alma nostálgica—, regresáis al país natal, adultos poderosos, en la hora en que sois llamados por naturaleza para continuar las generaciones. ¡Que los nietos de los nietos de vuestros nietos, setenta veces setenta y más, distingan de todo otro vuestro río nativo, como los hijos distinguen a las madres!»

La voz de Jacobo se hacía consoladora, y los salmones no perdían sílaba de la grave enseñanza.

«No os rebeléis, pues, contra vuestro destino, y servid de alimento en los días magros, en los días en que las carnes son quitadas, en los días de abstinencia carnal, a los cristianos terrícolas[3]. Por lo generosos que sois, por la perfecta armonía de vuestra carne y vuestra grasa, haréis a los que os devoran generosos, y les daréis fortaleza para cumplir con los trabajos honestos, y también para mejor resistir al enemigo. Y pues no quiero que, con motivo de mi llegada, haya entre vosotros más

---

[3] En los días de Cuaresma.

víctimas que las de costumbre, dispersaos y seguid vuestro camino, y que yo vuelva a mi soledad. Y, si sabéis alguna vez que viene a mi tumba, en Compostela, un peregrino[4] fatigado y con el apetito que da el largo camino, no vaciléis en sacrificaros, y no os importe que os cuezan, os pongan en parrilla, os trufen o empapilloten[5], o enteros vayáis a un solemne pastelón envueltos en esa masa inventada en Alejandría y que llamamos hojaldre. Y ahora recibid mi bendición, en el nombre del Señor de la Vida.»

    Y los salmones recibieron la bendición y se fueron por el río a sabor[6], meditando lo escuchado, y dispuestos a vender cara su vida en el río, pero como juego, y dando por aceptada la derrota y el subsiguiente pase a fogones. Que cada quisque tiene su morir. Y el texto de la *Epístola de Santiago el Mayor a los salmones* es verdaderamente consolador para el cristiano que se dispone a almorzar salmón.

---

[4] Las peregrinaciones de toda Europa a la tumba de Santiago Apóstol, el *camino de Santiago,* se iniciaron a mediados del siglo IX en Iria Flavia y alcanzaron su máximo esplendor en el XV, decayendo luego y perdiendo su carácter internacional en el XIX. Crearon una de las mayores vías culturales del mundo medieval.

[5] *empapillotar:* asar *a la papillote,* con manteca o aceite y envuelto en un papel (DA).

[6] *a sabor:* gustosos.

Alonso Zamora Vicente*

La primera muerte

Mi madre murió pronto. No murió en casa, sino en un hospital de Carabanchel. Fuimos todos los hermanos a verla el día
que la habían operado, sin saber todavía que había muerto. Me
pusieron los zapatos nuevos, que me apretaban mucho. Los demás también iban endomingados, sobre todo Elisa, que estrena-
ba un sombrero malva, de ala muy ancha, cuajada de cerezas y
flores. Tuvimos que perder dos tranvías porque ya traían gente
y no podía pasar ella, tan grande resultaba el sombrero. Era
poco después de comer, a fines de marzo, primavera iniciándo-
se. La Catedral, gris y arrinconada detrás de los puestecillos; el
Teatro de Novedades, la Fuentecilla, nunca se ve por qué se llama eso la Fuentecilla. El tranvía bajaba despacito la pendiente
de la calle Toledo, pasaba por debajo del arco grande de la Puerta[1] y luego runruneaba monótono toda la cuesta hasta el río. El

* *Primeras Hojas*, Madrid, Col. Insula, 1955; *Un balcón en la plaza,* 1965; *A traque
barraque,* 1973; *Desorganización,* 1975; *El mundo puede ser nuestro,* 1976; *Sin levantar cabeza,* 1977; *Mesa, sobremesa,* 1980; *Tute de difuntos,* 1982; *Estampas de la calle,* 1983.
    [1] Trayecto (de 30 céntimos) desde la Plaza Mayor a Carabanchel Bajo, en
tranvía con placa de fondo encarnado (y, por las noches, disco número 24). La antigua *Catedral* de Madrid, San Isidro el Real (del siglo XVII), con peculiaridades
propias dentro del estilo clásico, fue levantada según los planos del arquitecto jesuita Pedro Sánchez. Recuerda la iglesia lisboeta de San Vicente de Fora y creó la
norma para otros templos de los jesuitas. El *Teatro de Novedades* se haría famoso en
el mundo por su horroroso incendio, el 23 de septiembre de 1928, en el que hubo
100 muertos y más de 150 heridos. *La Fuentecilla,* en la plazuela que forma la calle
de la Arganzuela con la de Toledo, es del reinado de Carlos III, y le adosaron des-

121

gasómetro, el túnel del tren de circunvalación (nunca se ven trenes de viajeros por aquí), la glorieta de las Pirámides (esas estatuas son iguales que las de la plaza de Oriente), y el puente de Toledo, humos de fritangas, el fondo de cementerios[2], las primeras acacias verdecidas, y el tranvía que, al acabar la cuesta, soltaba los frenos y se precipitaba, derrengándose.

Cruzado el río, ¿por qué pasa tan deprisa el puente?, no se ve nada; es que sólo hay una vía, no preguntes tanto, otra vez la lentitud de la cuesta arriba. Los dos asientos paralelos del tranvía, observándose, me gustaba balancear las piernas en el aire. Los Mataderos. Se empieza a ver la sierra, quedan atrás los cementerios. El cruce con el trenecillo de los Ingenieros. La plaza de toros de Vista Alegre. El Hospital Militar[3]. Hay que andar

---

pués otros adornos escultóricos. El niño no ve *por qué se llama eso la Fuentecilla* debido a que el frente del monumento, que da a la calle de Toledo, oculta los tres caños. *La calle de Toledo,* exultante de vida, era la más pintoresca, populosa y de más tradiciones de Madrid, muy elogiada por Galdós, Mesonero Romanos y otros. *La Puerta de Toledo* se comenzó a construir en tiempos de José Bonaparte y se terminó en el reinado de Fernando VII.

[2] *El gasómetro,* de 14 metros de elevación, daba nombre a la calle de la Fábrica del Gas. El alumbrado por gas se ensayó en Madrid en 1832 en Sol, Alcalá, Montera, Arenal, Mayor, Carretas y Carrera de San Jerónimo, quedando luego reducido al exterior del Palacio, hasta la época de Isabel II, en que se extendió a toda la ciudad. *El tren de circunvalación* iba desde la estación del Norte a la de Atocha, pasando, con parada, por Las Peñuelas. Sólo quedan hoy dos obeliscos (o *pirámides*) de *la Glorieta.* Las estatuas que la adornaban procedían, como las de la Plaza de Oriente y Parque del Retiro, de los pedestales en la balaustrada del Palacio de Oriente, donde fueron sustituidas por jarrones. *El Puente de Toledo,* sobre el Manzanares, es de Pedro Ribera y se concluyó en el reinado de Felipe V. Había en toda esa zona no pocos *cementerios,* siendo importantes los de Santa María, San Lorenzo, San Isidro y San Andrés y el de San Justo.

[3] Indudablemente, no se refiere a *los mataderos* antiguos (1855), que estaban situados en las inmediaciones de la Puerta de Toledo, sino a los que se construyeron más tarde, a la izquierda de la Glorieta de las Pirámides, pasado el nuevo Puente de Praga, al final del Paseo de las Delicias, hoy también desaparecidos. *El trenillo de los ingenieros* era corto, de un solo tramo, acababa en el aeródromo de Cuatro Vientos y servía para hacer prácticas a los ingenieros. *La plaza de toros de Vista Alegre,* o de Carabanchel, o La Chata (por su poca altura), se inauguró en 1908, con los diestros *Bombita, Machaquito* y Gaona, a beneficio de la Asociación de la Prensa. Tenía cabida para 8.000 espectadores y se aumentaron las filas de los tendidos en 1926. Durante la Guerra Civil (1936-1939) sufrió grandes deterioros. El Hospital Central (Madrid-Carabanchel), construido por el sistema de pabellones, fue un *hospital militar* modelo y se construyó con la ayuda de un crédito que otorgó la Ley de Presupuestos de 1895.

un poquito, los zapatos me aprietan. Antes de llegar cae un chaparrón, nos refugiamos en un portal, el sombrero de Elisa no puede mojarse. Estamos cerca. Entre los desmontes se ven las torres de Madrid, suave tras la lluvia. En una escampada, damos la carrera hasta el hospital. Jardinillos al frente, estanque redondo con peces de colores, olor a medicinas, monjas, algunos soldados con muletas, con la cabeza vendada, son de África, y, desgraciados, los han herido los moros, y por qué los han herido los moros[4], y ven por aquí, no te manches, es que no puedo correr más, me aprietan los zapatos.

En lo alto de la escalinata mi padre, esperándonos. Nos acercamos corriendo, y: Dorotea, distraiga usted al niño por ahí. Dorotea me lleva a rastras por otra escalera que hay enfrente, y no tires tan fuerte, no seas bruta. Me vuelvo hacia atrás y veo a mi padre que abraza a mi hermano mayor, y a Elisa que llora a grandes gritos, que se cae, el sombrero se le vuelca, rebotando en la barandilla, sobre el verde (mira, vamos allí, se le ha caído el sombrero a Elisa, se le va a mojar), y todos se entran llorando. Me llevan a una habitación donde hay unas señoras que no conozco, preguntan ¿es este? señalándome, me dan caramelos, yo quiero ir a recoger el sombrero. Dorotea solloza por algo que le cuenta una monja, y todas aquellas señoras me miran, suspiran retorciéndose en la silla, y dicen muy ñoñas pobrecito, tan rico, tan pequeño, y ¿no vas a la escuela? y ¿qué sabes de geografía?, yo digo alguna palabra porque las señoras se ríen y Dorotea me riñe. Y que vamos a buscar el sombrero de Elisa, que ella no lo cogió, y quítame los zapatos, me duelen mucho los pies, y a qué huele aquí. Entra otra monja altísima, pregunta si soy el pequeño, y dice que me lleva a verla, y cómete esta naranja, ¿cuántos años tienes?, y yo no digo nada, me duelen los pies, Dorotea es una llorica y las señoras no dejan de suspirar y de decir pobrecito, tan pequeño. Aparece mi padre, haz que me quiten los zapatos, Dorotea no ha querido ir a recoger el sombrero, por qué llo-

---

[4] Marruecos fue un trágico problema desde 1890, con graves repercusiones políticas en España. El Barranco del Lobo, Monte Abarán, el desastre de Annual, Nador, Monte Arruit, son nombres de sangrientas derrotas españolas. El «problema» marroquí acabó en septiembre de 1925 con el desembarco en Alhucemas, al mando de los generales Primo de Rivera y Sanjurjo.

ráis todos, qué ha pasado, yo quiero estar con vosotros. La monja tira de mí, y mi padre dice que no, que no me lleven, que soy pequeño. Siempre hoy con esa historia de que soy pequeño. Oigo llorar a Elisa en una habitación, entro sin que me noten, mientras hablan la monja y mi padre, y veo a todos, qué oscuro está, lloriqueando, y en una cama veo a mi madre, muy quieta, como cuando yo la veía dormida en casa, algo despeinada, y un olor. Tiran de mí por detrás, la monja me lleva al jardín, rompo a llorar, que me duelen mucho los pies, y pobrecito otra vez y, arrastrándome, te daré de merendar, pronto te irás a casa. Hay tormenta, llueve, grueso, me acuerdo del sombrero de Elisa, ya lo habrán recogido, hombre, no te pongas pesado, vamos a la capilla a rezar por mamá. Bueno, vamos, pero me siguen apretando los zapatos, y gimoteo, y siempre yéndome. Elisa viene por mí, me llevan en un coche a casa. El sombrero abollado está en el asiento, y nos apretamos todos dentro del auto, inútil preguntar, me descalzo y me dan un cachete, y lloro más fuerte, lloramos todos. Dorotea dice a Elisa que se calme, porque si no le va a dar otro ataque de nervios y quién se va a encargar de tanto, y quién va a ir a las esquelas, más bullente lagrimeo, el entierro mañana y no podremos ir todos. Todos discuten, todos quieren ir al entierro, todos están de acuerdo en que el niño no. Y ya en casa, el niño no, que se lleven al niño, ropas para el tinte, y el niño no, solamente mañana no. Todo anda revuelto, todos hablamos solos sin saber por qué, viene mucha gente, por qué me querrán llevar todos a sus casas aunque esté descalzo, y no me atrevo a preguntar por ella, adivino que hoy no se merienda, quizá no se va a merendar ya nunca más, quién sabe si tampoco otras cosas ya nunca más. Y aprieto entre mis dedos con una oculta alegría, un par de cerezas del sombrero, son de cera, medio deshechas ya, y destiñéndose.

CAMILO JOSÉ CELA*

El Gallego y su cuadrilla

*Al doctor don Mariano Moreno,
que me cosió el cuello.*

En la provincia de Toledo, en el mes de agosto, se pueden
asar las chuletas sobre las piedras del campo o sobre las losas
del empedrado, en los pueblos.

La plaza está en cuesta y en el medio tiene un árbol y un pilón. Por un lado está cerrada con carros, y por el otro con ta-
lanqueras[1]. Hace calor y la gente se agolpa donde puede; los

---

 * *El Gallego y su cuadrilla y otros apuntes carpetovetónicos*, Madrid, Ricardo Aguile-
ra, 1949 (Ed. en Destino, Barcelona, 1955): *Esas nubes que pasan*, 1945; *Mesa
Revuelta*, 1945; *El bonito crimen del carabinero y otras invenciones*, 1947; *La naranja es
una fruta de invierno*, 1951; *Garito de hospicianos;* 1951; *Timoteo, el incomprendido*,
1952; *Santa Balbina, 37, gas en cada piso*, 1952; *Baraja de invenciones*, 1953; *El molino de viento y otras novelas cortas*, 1956; *Mis páginas preferidas*, 1956; *Historias de España. Los Ciegos. Los Tontos*, 1957; *Nuevo retablo de don Cristobita*, 1957; *Cajón de
sastre*, 1957; *Gavilla de fábulas sin amor*, 1962; *La rueda de los ocios*, 1962; *Tobogán de
hambrientos*, 1962; *Las compañías convenientes*, 1963; *Once cuentos de fútbol*, 1963;
Nuevas Escenas Matritenses, 1965; *La familia del héroe*, 1965; *El ciudadano Iscariote
Reclús*, 1965; *Café de artistas y otros cuentos*, 1969; *La banda de palomas*, 1970; *La
Mancha en el corazón, en los ojos y otros relatos*, 1971; *Obras Selectas*, 1971; *Novelas cortas y Cuentos*, 1975; *Los vasos comunicantes*, 1981... Las *Obras Completas*, en curso
de publicación, por la Editorial Destino, detallan todas las ediciones de los libros. En el tomo II (1964) reúne Cela lo que él considera cuentos (1941-1953);
debe verse también el III (1965) con apuntes carpetovetónicos y novelas cortas
(1949-1956).

 [1] *talanquera*, valla o pared.

125

guardias tienen que andar bajando mozos del árbol y del pilón. Son las cinco y media de la tarde y la corrida va a empezar. *El Gallego* dará muerte a estoque[2] a un hermoso novillo-toro[3] de don Luis González, de Ciudad Real.

El Gallego, que saldrá de un momento a otro por una puertecilla que hay al lado de los chiqueros[4], está blanco como la cal. Sus tres peones[5] miran para el suelo, en silencio. Llega el alcalde al balcón del Ayuntamiento, y el alguacil, al verle, se acerca a los toreros.

—Que salgáis.

En la plaza no hay música, los toreros, que no torean de luces[6], se estiran la chaquetilla y salen. Delante van tres, *el Gallego, el Chicha* y *Cascorro*. Detrás va Jesús Martín, de Segovia.

Después del paseíllo, *el Gallego* pide permiso y se queda en camiseta. En camiseta torea mejor, aunque la camiseta sea a franjas azules y blancas, de marinero.

El Chicha se llama Adolfo Dios, también le llaman Adolfito. Representa tener unos cuarenta años y es algo bizco, grasiento y no muy largo. Lleva ya muchos años rodando por las plazuelas de los pueblos, y una vez, antes de la guerra, un toro le pegó semejante cornada, en Collado Mediano[7], que no le destripó de milagro. Desde entonces, *el Chicha* se anduvo siempre con más ojo.

Cascorro es natural de Chapinería, en la provincia de Madrid, y se llama Valentín Cebolleda. Estuvo una temporada, por esas cosas que pasan, encerrado en Ceuta[8], y de allí volvió con un tatuaje que le ocupa todo el pecho y que representa una se-

---

[2] *muerte a estoque:* el estoque es la espada angosta para herir de punta que usan los matadores de toros.

[3] *novillo-toro:* el novillo es el toro de dos a tres años; novillo-toro es el que parece tener más edad y corpulencia.

[4] *chiquero:* lugar donde se tienen encerrados los toros que han de lidiarse (DA).

[5] *peones:* ayudantes del matador.

[6] *que no torean de luces,* que no llevan *traje de luces:* el de seda, bordado de oro y plata, con lentejuelas, que se ponen los toreros para torear.

[7] *Collado Mediano:* pueblo de la Sierra de Guadarrama (Madrid), entre Alpedrete y Cercedilla, a 1.030 metros de altura sobre el nivel medio del Mediterráneo en Alicante.

[8] *encerrado en Ceuta,* en el penal de Ceuta.

ñorita peinándose su larga cabellera y debajo un letrero que dice: «Lolita García, la mujer más hermosa de Marruecos. ¡Viva España!» *Cascorro* es pequeño y duro y muy sabio en el oficio. Cuando el marrajo[9] de turno se pone a molestar y a empujar más de lo debido, *Cascorro* lo encela cambiándole los terrenos, y al final siempre se las arregla para que el toro acabe pegándose contra la pared o contra el pilón o contra algo[10].

—Así se ablanda —dice.

Jesús Martín, de Segovia, es el puntillero[11]. Es largo y flaco y con cara de pocos amigos. Tiene una cicatriz que le cruza la cara de lado a lado, y al hablar se ve que es algo tartamudo.

El Chicha, Cascorro y Jesús Martín andan siempre juntos, y cuando se enteraron de que al *Gallego* le había salido una corrida, se le fueron a ofrecer. *El Gallego* se llama Camilo, que es un nombre que abunda algo en su país. Los de la cuadrilla[12], cuando lo fueron a ver, le decían:

—Usted no se preocupe, don Camilo, nosotros estamos siempre a lo que usted mande.

El Chicha, Cascorro y Jesús Martín trataban de usted al matador y no le apeaban el tratamiento[13]: *el Gallego* andaba siempre de corbata y, de mozo, estuvo varios años estudiando Farmacia.

Cuando los toreros terminaron el paseíllo, el alcalde miró para el alguacil y el alguacil le dijo al de los chiqueros:

—Que le abras.

Se hubiera podido oír el vuelo de un pájaro. La gente se calló y por la puerta del chiquero salió un toro colorao[14], viejo, escurrido, corniveleto[15]. La gente, en cuanto el toro estuvo en la plaza, volvió de nuevo a los rugidos. El toro salió despacio, oliendo la tierra, como sin gana de pelea. Valentín lo espabiló

---

[9] *marrajo:* Toro de lidia difícil, traidor, de malas intenciones.

[10] *Le cambia los terrenos,* es decir, le cambia de sitio, procurando que, al salir del pase de la capa o muleta, se estrelle contra algo y pierda fuerza.

[11] *puntillero,* cachetero: torero que remata al toro.

[12] *cuadrilla,* grupo de peones o banderilleros que ayudan al matador o espada.

[13] *no le apeaban el tratamiento:* Le llamaban de usted siempre.

[14] *colorao:* colorado. Se habla en el mundo taurino de toro *colorao,* el toro rubio, *bragao* (bragado), etc.

[15] *corniveleto:* Dícese del toro cuyos cuernos, por ser poco curvos, quedan altos y derechos (DA).

127

desde lejos y el toro dio dos vueltas a la plaza, trotando como un borrico.

El Gallego desdobló la capa y le dio tres o cuatro mantazos[16] como pudo. Una voz se levantó sobre el tendido:

—¡Que te arrimes, *esgraciao!*

El Chicha se acercó al *Gallego* y le dijo:

—No haga usted caso, don Camilo, que se arrime su padre. ¡Qué sabrán! Éste es el toreo antiguo, el que vale.

El toro se fue al pilón y se puso a beber. El alguacil llamó al *Gallego* al burladero y le dijo:

—Que le pongáis las banderillas.

El Chicha y *Cascorro* le pusieron al toro, a fuerza de sudores, dos pares cada uno. El toro, al principio, daba un saltito y después se quedaba como si tal cosa. *El Gallego* se fue al alcalde y le dijo:

—Señor alcalde, el toro está muy entero[17], ¿le podemos poner dos pares más?

El alcalde vio que los que estaban con él en el balcón le decían que no con la cabeza.

—Déjalo ya. Anda, coge el pincho[18] y arrímate, que para eso te pago.

El Gallego se calló, porque para trabajar en público hay que ser muy humilde y muy respetuoso. Cogió los trastos, brindó al respetable y dejó su gorra de visera en medio del suelo[19], al lado del pilón.

Se fue hacia el toro con la muleta en la izquierda y el toro no se arrancó. La cambió de mano y el toro se arrancó antes de tiempo. *El Gallego* salió por el aire y, antes de que lo recogieran, el toro volvió y le pinchó en el cuello. *El Gallego* se puso de pie y quiso seguir. Dio tres muletazos más, y después, como echaba mucha sangre, el alguacil le dijo:

—Que te vayas.

Al alguacil se lo había dicho el alcalde, y al alcalde se lo ha-

---

16 *mantazos:* capotazos sin arte, pases mal dados, para apartar al toro.

17 *está muy entero:* está aún con mucha fuerza.

18 *el pincho:* el estoque, la espada.

19 *dejó su gorra de visera en medio del suelo:* Los matadores brindan a la Presidencia, a un espectador o al público (el respetable) la inmediata faena y muerte del toro quitándose la montera o la gorra y tirándola al suelo.

bía dicho el médico. Cuando el médico le hacía la cura, *el Gallego* le preguntaba:

—¿Quién cogió el estoque?

—*Cascorro.*

—¿Lo ha matado?

—Aún no.

Al cabo de un rato, el médico le dijo al *Gallego:*

—Has tenido suerte, un centímetro más y te descabella.

El Gallego ni contestó. Fuera se oía un escándalo fenomenal. *Cascorro,* por lo visto, no estaba muy afortunado.

—¿Lo ha matado ya?

—Aún no.

Pasó mucho tiempo, y *el Gallego,* con el cuello vendado, se asomó un poco a la reja. El toro estaba con los cuartos traseros apoyados en el pilón, inmóvil, con la lengua fuera, con tres estoques clavados en el morrillo[20] y en el lomo; un estoque le salía un poco por debajo, por entre las patas. Alguien del público decía que a eso no había derecho, que eso estaba prohibido. *Cascorro* estaba rojo y quería pincharle más veces. Media docena de guardias civiles estaban en el redondel, para impedir que la gente bajara...

---

[20] *morrillo:* porción carnosa que tienen las reses en la parte superior y anterior al cuello (DA).

JORGE CAMPOS*

El anochecer de los suicidios

No creo que sepa nadie cómo empezó. El primer disparo, seco, apagado, sonó a media tarde. A poco, otros dos.

Enseguida comenzó a correr la noticia: algunos se han suicidado. Y al tiempo que la noticia pasaba de grupo a grupo, la humanidad encerrada en el puerto de Alicante tornaba a tomar conciencia del cierre de su destino.

El suceso llenó el atardecer. Se repitieron aquí o allá los disparos que el leve rumor que se desprendía de la muchedumbre apenas dejaba advertir. A los comentarios sucedió la presencia de unos jóvenes que llevaban mantas sujetas por las cuatro puntas pidiendo se echasen en ellas las pistolas o cualquier otra clase de armas.

—Las pistolas. Echad aquí las pistolas.

Obedeciendo a aquella orden aun sin saber qué autoridad la exigía, iban cargándose las mantas de peso, obligando a una tirante extensión a las manos que las sujetaban.

—Las armas. Echad aquí todas las armas.

Se alejaron con ellas por entre los grupos hacia el límite del pequeño mundo concentracionario[1], allí donde las palmeras

* *Cuentos sobre Alicante y Albatera*, Barcelona, Anthropos, 1985; *Seis mentiras en novela* (co-autor con M. Heredia, 1940); *Eblis*, 1940; *En nada de tiempo*, 1949; *Vida y trabajos de un libro viejo contados por él mismo*, 1949; *Pasarse de bueno*, 1950; *El atentado*, 1951; *Vichori*, 1951; *El hombre y lo demás*, 1953; *Tiempo pasado*, 1956; *Cuentos en varios tiempos*, 1971; *Bombas, astros y otras lejanías*, 1992.
[1] *hacia el límite del pequeño mundo concentracionario:* fuera del campo de concentración de prisioneros de guerra, en Albatera (Alicante).

ofrecían el contraste de los escasos transeúntes que miraban curiosos las ametralladoras simbólicas de una guerra agotada, de los oficiales italianos metidos en sus uniformes, como figurines.

Las sombras cerraban la jornada. Todavía era posible distinguir los rostros, vagar de un lado a otro, encontrar a amigos no vistos en años.

Aquella tarde encontramos al poeta[2]. Más ancho de hombros que cuando le vimos por última vez apenas iniciada la guerra, con sus gafas gruesísimas en que se sucedían varios aros de luces concéntricas.

El abrazo. La comunicación diaria interrumpida por la guerra se anudaba repentinamente cerrando una especie de soñado paréntesis.

—¿Dónde has estado? Compré tu libro en Madrid, en la Puerta del Sol. Mira, éste me lo vendió.

Y señaló un poco detrás de él al amigo peruano[3] que observaba el encuentro con una sonrisa enigmática y protectora.

Hubo otros reconocimientos. Sin más presentaciones se mezclaron los viejos amigos y los desconocidos. Charlaban de pie. En un momento alguno se sentó y terminaron todos sentados o reclinados en el suelo. El peruano, con las piernas cruzadas parecía un viejo ídolo.

Miguel, el poeta, resumió los comentarios:

—Parece que no hay nada que hacer. Cada uno a su casita, si le dejan.

Puntualizó alguien con atisbos de enterado:

—Se está en comunicación con los barcos. Están esperando la madrugada para entrar en el puerto.

—¿Pero cuántos barcos hacen falta para meter a toda esta gente?

Nadie contestó. Todos lo deseaban, pero empezaban a no creerlo. Amenazaba desaparecer la fe en alguien, no se sabía

---

[2] El poeta es Miguel Alonso Calvo, «Ramón de Garciasol», además de poeta muy conocido, autor de un libro de cuentos: *Las Horas del Amor y Otras Horas*, Madrid, Magisterio Español, col. Novelas y Cuentos, 1976.

[3] Ricardo Cornejo. *Vid.* para ésta y la nota 2, el *Prólogo* de Ricardo Blasco a los *Cuentos sobre Alicante y Albatera*, de Jorge Campos.

muy bien quién, desde más allá de las ametralladoras, desde más allá de los Pirineos, que podía ayudar, cumplir con un deber o simplemente realizar un acto taumatúrgico.

Las sombras lo iban ocultando todo. Se abría otra noche con sólo trozos de sueño, quizá lluvia, ventoleras de bulos[4], esperanzas y decepciones. En la imaginación de alguno el sol descubriría un mar repleto de barcos, grandes, panzudos, hacia los que subían por rampas espesas filas de hombres como las ilustraciones infantiles del Arca de Noé. Se fueron acomodando allí mismo para dormir. Estaban muy cerca del amontonamiento de sus ropas y maletas.

A uno se le ocurrió sacar sus documentos y los fue quemando. Otros añadieron sus propios papeles. Las llamas permitían leer por un momento algunas filas de letras; pequeños retratos manchados en la esquina por la impronta de un sello de caucho, ver salvoconductos... «Se ordena a todas las autoridades... afecto a la 30 Brigada...»

Un muchacho joven llegó apartando a los más cercanos al fuego. Adelantaba en la mano un bote de conservas lleno de agua y lentejas que trataba de convertir en comestible aprovechando la fogatilla efímera. Varios rieron.

—Mira, mira el chaval cómo se aplica...

El chico, enfurruñado, se quedó allí junto al negruzco puñado de cenizas, papeles y trozos de cartón y cuero a medio quemar. Otra vez el silencio de una multitud apretada. Miguel hizo una observación:

—Mirar, mirar el gachó de aquí al lado. ¡Qué tío! En esta situación y durmiendo como un príncipe.

Cerca, de entre los que yacían arrebujados, salía un ronquido un poco burbujeante, rítmico, de ritmo rápido, como si tratase de expulsar algo que no le permitía la respiración mecánica del sueño. Era un bulto corpulento de ropas que se adivinaban caqui.

—¡Eh, tú! Despierta, que tienes ahí al *Alfonso XIII*[5].

---

[4] *Bulo:* fue uno de los vocablos más repetidos y trágicos de la Guerra Civil.
[5] Uno de los tres acorazados de la Marina de Guerra Española en 1929. Perteneció a la flota republicana.

Las voces no hicieron mella en el durmiente. Siguió su pausado ronquido, más sibilante y lento. Avanzó la noche. Cuando se apagaron los ronquidos nadie les prestaba ya la menor atención.

* * *

Al llegar las luces, las primeras miradas fueron hacia la línea del horizonte que se mostraba indiferente y luminosa, pero alguien avisó a los demás:

—Fijaos, mirad el de los ronquidos.

El corpachón seguía tumbado, como derribado. Ya no roncaba. De la boca corría hacia un lado de la barbilla una mancha oscura. Tan oscura y pegajosa como la que le caía de una ancha abertura en la garganta, introduciéndose entre la camisa y el cuerpo, manchando apenas el suelo, resultado de un único y definitivo tajo.

Rafael García Serrano*

Vieja gloria

El tío del magnetofón dijo que todo estaba a punto, y al oírle: «Por mí, vale», Juan Domínguez tragó un poco de saliva. En la máquina de escribir instalada en su despacho —un ordenado cuchitril desde donde dirigía a un tiempo el pequeño taller y la tienda— tecleaba desaforadamente uno de sus visitantes. También el de la máquina dio el parte[1]: «Esto ya está listo», y puso ante las narices del locutor las notas que había escrito a todo meter.

Juan Domínguez carraspeó levemente y vio cómo algunos chiquillos se amorraban en las lunas del escaparate grande, porque los críos son los que mejor olfatean que algo importante va a suceder. A Juan Domínguez no le habían visitado los periodistas de Madrid desde una final de Copa jugada antes de la guerra; los periodistas de las provincias limítrofes a la suya, sí, ya iban de vez en cuando a preguntarle: —«¿Qué diferencia encuentra entre el juego de ayer y el de hoy?» —«¿Cuál es, a su modo de ver, el mejor jugador de todos los tiempos?» y —«¿Cuál fue la mayor satisfacción de su vida deportiva?», a lo que Juan Domínguez respondía dormido: —«Más técnica, menos coraje; más conjunto, menos individualidad.» —«Zamora,

---

* *El domingo por la tarde*, Madrid, Taurus, 1962; *Los toros de Iberia*, 1944; *El pino volador y otras historias militares*, 1964.

[1] *dar el parte*, expresión castrense; significa dar información a un superior del asunto de que se está encargado.

Ricardo Zamora, sin duda», y «Vestir la camiseta nacional.» Luego compraba el periódico, lo leía atentamente y al final recortaba la entrevista para pegarla en su álbum de recuerdos. Su vida estaba allí transformada en una colección de mariposas secas, algunas ya con las alas rotas o apolilladas, y aquel olor de moho y vejez era sin duda el olor de su propia vida. Un aroma de vieja beata o quizás el perfume de un correaje de cuando Annual[2]. Le provocaba cierta melancolía el hojear el álbum porque al principio los titulares de los periódicos y los pequeños sueltos de la prensa local hablaban de «una promesa de nuestra cantera», después los periódicos regionales destacaban ponderativamente al «impetuoso Domínguez» y de repente toda la prensa de España desplegaba su encomiástica adjetivación en honor de Domínguez, «as de la furia»[3]; había recortes de Buenos Aires y de Florencia, de Dublín y de París, de Viena y de Budapest, de Montevideo y de Lisboa, de Roma y de Hamburgo; luego el largo silencio de la guerra, la regocijante croniquilla de aquel partido que jugaron medio en broma sus amigos y compañeros para inaugurar su tienda de artículos deportivos, y el anuncio a toda plana que hizo insertar en los periódicos locales y en el que Zamora, Ciriaco, Quincoces, Balarroja, Goiburu, Rubio, Lazcano, Samitier, Vergara, Miqueo, Osés, Urreaga[4] y otros aparecían firmando autógrafos a los primeros clientes. Fue muy divertido y muy reditício. Después, una docena escasa de entrevistas en las que se solicitaba la opinión del «comerciante Juan Domínguez, vieja gloria del fútbol nacional» sobre una porción de temas.

Juan Domínguez había oído muchas cosas a lo largo de su carrera: por ejemplo, «Rienzi» le comparó con el Cid; Jacinto Miquelarena solía llamarle «cónsul de Baracaldo» y un golfo que colaboraba en un periódico madrileño fundamentalmente dedicado a la trata de blancas, siempre que tenía que aludirle

---

[2] Los años 1921 y 1922 fueron desastrosos en África, en la enconada y larga guerra de Marruecos. En 1921 se alzó Abd-el-Krim frente al sultán Muley Yusef y frente a España. Igueriben, *Annual*, Nador, Zelmán y Monte Arruit evocan tragedias bélicas de esos años.

[3] Los principios del fútbol español se caracterizaron por su ímpetu —furia— que lo hizo célebre en Europa.

[4] Todos ellos legendarios jugadores de fútbol de los años 20.

hablaba del «seminarista rupestre», del «macabeo hidrófobo» o del «futbolista de Altamira», y todo porque al poner el balón en juego, Juan Domínguez se santiguaba. Un amigo suyo muy carlista esperó un día al golfante y le santiguó con una estaca, la primera en la frente, la segunda en la boca, la tercera en el pecho y aun parece que le administró otras cruces de propina sin detenerse a consultar con los Santos Padres. Desde los graderíos exaltaban los riñones de Juan Domínguez o le daban una pasadita discreta a su árbol genealógico, todo dependía de qué lado cayese la balanza, pero en el fondo nada llegaba a calar en el alma de Juan Domínguez.

—¿Estamos? —preguntó el locutor.

Domínguez hizo una señal de asentimiento, se oyó como el ronroneo de un gato en el magnetofón, el locutor alzó una mano y el que había estado escribiendo a máquina manipuló con precisa exactitud la palanca de la registradora. Sonó el campanillazo, aquel campanillazo que alegraba los sueños solterones de Juan Domínguez, y el locutor comenzó a hablar con mucha prisa, como si transmitiese la vertiginosa combinación que precede a un gol de bandera:

—Esta que acaban de oír, queridos oyentes, es la máquina registradora de la bonita tienda de artículos deportivos que Juan Domínguez, el impetuoso delantero centro de tantas tardes gloriosas del fútbol español, posee en Gambo, la próspera, industriosa y simpática ciudad[5] donde ahora estamos para transmitir el partido que esta tarde ha de jugar el once local, aquel en que diera sus primeros pasos Juan Domínguez, contra el Real Madrid, en el que por cierto diera Juan Domínguez sus últimos y afortunados pasos como jugador de balompié. En la mañana del domingo, y qué domingo, señores, a la celestial hora del aperitivo —aperitivos Chaina, no lo olviden, aperitivos Chaina— hemos venido a charlar con Juan Domínguez en su tienda de artículos deportivos, esto es, en su propia salsa, para que ustedes puedan escuchar y deleitarse con sus declaraciones correspondientes a la serie «Las viejas glorias viven entre nosotros», en emisión diferida y justamente aprovechando el descanso del partido, por gentileza de los aperitivos Chaina,

---

[5] *Gambo* es Pamplona, aquí y en varios libros de García Serrano.

no lo olviden, aperitivos Chaina, el aperitivo de los grandes ases del deporte.

El locutor miró hacia el periodista, luego hacia el técnico del magnetofón, después le cucó un ojo a Domínguez. El periodista hizo un pequeño gesto que venía a querer decir: «Ni siquiera María Guerrero, la eminente trágica que en paz descanse[6], sería capaz de leer tan bien mi prosa.» El del magnetofón, que por razones profesionales y de competencia, era asiduo cliente de las películas americanas, marcó el gesto de O.K. y Domínguez sonrió con cara de estúpido. El locutor siguió perorando:

—La tienda de artículos deportivos de Juan Domínguez es amplia y hay en el centro una gran vitrina magníficamente iluminada en la que lucen las copas y trofeos ganados por el as de la furia española a lo largo de su pelea por los campos de fútbol de todo el mundo. La tienda está situada en un lugar céntrico y acreditado, tan acreditado como los aperitivos Chaina, no lo olviden, aperitivos Chaina, el aperitivo de los grandes ases del deporte. Juan Domínguez, algo más grueso que entonces —¿se acuerdan ustedes, los veteranos?— sigue conservando el mismo aire decidido e impetuoso de sus jornadas heroicas. No alcanzó de manera plena aquellos días de las porterías al hombro, pero sí los de «un córner, medio gol»[7], y los saques de esquina solían subir al marcador transformados en goles por la furia de este hombre que ahora vende balones y paletas de pinpón, tablas para esquiar, bastones de montaña y pirauchos. Vamos a ver, Juan Domínguez, ¿querría usted contestar a unas preguntas hechas en nombre de la afición por aperitivos Chaina, el aperitivo de los grandes ases del deporte, entre los cuales usted ocupa un puesto de honor?

—Sí, sí...

---

[6] *María Guerrero* (1867-1928), actriz española famosísima y de enorme prestigio en España y América. Benavente la consideraba «la primera actriz del mundo, superior en algo a la Duse y a Sara Bernhardt». En sus cuarenta y cuatro años de vida escénica, estrenó cerca de ciento cincuenta obras de todos los géneros, predominando el dramático.

[7] En los comienzos del fúbol, los jugadores iban al campo llevando a hombros los palos de las porterías. Un córner acababa, muy probablemente, en gol (era, por eso, casi medio gol).

—Hable más alto, Juan Domínguez, que el micro no muerde, eh...

Y todos se rieron mucho. El locutor, el periodista, el técnico; y los radioyentes, por la tarde, también se reirían.

—Sí, hablaré más alto —dijo Juan Domínguez, que también se había reído—, pero es que no tengo costumbre, ¿sabe?...

—Veamos. Preguntamos a Juan Domínguez: ¿cuándo comenzó a darle a la pelota?

—Fue en el colegio...

(Juan Domínguez lo veía muy bien; veía el patio del colegio como si en aquel mismo momento estuviese enviándose él mismo la pelota de goma por medio de un rebote en la pared de la larga fila de excusados. Sabía qué puerta resistía mejor el golpe y su destreza radicaba precisamente en eso, en jugar, más que al fútbol, a tocar el xilofón en el patio. Le daba mucho miedo la brutalidad de sus compañeros, un rebaño de jóvenes bestias, y se desprendía fácilmente de la pelota, pero por otra parte amaba el juego, el juego le gustaba más que nada, mucho más que la lista de los reyes godos, que las ecuaciones, que las complicadas reacciones químicas, que los silogismos y el número de hijos naturales de Lope de Vega, y como el juego le gustaba mucho más que todo esto, y que andar de aventuras por ahí, y también más que tirar de la trenza a las niñas del Sagrado Corazón, o que las bellaquerías detrás de la puerta[8], enviaba la pelota de manera que volviese de nuevo a él, que ya estaba lejos, en otro lado, sin que nadie le agobiase, y los colegiales, incluso los de las clases superiores y los padres celadores[9] y los profesores y hasta el director, que era un vascongado atlético, decían: «Hay que ver qué "lapa" es Domínguez para desmarcarse»)[10].

—Juan Domínguez dice que fue en el colegio; siga siga, estamos impacientes por escuchar su relato.

Juan Domínguez no tenía ni la menor idea de que hubiese hecho una larga pausa, y sin embargo había sido así. Se quedó

---

[8] *las bellaquerías detrás de la puerta:* alude al famoso romancillo de don Luis de Góngora (1561-1627), «Hermana Marica...», que termina así: «Bartola, la hija / de la panadera, / la que suele darme / tortas con manteca, / porque algunas veces / hacemos yo y ella / las bellaquerías / detrás de la puerta.»

[9] *los padres celadores:* los frailes o curas de un colegio católico que hacían de porteros o vigilaban a los escolares.

[10] *Hay que ver qué «lapa» es Domínguez:* que es muy difícil que suelte el balón cuando lo ha cogido.

mirando hacia la vitrina de los trofeos y pensaba que las hermosas copas estaban vacías, que nunca habían contenido vino, si acaso, alguna, el apresurado champán de una vez, y ni media palabra más. También su propia vida era hermosa por fuera y desolada, hueca, desierta, fría, metálica y enmohecida por dentro. Hasta zaborras[11], moho, un poco de verdín y pelusillas de polvo habría dentro de su vida, igual que dentro de algunas copas. Estaba hablando sin saber ni siquiera lo que decía, pero por la sonrisa animadora, condescendiente y superior de los tres de la radio la cosa no debía de marchar mal.

—...yo no quería estudiar, en vez de estudiar jugaba a un tiempo en tres equipos, uno el del colegio, otro de mi calle y otro de un pueblo cercano. Éramos chicos entre los catorce y los dieciséis años. Los equipos se retaban por medio del periódico: «La Peña Los Leones reta al River de los Jesuitas a jugar un partido de fútbol en los campos de La Alameda, el próximo domingo a las once de la mañana. Se ventilarán once reales[12]. Caso de aceptar se ruega contestación por el mismo periódico.» Luego prosperé; jugaba ya en equipos que ventilaban once pesetas, u once comidas, a veces once pesetones, once bocadillos y once litros de vino. Era un mundo muy curioso, absorbente, que consumía todo mi tiempo. Cuando me quedaba alguna hora libre me iba al frontón a jugar a pala...

—Bien, bien, bien, están escuchando lo que el as de la furia, nuestro Juan Domínguez, les cuenta de su infancia y mocedad deportiva por gentileza del aperitivo Chaina, el aperitivo sin alcohol favorito de los campeones. Y diga, Juan Domínguez, diga, por favor, ¿cuál fue su primer equipo serio?

—Bueno, todos lo saben...

Sonrió con magnífica modestia para corregirse.

—Perdón, lo sabían. Yo ya soy viejo.

—¿Usted viejo?

—Sí, viejo. Mi primer equipo serio fue el Gambo F.C., el equipo de mi tierra...

(Recordaba mientras iba soltando palabras sin sentido, vanas palabras que nada decían, que contaban lo de siempre, recordaba que su pa-

---

[11] *zaborras:* residuos, desechos.
[12] *se ventilarán once reales:* se apostarán once reales.

dre, al principio, se había limitado a llamarle golfo; luego recordaba cómo le cortó la escuálida asignación dominguera. Del colegio no se decidían a expulsarle porque era ya una gloria que rentaba popularidad y los chicos preferían estudiar en el colegio de Domínguez a estudiar en otros colegios que no manufacturaban tan excelentes delanteros centros. El Instituto hacía mucha competencia a los colegios y no era cosa de soltar a Domínguez para que se lo llevaran los Padres del colegio de enfrente. En vista de lo cual los Padres le ayudaron mucho, y gracias a sus recomendaciones liquidó a trancas y a barrancas el bachillerato. El hueso era un catedrático que profesaba de librepensador y no quería ni escuchar a los buenos Padres de Gambo —si se excluye a los agustinos, hacia los que sentía una enorme simpatía desde Martín Lutero[13]—, pero dio la casualidad de que el catedrático librepensador era vegetariano, algo anarquista y muy partidario del Gambo F.C., así que aprobó de mogollón[14] gracias a su destreza para meter goles.

Seguía teniendo mucho miedo, seguía soltando la pelota en cuanto podía y muchas veces tiraba sobre puerta apresuradamente por explicar de modo público una jugada que, debiendo de apurarse a fuerza de valor, a él le encogía el ombligo[15] y no la continuaba: «Esto es lo bueno, disparar desde todos los lados, disparar en cualquier postura», decía la gente, y el día en que un cronista deportivo de la ciudad —muy versado en humanidades porque había sido seminarista— aplicó a la artillería de Juan Domínguez el dicho unamuniano de «disparar primero y apuntar después», se consideró plenamente justificado. Además tenía suerte y marcaba muchos goles.

Cobró gran fama de impávido y le comparaban con los del Amberes y también con Yermo[16], y esta fama era muy grata y él la sentía justa y buena durante toda la semana, porque llegaba a creer que era muy valiente, pero los domingos por la tarde sudaba de pavor. Sin embargo, la suerte le acompañaba siempre. No quiso ir a la Universidad, su padre fue a echarle de casa, y sólo por la intervención de la madre y porque los del Gambo le buscaron un empleíllo y le daban, al principio, cincuenta duros, un mes con otro, pudo continuar en el hogar, pero su padre apenas

---

[13] Como es sabido, *Martín Lutero* ingresó en el convento de los agustinos de Erfurt a los veintidós años (1505) y dos después recibía las órdenes sagradas.

[14] *aprobó de mogollón:* de golpe, gratuitamente, sin méritos como estudiante.

[15] *a él le encogía el ombligo:* a él le daba miedo.

[16] *Los del Amberes y también con Yermo:* los primeros ganaron la Final Internacional de Copa en 1920, y Yermo fue un famoso delantero centro español.

si le hablaba. Luego el hombre se fue haciendo a la calamidad aquella, se le formó callo, y cuando lo vio famoso solía decirle: «Para ser un vago eres un tipo con mucha suerte.»

El juego es lo que le gustaba a Juan Domínguez; encontraba en la verde pradera la razón de su existencia, y cuando se cruzaba entre los dos defensas con el pase de la muerte, le parecía que el cielo era rectangular, cubierto de yerba, marcado con cal y estaba rodeado de ángeles vociferando que comían castañas asadas, chufas de leche y naranjas redondas y agrias. Corría más que nadie porque tenía más miedo que nadie, y si un contrario sufría alguna lesión él iba a ayudarle y se pasaba el tiempo dando golpecitos en la espalda a sus rivales y les estrechaba la mano y ponía paz en los tumultos, y los periódicos comenzaron a llamarle «el hidalgo de Gambo» y se fue formando en torno de él una leyenda de caballerosidad que contribuyó a defender sus espinillas, porque atacar alevosamente a Juan Domínguez era como darle de puñaladas por la espalda a San Francisco de Asís, como ponerle la zancadilla a la Beata Imelda[17] *o como violar a Caperucita Roja. Su nombre creció desmesuradamente, los del Gambo le pagaron más, le buscaron un empleo de padre y muy señor mío, y al mismo tiempo que comenzaron a interesarse por él los clubs gordos, las gentes más serias de la ciudad le trataban con la misma consideración que a los grandes y le buscaban ocasiones de negocio y le traían en palmitas y durante muchos años no supo lo que era echarse mano a la cartera para pagar una comida, un café y aun otras cosas. Pero su padre le decía: «Eres un vago muy afortunado», y esto le daba pena.)*

—Formidable, amigo Juan Domínguez, verdaderamente interesante y estupendo todo cuanto nos cuenta. Pero el tiempo corre con la misma rapidez, bueno, querido Domínguez, usted perdone, casi con la misma rapidez de aquel glorioso delantero centro que mereció el apelativo de «el hidalgo de Gambo», y nosotros aún queremos hacerle una pregunta clave... ¿Por qué se retiró usted?

—Hay que saber irse a tiempo. Yo, ya sabe, no era muy viejo al retirarme, pero estaban los tres años de la guerra... En

---

[17] Beata Imelda Lambertini, de Bolonia, monja dominica. Despreció riquezas, honores y matrimonio, y entró en el convento de Valdipietra, Bolonia. Se durmió en el Señor a los doce años, el día y hora en que hizo su primera comunión, no pudiendo resistir el amor que la abrasaba. Bolonia, 1333.

142

fin, fueron tres temporadas prácticamente nulas, había que ordenar la vida...

(Era muy fácil contar lo de siempre, aunque hubiese perdido la costumbre era muy fácil contar lo de siempre; le resultaba sencillísimo mentir. Pero Juan Domínguez sabía muy bien por qué se había retirado. Ni por un momento se sintió viejo. Se creía nacido para jugar hasta el fin de sus días y probablemente no andaba lejos de la verdad. La guerra era la que tenía la culpa de su retirada; la guerra, que trastornó la vida de todos; la guerra que había enseñado a los hombres peligros infinitamente mayores que los del pase de la muerte o la lesión de menisco, la guerra que hace innecesarias las palmaditas en la espalda, la guerra que dejaba anticuado su repertorio, la guerra que metía sinceridad en las relaciones de los hombres porque bajo su zarpa todos veían tan cerca las verdades definitivas que el juego quedaba reducido a su más noble dimensión: el puro y personal entretenimiento, la manifestación del ocio bien ganado, incluso el recuerdo de los combates en los que arbitraba la muerte.

Al final de la guerra fue movilizado y entró en fuego muy en las boqueadas de la ofensiva de Cataluña. La escuadra desplegada en guerrilla le traía a la memoria sus horas de juego, incluso, a veces, iban tres por delante, los dos extremos y el delantero centro, y los dos interiores algo más atrás, y en general todos jugaban bien, sin darle demasiada importancia al asunto, y cuando un jefe se lo llevó a su cuartel general respiró muy a gusto, pero perdió la ocasión de saber que también los valientes tienen miedo. No, no volvería a jugar porque todo iba a ser distinto después de aquello, y porque su deporte seguiría interesando a las gentes, pero de otra manera, sin la renta de antes, porque nadie podría tomar en serio aquellos simulacros. Cuando quiso dar marcha atrás al apercibirse de que la vida seguía igual que siempre, ya era tarde, ya había perdido, no los tres años de guerra, sino unos cuantos meses de la paz. Fue entonces cuando abrió su tienda y notó que toda su vida había sido un magnífico, un hermoso, un tremendo y patético error.)

—Espléndido, Juan Domínguez. Damos muchas gracias a Juan Domínguez por sus respuestas interesantísimas en nombre de nuestros queridos radioescuchas y de manera muy especial en nombre del aperitivo Chaina, el aperitivo sin alcohol de los buenos deportistas que patrocina esta emisión diferida perteneciente a la serie de «La viejas glorias viven entre nosotros», que cada domingo ofrece el aperitivo Chaina, no lo olvide, él aperitivo de los grandes ases del deporte. Devolvemos el micrófono a Luis Ribera, que seguirá comentando las incidencias del primer tiempo hasta que los jugadores salten de nuevo al campo. Buenas tardes y que gane el mejor. ¿Y cuál es el mejor? El mejor es el aperitivo Chaina, el aperitivo sin alcohol, el aperitivo de los grandes ases del deporte.

Cesó el ronroneo felino del magnetofón.

—¿Todo bien?

—Todo bien.

—Usted, Domínguez, ha estado muy bien. Es poco corriente encontrar deportistas que contesten con soltura, sobre todo boxeadores. Además ha dicho lo bueno, lo que se dice siempre, lo que la gente quiere oír.

—¿Verdad?

—La furia, la camiseta nacional, el club de sus amores, aquel patio del colegio, la fidelidad a la afición, todas esas monsergas tan bonitas; el disco, señor, el buen disco.

—Sí, creo que he dicho lo que la gente quiere oír. Me parece que sí, que he dicho lo que la gente quiere oír. La gente quiere siempre lo mismo, ¿no les parece?

—Eso estaba diciendo yo.

Sacó una botella de vino.

—Tomaremos una copa, eh...

—De acuerdo, Domínguez; siempre que no sea de aperitivo Chaina estamos dispuestos a soplar[18] lo que haga falta. Mire, Domínguez, si quiere vivir muchos años, hágame caso y no caiga en la tentación de probar esa porquería. El aperitivo Chaina está a mitad de camino entre los productos Borgia[19] y el aceite de hígado de bacalao. Es algo infecto —el locutor se dirigio al técnico—. Anda, pásanos la cinta.

El magnetofón devolvía el campanillazo de la máquina registradora, la inicial vacilación de su voz: el magnetofón iba repitiendo lo que Juan Domínguez había dicho, lo que la gente quería oír. La voz de Juan Domínguez le parecía a Juan Domínguez como la voz de otro Juan Domínguez al que apenas si conocía. La grabación era perfecta. Mientras escuchaba abrió la botella y sirvió las copas. Chocaron los cristales. Todos be-

---

[18] *soplar*: beber mucho y, a veces, comer (DA).

[19] *los productos Borgia*: venenos.

144

bieron: el locutor, el que escribió la careta[20], el operario del magnetofón. Juan Domínguez también bebió. Miraba los trofeos de la vitrina y la tristeza le llegaba desde las copas como un licor amargo y reconfortante. Luego dijo: «si no tienen compromiso, vénganse a comer conmigo», y los otros aceptaron muy contentos. Pensaba Juan Domínguez en beber algo más que de ordinario y luego venirse a la tienda, ya solo y en llevarse una botella a su despachito y en sacar las copas de la vitrina y en ir bebiendo en alguna de ellas. Los chiquillos seguían al otro lado del escaparate, con las narices pegadas a la luna, chatos de curiosidad. Por la tarde, mientras el Gambo F.C. jugase con el Madrid, Juan Domínguez se emborracharía.

—Vamos —les dijo—, sé de un sitio que les va a encantar.

---

[20] *el que escribió la careta:* jerga radiofónica: el que escribió la presentación, el texto.

Francisco García Pavón*

Servandín

Cuando me pusieron en el colegio de segunda enseñanza, alguien me dijo señalándome a Servandín:

—El papá de este niño tiene un bulto muy gordo en el cuello.

Y Servandín bajó los ojos, como si a él mismo le pesase aquel bulto.

En el primer curso no se hablaba del papá de ningún niño. Sólo del de Servandín.

Después de conocer a Servandín, a uno le entraban ganas de conocer a su papá.

A algunos niños les costó mucho trabajo ver al señor que tenía el bulto gordo en el cuello. Y cuando lo conseguían, venían haciéndose lenguas de lo gordo que era aquello.

A mí también me dieron ganas muy grandes de verle el bulto al papá de Servandín, pero no me atrevía a decírselo a su hijo, no fuera a enfadarse.

Me contentaba con imaginarlo y preguntaba a otros. Pero por más que me decían, no acertaba a formarme una imagen cabal.

Le dije a papá que me dibujase hombres con bultos en el

* *Cuentos Republicanos*, Madrid, Taurus, 1961; *Cuentos de mamá*, 1952; *Las campanas de Tirteafuera*, 1955; *Los liberales*, 1965; *La guerra de los dos mil años*, 1967; *Historias de Plinio*, 1970; *Nuevas historias de Plinio*, 1970; *La cueva de Montesinos y otros relatos*, 1974; *Los Nacionales*, 1977; *El caso mudo y otros relatos*, 1980; *Cuentos*, 1981; *Cuentos de amor... vagamente*, 1984.

cuello. Y me pintó muchos en el margen de un periódico, pero ninguno me acababa de convencer... Me resultaban unos bultos muy poco naturales.

Un día Servandín me dijo:

—¿Por qué no me invitas a jugar con tu balón nuevo en el patio de tu fábrica?

—¿Y tú qué me das?

—No sé. Como no te dé una caja vacía de Laxen Busto[1].

Le dije que no.

—¿Por qué no me das tu cinturón de lona con la bandera republicana?[2].

Me respondió que no tenía otro para sujetarse los pantalones.

Fue entonces cuando se me ocurrió la gran idea. Le di muchas vueltas antes de decidirme, pero por fin se lo dije cuando hacíamos «pis» juntos en la tapia del Pósito Viejo[3], donde casi no hay luz.

—Si me llevas a que vea el bulto que tiene tu papá en el cuello, juegas con mi balón.

Servandín me miró con ojos de mucha lástima y se calló.

Estaba tan molesto por lo dicho, que decidí marcharme a casa sin añadir palabra. Pero él, de pronto, me tomó del brazo y me dijo mirando al suelo:

—Anda, vente.

—¿Dónde?

—A que te enseñe... eso.

Y fuimos andando y en silencio por una calle, por otra y por otra, hasta llegar al final de la calle del Conejo, donde el papá de Servandín tenía un comercio de ultramarinos muy chiquitín.

---

[1] *Laxen Busto,* específico contra el estreñimiento; era de uso muy corriente hasta los años 60 y se vendía en un envase muy característico, unas cajitas rectangulares de hojalata, pintadas de rojo.

[2] Cinturones elásticos, con los colores rojo, amarillo y morado, que estuvieron de moda al proclamarse la Segunda República.

[3] *Pósito:* instituto de carácter municipal y de muy antiguo origen, destinado a mantener acopio de granos, principalmente de trigo, y prestarlos en condiciones módicas a los labradores y vecinos durante los meses de menos abundancia. / Casa en que se guarda el grano de dicho instituto (DA).

—Anda, pasa.

Entré con mucho respeto. Menos mal que había bastante gente. Vi a un hombre que estaba despachando velas, pero no tenía ningún bulto en el cuello. Interrogué a Servandín con los ojos.

—Ahora saldrá.

—¿Por dónde?

—Por aquella puerta de la trastienda.

Miré hacia ella sin pestañear.

Y al cabo de un ratito salió un hombre que parecía muy gordo, con guardapolvos amarillo y gorra de visera gris... Tenía la cara como descentrada, con todas las facciones a un lado, porque todo el otro lado era un gran bulto rosáceo, un pedazo de cara nuevo, sin nada de facciones.

No sabía quitar los ojos de aquel sitio... Servandín me miraba a mí.

Cuando el padre reparó en nosotros, me miró fijo, luego a su hijo, que estaba con los párpados caídos, y enseguida comprendió.

Servandín me dio un codazo y me dijo:

—¿Ya?

—Sí, ya.

—Adiós, papá —dijo Servandín.

Pero el papá no contestó.

—Lo van a operar, ¿sabes?

Julián Ayesta*

Almuerzo en el jardín

El dulce de guinda brillaba rojísimo entre las avispas amarillas y negras y el viento removía las ramas de los robles y las
manchas de sol corrían sobre el musgo, sobre la hierba suave y
húmeda y sobre la cara de los invitados y de las Mujeres y de
los Hombres, que estaban fumando y riéndose todos a un
tiempo. Y brillaban también las copas azules para el «Marie
Brizard» y los cubiertos de postre. Y los lunares de luz —los
grandes persiguiendo a los pequeños— corrían sobre el mantel
lleno de manchas moradas de vino y migas. Y por la tarde había corrida y los hombres tenían la cara y las mejillas y las narices brillantes. Y también brillaba el café, tan negro con cenizas
de puro rodeando la taza. Y los hombres se reían de medio
lado porque tenían un puro en la boca y hablaban y se reían
como los viejos sin dientes, sacando la punta de la lengua llena
de saliva y todo entre una nube azulada de humo. Y era muy
bonito ver cómo el color del humo iba cambiando según le
diera el sol. Y como era el Día de la Asunción de Nuestra Señora[1] los niños habíamos ido a tirar pétalos de rosas a la Virgen y sonaban las gaitas, y los voladores[2], y los violines y la
voz de los cantores ya dentro de la iglesia. Y olía todo a in-
cienso, y a flores, y a rosquillas, y a churros, y a la sidra que es-

---

* *Helena o el mar del verano*, Madrid, Ínsula, 1952.
[1] El 15 de agosto.
[2] *voladores:* cohetes.

taban echando los hombres en el Campo de la Iglesia y al vestido nuevo. Y después todos corrimos a los automóviles y todo empezó a oler a gasolina y vinieron con nosotros los curas (que no se dice «curas», se dice «señores sacerdotes») que habían dicho la misa cantada a comer. Y antes de empezar la comida nos apretaban los carrillos y nos preguntaban cómo nos llamábamos y si sabíamos qué día caía nuestro santo y si era un Santo Confesor o un Santo Obispo o una Santa Virgen o un Santo Eremita (¿qué es eremita?) y los paganos los echaban a los leones del Circo Romano. Y los sacerdotes olían muy suave, muy diferente a las demás personas mayores porque eran Ministros de Dios y discutían porque los querían hacerse servirse los primeros, y decían «no faltaba más», y tío Arturo decía: «ande, ande, sírvase usted, don José, que ya sabemos todos que tenemos la mitra en casa»[3]. (¿Qué es la mitra? «Los niños, a callarse».) Y todos se reían y don José empezaba a hablar tartamudeando: «Home, por Dios; home, por Dios...»[4]; pero todos seguían riéndose y los niños también, pero con la cara tapada con la servilleta. Y después don José se levantó a dar las gracias y todos rezamos:

> Jesucristo Rey de Vida,
> aquel que nació en Belén,
> bendíganos esta comida
> por su gracia, amén;

cuando íbamos en «Belén» a la abuela se le saltó la dentadura y cayó en el lavafrutas y chiscó[5] toda la mesa de agua y todos nos reímos, don José también. Y hubo que empezar otra vez:

> Jesucristo Rey de Vida,
> aquel que nació en Belén,
> bendíganos esta comida
> por su gracia, amén;

---

[3] *que ya sabemos todos que tenemos la mitra en casa*, es decir, el sacerdote tenía méritos para que le nombraran obispo.

[4] El ambiente del cuento es asturiano. *Home, on u ome: hombre.*

[5] *chiscó:* salpicó.

150

y tío Arturo decía siempre: «¿Hay otro Jesucristo que no haya nacido en Belén?», y tía Honorina decía: «Ya salió el volterianote»[6], y los sacerdotes se reían y todos nos desperdigábamos: las mujeres a arreglarse para la corrida, los niños al estanque a seguir la Gran Batalla Naval de Lepanto y los hombres volvían a sentarse bajo los robles y tomaban más café y más licores, y de vez en cuando se reían porque debían estar contándose chistes. Y de repente todos los hombres se arremolinaron porque la butaca de don José se rompió y él cayó para atrás y se clavó en la cabeza un clavo que los niños habíamos pinchado en el tronco de un roble lleno de hiedra. Y era una cosa rara, una cosa horrible que no se podía pensar ver un sacerdote todo sangrando, con todo el pescuezo lleno de sangre muy brillante y muy roja y todo cayendo por la espalda un hilo rojo, rojo, sobre la sotana negra. Y era tan horroroso y tan pecado que los niños teníamos miedo de verlo porque creíamos que los sacerdotes no tenían sangre, sino sólo alma por dentro y huesos. Y cuando todas las personas mayores gritaban y corrían trayendo y llevando jarras de agua y medicinas y vendas y algodones los niños fuimos al fondo de la cochera y nos escondimos en la tartana vieja que olía tan bien, como a cosas antiguas, y estaba allí en lo oscuro porque ya no se usaba hacía mucho tiempo y a los niños no nos dejaban subirnos a ella porque el último caballo que le enganchaban había muerto de tétanos.

---

[6] *el volterianote:* Voltaire era la encarnación del diablo, o poco menos, para los católicos, especialmente los que no le habían leído. Su influencia en la nobleza española durante el reinado de Carlos III puede verse en *El marqués de Mora* (1903), del Padre Coloma.

Juan Perucho*

Madame d'Isbay en el Pirineo

Lo contó Sánchez Mazas en un largo poema, publicado en las páginas literarias de un diario, pero jamás recogido en libro alguno, según era su costumbre[1]. Estas *Estancias del Monte Pirineo,* escritas al iniciarse el verano del 1919, descienden en compañía de un viento helado y juguetón, desde los altos ventisqueros de las montañas azules al sol tibio y dorado de la tarde, en el valle. Se despereza ese viento sacudiendo las finas agujas de los abetos, sacando un leve polvo de agua de una fuente que hay más abajo, junto a un silencioso caserío, para acabar despeinando amistosamente a esos dos alegres muchachos que van de camino hacia

---

* *Nicéforas y el grifo,* Barcelona, Taber, 1968; *Galería de espejos sin fondo,* 1963; *Los misterios de Barcelona,* 1968; *Botánica oculta o el falso Paracelso,* 1969; *Rosas, diablos y sonrisas,* 1970; *Historias secretas de balnearios,* 1972; *Historias apócrifas,* 1974; *Bestiario fantástico,* 1977; *Museo de sombras,* 1981; *Los laberintos bizantinos,* 1984; *El basilisco,* 1990; *Detrás del espejo,* 1990.

[1] Anotar los cuentos de Perucho es, sencillamente, quitarles el pan y la sal, confundir una cosa con otra. Verdades y mentiras, totales o parciales, vienen a parar siempre a la única verdad que nos importa: la del relato.

Se habla aquí del maravilloso Valle de Arán, en el Pirineo de Lérida, y de un viaje por él de dos jóvenes que habían sido condiscípulos y eran amigos: Rafael Sánchez Mazas y Eduardo Aunós. *Eduardo Aunós* (1894-1967), ilerdense, fue hombre público de gran relieve y legisló con acierto en puestos de responsabilidad durante las dictaduras de Primo de Rivera y Franco: *Biografía de París* (1944). *Sánchez Mazas,* incluido en esta antología, dejó inacabada su novela *Rosa Kruger,* de la que publicó algunos fragmentos escritos con anterioridad a 1939, porque, según le confesó a Dámaso Santos, si se llegase a publicar, «sería rechazada por este ronco tiempo». Sus *Pequeñas Memorias de Tarín* son de 1915.

Lés. Los dos están en la flor de la edad, y su amistad les viene del tiempo, no muy lejano, en que estudiaban juntos en el Colegio de los Padres Agustinos del Escorial, con el grito de los vencejos parado en el marco de la ventana. Uno de ellos, Eduardo, había nacido en Cataluña, sentía una profunda y decidida vocación por el Derecho y conocía estos parajes a la perfección, pues sus raíces familiares se hallaban aquí, con amistades y parientes que iban desde Lérida al Garona. El otro, Rafael, nació en Madrid, aunque se crió en Bilbao, y había publicado ya un libro, maravilloso y desconocido, titulado *Pequeñas Memorias de Tarín* y un breve tomo con quince sonetos. A los dos les gustaban casi las mismas cosas y sentían una inmensa alegría, tanto de estar ahí y de viajar y vivir pisando estas sobrecogedoras laderas del Valle de Arán, como de leer, un poco al azar y entusiasmados en aquella hora de crepúsculo y de paz campesina, los hermosos versos que Miguel Ángel escribiera otrora a su meditabundo y secreto amor.

Todavía les cayó un copo de nieve a su paso, desprendido de la rama de un árbol. Hacia el fondo, el camino serpenteaba, y con el deshielo la tierra estaba mojada y el musgo se agarraba vivaz a las rocas desnudas. El panorama era impresionante desde los altos precipicios, y con la visión de los pueblecitos araneses, de bellos nombres: Bosou, Viella, Salardú, Artie, etc. Lés estaba junto al «Pont de Rei», la frontera francesa, y con el río que le cruzaba por su mitad llevando aguas rápidas y cristalinas. Todo era verde y mojado al morir la llama del sol, tocando delicadamente a Lés. Los versos del poema nos describen al pueblo.

> *Lés: villa de carabineros,*
> *burgueses y contrabandistas.*
> *Está en el valle. Con sus fueros*
> *también y sus curas carlistas.*

En Lés estaban invitados en casa de madame d'Isbay. ¿Quién era madame d'Isbay? Rafael se lo preguntó a su amigo, y por él supo que se trataba de una señora francesa, quizá alsaciana, que había casado con un rico terrateniente del Valle, dedicado a negocios de exportación de madera y con muchas relaciones en Londres y en París. Cuando enviudó, marchó madame a su tie-

153

rra y estuvo largo tiempo ausente, hasta que por fin regresó definitivamente al Valle de Arán, donde siempre fue conocida por
su nombre de soltera. La casa de madame d'Isbay era una bella
mansión de piedra, con grandes chimeneas para el invierno,
arrimaderos de maderas pulidas y muebles antiguos. Había también salones con espejos y una biblioteca de primeras ediciones,
raras o curiosas, como un venerable ejemplar de la *Della Genealo-
gia degli Dei*, de Boccaccio; las *Lettere* de Pietro Bembo, y todos
los volúmenes de la *Encyclopedie*.

Antes de cenar, Eduardo se puso al piano e interpretó su repertorio de canciones. Estaba de moda entonces el cuplé *You-
Dou-Ba-Da-Bou* y las picantes aventuras de *Tommy* o las del pobre
Petit Zou-Zou. Pronto se animaron todos y cantaron el *Je connais
une blonde* y el *Tout autour du Luxembourg*, que tanto gustaba a madame. La cena fue servida en el ancho comedor, y todavía eran
gratas las llamas del hogar que se reflejaban en las copas. Desfi-
laron unas truchas del Jueu, las mejores del valle, un gran estofa-
do de *isard* y unas tortillas al ron servidas en platos que llevaban
pintada la historia de «La Gitanilla».

Cuando levantaron los manteles, se pusieron a jugar a las cartas. Luego se contaron historias deliciosas mientras se atizaba el
fuego y se bebían dulces sorbos de ratafía[2]. Madame d'Isbay debió de ser muy hermosa en su juventud, y hablaba de viajes y de
un mundo desaparecido. A Rafael le impresionaría de seguro
esta figura femenina y, años más tarde, escribió una novela que,
naturalmente, jamás se molestó en publicar, cuya protagonista
vivía en el valle y se llamaba Rosa Kruger.

Como en los cuentos de la abuela, madame d'Isbay tenía tres
hijas. La pequeña era Catalina y parecía una frágil y sonriente
madonna. Rafael quizá se enamoró por unos instantes de ella, los
ojos fijos en el brillo de los candelabros de plata.

> *Y yo le decía: «No hay
> para desamarte manera.
> Qué linda cosa quinceañera
> eres, Catalina d'Isbay.»*

---

2 *ratafía:* Licor compuesto de aguardiente, azúcar, canela y anís, al que se añade zumo de frutas, principalmente de cerezas o guindas.

154

Al final de la velada acudió el capellán de Luchón, que fue herido en Salónica y por ello le concedieron la Legión de Honor, y ahora estaba de permisionario. Cuando se despidieron, Eduardo pidió prestadas a madame d'Isbay dos jacas aranesas para ir los dos amigos, al día siguiente, a la ermita de Artiga de Lin. Prometieron traerle unos grandes rosarios bendecidos y el romance con la imagen morena de la Virgen.

He leído estos detalles en el recorte de periódico que me dio mi querido José Esteve, gran admirador de Sánchez Mazas. El Rafael del poema es, naturalmente, el propio Sánchez Mazas, y su amigo, Eduardo Aunós. Hemos estado hablando de la obra y la figura, extraña y aristocrática, de este escritor, considerado como el artífice del más limpio castellano de nuestro tiempo y a quien la política desvió, según dicen, de su verdadera vocación. Yo me he quedado silencioso, pensando en madame d'Isbay, y me he dicho que todo es posible en esta vida, y que quizá un día sepamos su verdadera historia, aunque sea de los labios, asimismo encantadores y misteriosos, de Rosa Kruger.

CARLOS CLARIMÓN*

Hombre a solas

Han pasado casi tres años desde que murió la madre. Y un día, uno de esos tan luminosos de mayo, el hijo aparece con su traje nuevo; es gris claro, liso, ligero. Su camisa, blanca, lleva una rayita apenas visible, y sus zapatos son blancos y negros. Sólo su corbata es la misma de ayer.

El padre todavía guardará luto riguroso durante algún tiempo más. Se siente viejo, y se entristece —pese a que lo mira sonriéndole— cuando ve a su hijo vestido así. Sin saber por qué.

Horas después, esa misma tarde, el padre levanta los ojos, entorna el libro y mira hacia la ventana. Le sorprende el despertar de todos esos oscuros recuerdos que desde hace rato le silabean en la conciencia. Rostros, muchos rostros; los ve uno tras otro. Rostros de gente que murió nadie sabe hace ya cuántos años. Nombres, lugares, cosas que ahora parecen humear aún bajo la ceniza.

Y, en medio de todo, esa idea, minúscula, constante, zumbadora; semejante a un moscón de mal agüero. Inquietadora de todos sus otros pensamientos; que es ella la que les hace removerse en el fondo de la memoria. Es estúpido, pero no puede desecharla ni sabe cómo nació. Y ahí está, en su cabeza. Rumorosa y deslizante a veces, apremiante y airada otras.

Hace un esfuerzo, y de nuevo baja la mirada en busca del libro.

---

* *Hombre a solas*, Madrid, Taurus, 1961; *Los bancos son de piedra*, 1956; *La trampa*, 1957.

Está solo en casa; su hijo no regresará hasta la noche, y la criada tampoco lo hará antes de la hora de servir la cena. Es domingo. El sol, resignado y frío, lunar casi, va ocultándose tras de las casas fronterizas. Dentro de la habitación todo parece moverse subrepticiamente, muy despacio, como si cada cosa se estirara para alcanzar ese último rayo de luz que resbala por el suelo. Unas nucas de sombra se proyectan hacia el fondo del cuarto.

Antes, hasta hace un par de años, la blanca transparencia de aquellos visillos que la madre colgara del dintel de la ventana, cernía la luz, y estampaba un encaje negro y oro sobre las baldosas. Los cristales, ahora, están desnudos; todavía con la huella de ese llanto ingente con que el cielo les lamió el polvo ayer.

El padre, de pronto, se levanta. Le da miedo el silencio y le irrita ese inquieto saltar de un palo a otro del pájaro en su jaula. El libro se le desliza a lo largo de las piernas y cae al suelo. Y allí queda, con el gesto de un extraño ser caído de espalda, abiertos los brazos en cruz.

Al cabo de unos minutos, el padre casi se sorprende de encontrarse empujando la puerta de la habitación de su hijo. Va al armario, lo abre y mira dentro.

Allí está. Entonces acaba de comprender qué era lo que temía. El traje negro de su hijo, metido en un saco de papel, pende de una percha. En la etiqueta, la mano torpe de la criada ha escrito: *traje de luto*. Los zapatos negros, retacados con trozos de periódico para que no se deformen, están en su caja de cartón. Y las camisas blancas, con sus cuellos un poco deshilachados ya, aguardan en el fondo de una de las baldas.

Eso es, aguardan.

Todo parece aguardar, esperar algo. Ostentosamente seguras, todas aquellas cosas, de que en un día no lejano serán requeridas de nuevo.

Y el padre, tras de ajustar las hojas del armario, vuelve hacia su cuarto remontando el corredor con tardos pasos.

Esta noche, al saludo del hijo, sólo contestará:

—Estoy bien, muy bien —casi rencorosamente.

Pero no podrá dormir, y el alba le encontrará con todos sus sentidos volcados sobre el corazón. Ese corazón que, de pronto, parece ir a fallar.

157

Carmen Laforet*

El regreso

Era una mala idea, pensó Julián, mientras aplastaba la frente contra los cristales y sentía su frío húmedo refrescarle hasta los huesos, tan bien dibujados debajo de su piel transparente. Era una mala idea esta de mandarle a casa la Nochebuena. Y, además, mandarle a casa para siempre, ya completamente curado. Julián era un hombre largo, enfundado en un decente abrigo negro. Era un hombre rubio, con los ojos y los pómulos salientes, como destacando en su flacura. Sin embargo, ahora Julián tenía muy buen aspecto. Su mujer se hacía cruces sobre su buen aspecto cada vez que lo veía. Hubo tiempos en que Julián fue sólo un puñado de venas azules, piernas como larguísimos palillos y unas manos grandes y sarmentosas. Fue eso, dos años atrás, cuando lo ingresaron en aquella casa de la que, aunque parezca extraño, no tenía ganas de salir.

—Muy impaciente, ¿eh?... Ya pronto vendrán a buscarle. El tren de las cuatro está a punto de llegar. Luego podrán ustedes tomar el de las cinco y media... Y esta noche, en casa, a celebrar la Nochebuena... Me gustaría, Julián, que no se olvidase de llevar a su familia a la misa del Gallo, como acción de gracias... Si esta Casa no estuviese tan alejada... Sería muy hermoso tenerlos a todos esta noche aquí... Sus niños son muy lin-

* *La niña y otros relatos*, Madrid, Magisterio Español, col. Novelas y Cuentos, 1970; *La Llamada*, 1954.

dos, Julián... Hay uno, sobre todo el más pequeñito, que parece un Niño Jesús, o un San Juanito, con esos bucles rizados y esos ojos azules. Creo que haría un buen monaguillo, porque tiene cara de listo...

Julián escuchaba la charla de la monja muy embebido. A esta sor María de la Asunción, que era gorda y chiquita, con una cara risueña y unos carrillos como manzanas, Julián la quería mucho. No la había sentido llegar, metido en sus reflexiones, ya preparado para la marcha, instalado ya en aquella enorme y fría sala de visitas... No la había sentido llegar, porque bien sabe Dios que estas mujeres con todo su volumen de faldas y tocas caminan ligeras y silenciosas, como barcos de vela. Luego se había llevado una alegría al verla. La última alegría que podía tener en aquella temporada de su vida. Se le llenaron los ojos de lágrimas, porque siempre había tenido una gran propensión al sentimentalismo, pero que en aquella temporada era ya casi una enfermedad.

—Sor María de la Asunción... Yo, esta misa del Gallo, quisiera oírla aquí, con ustedes. Yo creo que podía quedarme aquí hasta mañana... Ya es bastante estar con mi familia el día de Navidad... Y en cierto modo ustedes también son mi familia. Yo... Yo soy un hombre agradecido.

—Pero, ¡criatura!... Vamos, vamos, no diga disparates. Su mujer vendrá a recogerle ahora mismo. En cuanto esté otra vez entre los suyos, y trabajando, olvidará todo esto, le parecerá un sueño...

Luego se marchó ella también, sor María de la Asunción, y Julián quedó solo otra vez con aquel rato amargo que estaba pasando, porque le daba pena dejar el manicomio. Aquel sitio de muerte y desesperación, que para él, Julián, había sido un buen refugio, una buena salvación... Y hasta en los últimos meses, cuando ya a su alrededor todos lo sentían curado, una casa de dicha. ¡Con decir que hasta le habían dejado conducir...! Y no fue cosa de broma. Había llevado a la propia Superiora y a sor María de la Asunción a la ciudad a hacer compras. Ya sabía él, Julián, que necesitaban mucho valor aquellas mujeres para ponerse confiadamente en manos de un loco..., o un ex loco furioso, pero él no iba a defraudarlas. El coche funcionó a la perfección bajo el mando de sus manos expertas. Ni los baches de la carretera sintieron las señoras. Al volver, le felicitaron, y él se sintió enrojecer de orgullo.

—Julián...

Ahora estaba delante de él sor Rosa, la que tenía los ojos redondos y la boca redonda también. Él a sor Rosa no la quería tanto; se puede decir que no la quería nada. Le recordaba siempre algo desagradable en su vida. No sabía qué. Le contaron que los primeros días de estar allí se ganó más de una camisa de fuerza por intentar agredirla. Sor Rosa parecía eternamente asustada de Julián. Ahora, de repente, al verla, comprendió a quién se parecía. Se parecía a la pobre Herminia, su mujer, a la que él, Julián, quería mucho. En la vida hay cosas incomprensibles. Sor Rosa se parecía a Herminia. Y, sin embargo, o quizá a causa de esto, él, Julián, no tragaba a sor Rosa.

—Julián... Hay una conferencia para usted. ¿Quiere venir al teléfono? La Madre me ha dicho que se ponga usted mismo.

La «Madre» era la mismísima Superiora. Todos la llamaban así. Era un honor para Julián ir al teléfono.

Llamaba Herminia, con una voz temblorosa allí al final de los hilos, pidiéndole que él mismo cogiera el tren si no le importaba.

—Es que tu madre se puso algo mala... No, nada de cuidado; su ataque de hígado de siempre... Pero no me atreví a dejarla sola con los niños. No he podido telefonear antes por eso... por no dejarla sola con el dolor...

Julián no pensó más en su familia, a pesar de que tenía el teléfono en la mano. Pensó solamente que tenía ocasión de quedarse aquella noche, que ayudaría a encender las luces del gran Belén, que cenaría la cena maravillosa de Nochebuena, que cantaría a coro los villancicos. Para Julián todo aquello significaba mucho.

—A lo mejor no voy hasta mañana... No te asustes. No, no es por nada; pero, ya que no vienes, me gustaría ayudar a las madres en algo; tienen mucho trajín en estas fiestas... Sí, para la comida sí estaré... Sí, estaré en casa el día de Navidad.

La hermana Rosa estaba a su lado contemplándolo, con sus ojos redondos, con su boca redonda. Era lo único poco grato, lo único que se alegraba de dejar para siempre... Julián bajó los

160

ojos y solicitó humildemente hablar con la «Madre», a la que tenía que pedir un favor especial.

Al día siguiente, un tren iba acercando a Julián, entre un gris aguanieve navideño, a la ciudad. Iba él encajonado en un vagón de tercera entre pavos y pollos y los dueños de estos animales, que parecían rebosar optimismo. Como única fortuna, Julián tenía aquella mañana su pobre maleta y aquel buen abrigo teñido de negro, que le daba un agradable calor. Según se iban acercando a la ciudad, según le daba en las narices su olor, y le chocaba en los ojos la tristeza de los enormes barrios de fábricas y casas obreras, Julián empezó a tener remordimientos de haber disfrutado tanto la noche anterior, de haber comido tanto y cosas tan buenas, de haber cantado con aquella voz que, durante la guerra, habían aliviado tantas horas de aburrimiento y de tristeza a su compañeros de trinchera.

Julián no tenía derecho a tan caliente y cómoda Nochebuena, porque hacía bastantes años que en su casa esas fiestas carecían de significado. La pobre Herminia habría llevado, eso sí, unos turrones indefinibles, hechos de pasta de batata pintada de colores, y los niños habrían pasado media hora masticándolos ansiosamente después de la comida de todos los días. Por lo menos eso pasó en su casa la última Nochebuena que él había estado allí. Ya entonces él llevaba muchos meses sin trabajo. Era cuando la escasez de gasolina. Siempre había sido el suyo un oficio bueno; pero aquel año se puso fatal. Herminia fregaba escaleras. Fregaba montones de escaleras todos los días, de manera que la pobre sólo sabía hablar de las escaleras que la tenían obsesionada y de la comida que no encontraba. Herminia estaba embarazada otra vez en aquella época, y su apetito era algo terrible. Era una mujer flaca, alta y rubia como el mismo Julián, con un carácter bondadoso y unas gafas gruesas, a pesar de su juventud... Julián no podía con su propia comida cuando la veía devorar la sopa acuosa y los boniatos[1].

---

[1] *boniato:* este tubérculo de fécula azucarada, comestible, abundó, como las lentejas, durante la Guerra Civil y después, en la inmediata posguerra, debido a su bajo precio, sirvió de alimento a las familias humildes.

Sopa acuosa y boniatos era la comida diaria, obsesionante, de la mañana y de la noche en casa de Julián durante todo el invierno aquel. Desayuno no había sino para los niños. Herminia miraba ávida la leche azulada que, muy caliente, se bebían ellos antes de ir a la escuela... Julián, que antes había sido un hombre tragón, al decir de su familia, dejó de comer por completo... Pero fue mucho peor para todos, porque la cabeza empezó a flaquearle y se volvió agresivo. Un día, después que ya llevaba varios en el convencimiento de que su casa humilde era un garaje y aquellos catres que se apretaban en las habitaciones eran autos magníficos, estuvo a punto de matar a Herminia y a su madre, y lo sacaron de casa con camisa de fuerza y... Todo eso había pasado hacía tiempo... Poco tiempo relativamente. Ahora volvía curado. Estaba curado desde hacía varios meses. Pero las monjas habían tenido compasión de él y habían permitido que se quedara un poco más... hasta aquellas Navidades. De pronto se daba cuenta de lo cobarde que había sido al procurar esto. El camino hasta su casa era brillante de escaparates, reluciente de pastelerías. En una de aquellas pastelerías se detuvo a comprar una tarta. Tenía algún dinero y lo gastó en eso. Casi le repugnaba el dulce de tanto que había tomado aquellos días; pero a su familia no le ocurriría lo mismo.

Subió las escaleras de su casa con trabajo, la maleta en una mano, el dulce en la otra. Estaba muy alta su casa. Ahora, de repente, tenía ganas de llegar, de abrazar a su madre, aquella vieja siempre risueña, siempre ocultando sus achaques, mientras podía aguantar los dolores.

Había cuatro puertas descascarilladas, antiguamente pintadas de verde. Una de ellas era la suya. Llamó.

Se vio envuelto en gritos de chiquillos, en los flacos brazos de Herminia. También en un vaho de cocina caliente. De buen guiso.

—¡Papá...! ¡Tenemos pavo!

Era lo primero que le decían. Miró a su mujer. Miró a su madre, muy envejecida, muy pálida aún a consecuencia del último arrechucho, pero abrigada con una toquilla de lana nueva. El comedorcito lucía la pompa de una cesta repleta de dulces, chucherías y lazos.

—¿Ha... ha tocado la lotería?

162

—No, Julián... Cuanto tú te marchaste, vinieron unas señoras... De Beneficencia, ya sabes tú... Nos han protegido mucho; me han dado trabajo; te van a buscar trabajo a ti también, en un garaje...

¿En un garaje...? Claro, era difícil tomar a un ex loco como chófer. De mecánico tal vez. Julián volvió a mirar a su madre y la encontró con los ojos llorosos. Pero risueña. Risueña como siempre.

De golpe le caían otra vez sobre los hombros las responsabilidades, angustias. A toda aquella familia que se agrupaba a su alrededor venía él, Julián, a salvarla de las garras de la Beneficencia. A hacerla pasar hambre otra vez, seguramente, a...

—Pero, Julián, ¿no te alegras?... Estamos todos juntos otra vez, todos reunidos en el día de Navidad... ¡Y qué Navidad! ¡Mira!

Otra vez, con la mano, le señalaban la cesta de los regalos, las caras golosas y entusiasmadas de los niños. A él. Aquel hombre flaco, con su abrigo negro y sus ojos saltones, que estaba tan triste. Que era como si aquel día de Navidad hubiera salido otra vez de la infancia para poder ver, con toda crueldad, otra vez, debajo de aquellos regalos, la vida de siempre.

MANUEL PILARES*

Ese niño gordo a quien sus padres compraron un balón

Ese niño gordo a quien sus padres compraron un balón es el único niño aburrido que hay en el grupo. Sus amigos se han dividido en dos bandos, han puesto las chaquetas en montones para señalar las porterías y se han liado a dar patadas al balón.

Ese niño gordo no tiene otra misión que la de vigilar las chaquetas. No puede distraerse con las incidencias del partido; no puede merendar mientras los demás juegan; ni siquiera puede aplaudir una jugada. Si aplaude, o protesta una jugada, los que van perdiendo le zumbarían. Y si les dice: «¡El balón es mío!», le pegarían también los que van ganando.

Ese niño sabe que aun en el caso de que no le pegasen, jamás podrá decir: «¡El balón es mío!» Sus amigos le volverían la espalda, y él se quedaría solo, con el balón bajo el brazo, sintiendo un peso tremendo en el estómago, como si el aire del balón se hubiera convertido en plomo, como si encima de la barriguita le hubiera crecido otra.

Los niños gordos a quienes sus padres compran balones son niños condenados a sonreír beatíficamente y a callar.

—Ve a casa y tráete el balón.

—Lárgate con el balón y déjanos en paz.

* *Cuentos de la buena y de la mala pipa,* Barcelona, Rocas, Col. Leopoldo Alas, 1960; *El andén,* 1951; *Historias de la cuenca minera,* 1953; *Cuentos,* 1990.

—¡Pues guárdate el balón donde las gallinas guardan el huevo!

Yo he visto a un niño gordo acercarse al Viaducto[1]. Miraba receloso, como si quisiera cerciorarse de que nadie le seguía. Cuando vi que llevaba un balón sospeché en un posible intento de suicidio. Me acerqué corriendo. El niño me miró ruborizado.

—Voy a tirar el balón —me dijo con voz grave y dulce—. Estoy de balón hasta aquí.

—¿Es que no te gusta jugar al balón?

—Sí. Me gusta. Pero no me gusta jugar solo.

—¿Y por qué no juegas con tus amiguitos?

—No quieren.

El niño desató la correa del balón y lo desinfló.

—¿Para qué lo desinflas?

—No quiero que baje vivo; no quiero que vuelva de un bote otra vez a mí; no quiero.

El niño tiró el balón como quien tira una alpargata. El balón hizo «¡plaf!» allá abajo, pero el niño no tuvo pena, porque le había desinflado para que bajase muerto, y así, no sintiera el golpe.

—Tenía que deshacerme de él.

—Comprendo.

—No. No comprende usted. Yo estaba dispuesto a no jugar en mi vida al balón. Pero mis amigos no consentían que me quitase la chaqueta ni para vigilar las suyas. Decían que me la quitaba para que la gente creyese que estaba jugando. Decían que...

El niño rompió a llorar. Nos rodearon unos transeúntes.

—¿Qué le pasa a ese niño?

Yo contesté:

—El balón.

Y para no mentir, señalé a la calle de abajo, como dando a entender que se le había perdido en ella.

---

[1] *el Viaducto:* puente de hierro de 130 metros que salva el zanjón de la calle de Segovia (Madrid), uniendo los distritos de Palacio y La Latina. Puesto en uso el 13 de octubre de 1874, ha sido lugar de suicidios frecuentes debido a su altura.

Los transeúntes comentaron a coro:

—No llores, niño. Tu papá te comprará otro balón. No llores, niño. Tu papá te comprará otro balón...

El niño lloraba inconsolable.

—¡No llores, niño! ¡Tú papá te comprará otro balón!

Bañados de lágrimas, rodeados de lágrimas, los ojos del niño me miraban espantados. Estuve por decirle: «Vamos, tranquilízate; a lo mejor tu papá no te lo compra.» Pero el grupo de transeúntes había aumentado de manera peligrosa. Y un señor de aire arrogante y decidido, proponía en voz alta:

—¡Compremos inmediatamente un balón para este niño! ¡Pongo cinco duros! ¡A ver! ¡Comprémosle entre todos un balón!

Lauro Olmo*

Tinajilla

Cuando don Ramón entraba, todos nos levantábamos y decíamos:

—¡Buenos días, don Ramón!

Aquello era la Jaula. A ninguno de los de la panda nos divertía. Por eso, casi siempre hacíamos novillos.

De lo que os voy a contar tuvo la culpa Sabañón. Aquel día solamente él y yo nos enjaulamos. Los demás desaparecieron al grito de: ¡marica el último!

Y no es que Sabañón y yo fuésemos maricas. Es que él tenía que presentarle al maestro un hermanito suyo, y yo... Bueno yo tenía que contaros esto.

Al hermanito de Sabañón le llamábamos Tinajilla. Era también menudo, muy poquita cosa, y casi tan listo como Sabañón. Cuando éste se pegaba, acudía Tinajilla con un cascote dispuesto a machacarse todas las espinillas del barrio. Esto si la cosa iba mal para Sabañón. Si no, allí lo teníamos dando saltos y animando a la familia:

—¡Duro con él Saba![1] ¡Muérdele un ojo, que es tuyo!

Del mote[2] tuvo la culpa su madre. Y es que de pequeño, si

---

* *12 Cuentos y 1 Más,* Barcelona, Rocas, 1956; *Cuno,* 1954; *La peseta del hermano mayor,* 1958; *Golfos de Bien,* 1968; *Pick, el búho,* 1987.

[1] *Saba,* apócope de *Sabañón.* Es típico del habla popular, sobre todo madrileña.

[2] *mote,* Sabañón, Tinajilla y, luego, el Pecas, el Poca, el Doblao, son todos, por supuesto, apodos.

ésta salía, lo dejaba en un rincón del patio metido en una tinaja que apenas le llegaba a las tetillas. Era gracioso verlo así. Pero a veces, si la madre se retrasaba, el niño sentía ganas de eso, de eso que un niño, por muy grande que llegue a ser, nunca se ve libre, y se hacía eso en la tinaja. Pronto el aire se tornaba rancio, no había quien lo respirase. Y los chicos de la casa, husmeándolo, se asomaban a las ventanas del patio y, a grito limpio, preguntaban:

Tinajilla,
mierdecilla,
¿te measte
o te cagaste?

Y Tinajilla aguantaba, no sólo los gritos, sino los mondazos de patata[3], o de naranja, o de vaya usted a saber qué. Todo hasta que volvía la madre. Entonces —cosas de la vida—, le arreaba unos cuantos azotes que devolvían la calma a los chicos de arriba.

No duró mucho esto. Un buen día, como si fuese un huevo, se rompió la tinaja. Y de entre los pedazos salió Tinajilla, portal adelante, hacia la calle.

—¡Buenos días, don Ramón!

—¡Buenos!

Seco, autoritario, con cara de mula vieja, entraba don Ramón. Nunca un niño se atrevió a sonreír delante de él. Era el dos más dos, el cabo de Finisterre, y el pluscuamperfecto de subjuntivo del verbo ser. Demasiadas pocas cosas. Se dirigía, todo palo, a su mesa. Abría uno de los cajones, sacaba la lista, y masticaba los extraños nombres de mis amigos: del Pecas, del Poca, del Doblao... ¡Qué mala persona era!

—Don Ramón.

—¿Qué quiere usted?

—Mi hermanito, he traído a mi hermanito. Ya le habló mi madre.

—Está bien. ¡Llámelo!

—¡Tinaji...! ¡Enrique, ven!

---

[3] *los mondazos de patata*: los golpes, con mondas de patata.

Y Tinajilla, huido de sí, adelantó un pie, luego otro, y otro. Muchos pies adelantó Tinajilla para llegar hasta don Ramón. Éste, dirigiéndose a Sabañón, ordenó.

—¡Usted a su sitio!

—¡No me dejes solo, Saba!

—¡A su sitio he dicho!

Tinajilla se quedó allí, solo: sin su padre, sin su madre, sin su hermano mayor: ¡solo!

—¿Cómo se llama usted?

—Tinajilla.

—¿Cómo?

—¡Tina...! ¡Tina...! ¡Saba, ven!

Y se echó a llorar, como si don Ramón fuese el tío ese de la noche; el que se agarra a las patas de la cama y tira: tira para volcarla por el hueco de la escalera[4].

—¿Qué le pasa? ¿No sabe decirme su nombre?

Saba, desde su banco, intentó ayudar a su hermano.

—¡Enrique Polo, don Ramón!

—A usted no le pregunto, ¡siéntese!

Y dirigiéndose nuevamente a Tinajilla, continuó:

—Vamos, no sea niño, dígame su nombre.

—Enrique Po...lo, don Ramón.

—¿Cuántos años tiene?

—Siete, don Ramón.

—¿Sabe leer?

—No, don Ramón.

—¿Y escribir?

—Hago palotes, don Ramón.

No le preguntó más. Desde entonces, Tinajilla, el de los palotes, tuvo su sitio en la Jaula. En el tercer banco de la derecha.

---

[4] Se refiere al sacamantecas, el hombre del saco, el coco o cualquier otra figuración para dar miedo a los niños.

JOSÉ AMILLO*

La espera

La pequeña aguja del despertador señalaba las nueve. Sin embargo, la precaución había sido innecesaria: eran poco más de las ocho y Miguel estaba despierto. La débil claridad de la mañana se dibujaba apenas en el balcón haciendo presentir un día oscuro de niebla. El tic-tac del reloj sonaba metálico en la atmósfera tibia del cuarto. Miguel tenía la misma sensación de pesadez que todas las mañanas le llenaba los ojos, aquella sensación que le obligaba a mantener durante un rato los párpados medio extendidos.

Tardó en espabilarse. Sentía en la piel el contacto cálido de las sábanas que le sumía en un agradable abandono. No tener que moverse; no tener que pensar. Eso deseaba en aquel momento. Pero a medida que sus ojos se iban refrescando, que su mirada se iba deteniendo en los objetos ya delimitados, el pensamiento comenzaba a penetrar en la vida real. «A las diez debo estar en la estación.»

Permanecía inmóvil en la cama. Ahora que las ideas se habían concentrado, su vista quedó fija en un punto vacío del techo. «A las nueve tengo que levantarme.» «A las diez, sin falta, debo estar allí.» A su lógico razonamiento se oponía, no obstante, de un modo casi imperceptible, el placer físico que sentía. Un pliegue de la sábana se había introducido en su axila izquierda y al respirar le rozaba suavemente. «Estar así mucho

* *Historias de cada día*, Santander, Cantalapiedra, 1957.

tiempo, horas, el día entero.» Con un levísimo giro de cabeza miró el despertador: las nueve menos veinte. Qué deprisa pasaba el tiempo.

De repente, el repicar continuo de una campana le sobresaltó. Vino un instante en aumento y volvió a desvanecerse junto con el ruido de un motor. Una ambulancia, o un coche de bomberos, se dijo. Pequeñas cosas que turbaban la paz. También la obligación de ir a esperar el tren... Molesto. Las estaciones están siempre sucias y huelen mal, a carbón apagado con agua, a orines. Luego, los trenes no llegan nunca a su hora... A las diez, le dijeron cuando consultó a información. Llega a las diez en punto.

Entonces, por primera vez en la mañana, pensó en Rosa. Sí, por eso tenía que ir a la estación, porque venía Rosa. Porque, seguramente, vendría. A su derecha, en el cajón de la mesilla de noche, estaba la larga carta. Al final de la carta ella le decía: «No puedo seguir aquí. Me da miedo lo que dejo atrás; sí, me dan miedo todos los que dejo. Pero no puedo más, tú lo sabes bien. Llegaré en el exprés el día catorce. Si no llegara ese día no vuelvas a pensar en mí porque será que algo ha vencido mi decisión.»

Miguel, al recordar la carta, se dio cuenta de lo absurda que era su actitud. Una dulce desgana lo tenía inmovilizado en la cama. En aquel momento habría sido incapaz de la más mínima reacción. Y, sin embargo, Rosa estaría camino de Madrid; y, probablemente, no habría podido dormir en toda la noche de viaje pensando en los que dejaba. En un hombre sórdido, mezquino, pero que tenía sobre ella derechos adquiridos; en una rancia familia que quedaría asombrada, escandalizada; en una pequeña ciudad de provincias que lanzaría, ávida, su nombre para que rebotara de charco en charco. Todo aquello significaba mucho. Y Miguel se hallaba tendido, impasible, inexplicablemente envuelto en una niebla de apatía.

¿Qué quería? ¿Qué deseaba en la vida? Le había pedido varias veces a Rosa que viniera con él. ¿Acaso ahora no se sentía contento...?

Miguel pensó que quería que Rosa viniera. Sí, quería verla, verla continuamente, llenando con sus ojos oscuros aquel cuarto demasiado apacible, demasiado vacío...

171

Tras los cristales crecía la claridad. Las sombras del cuarto comenzaban a disiparse y los objetos surgían en su diaria postura. Miguel estiró los brazos. Se frotó la cara con ambas manos. Luego paseó la vista por las paredes. Todo lo que veía, la lámpara, los cuadros, las cortinas, le era tan familiar que nunca había llamado su atención. Fue examinando cada cosa con detenimiento. De vez en cuando surgía la figura morena de Rosa. Cuando Rosa llegara, todos aquellos objetos adquirirían de pronto un sentido distinto. Ahora eran espectadores mudos de su vida vacía. ¿Y luego? ¿Qué era Rosa para él? ¿Qué era él? ¿Adónde iba?

Tal serie de preguntas se las hacía con frecuencia Miguel partiendo de cualquier motivo. Y nunca hallaba respuestas. Quizá, en el fondo, a eso se debiera la venida de Rosa. Él se lo había pedido. ¿Por qué? Miguel, desde muy joven, había tenido un claro deseo: la libertad, la independencia. Pronto la consiguió. Pero ahora, paradójicamente, esa libertad lo tenía aprisionado. Porque en cada acción hipotecaba una parte de su libertad, y si él tendía a conservarla íntegramente, el resultado era una continua inmovilización.

El timbre del despertador sonó con estridencia. Miguel apretó el botón del freno y el cuarto volvió a quedar en silencio. Después, lentamente, se levantó, encendió un cigarrillo y fue al cuarto de baño. En pocos minutos estuvo aseado y vestido.

Cuando salió a la calle flotaba en el aire una fría neblina. El cielo, opaco, gris desvaído, cubría los tejados de una humedad triste. Con el cuello de la gabardina subido, las manos hundidas en los bolsillos, bajó por la calle de Almagro hasta desembocar en la plaza de Alonso Martínez. Allí tomó un taxi.

—A la estación de Atocha —dijo al chófer.

Y de nuevo, mientras recorría la calle de Génova, el paseo de Recoletos, el Prado[1], sintió, como al despertar, que un vago cansancio se sobreponía a sus pensamientos y lo hundía en la más completa indiferencia.

---

[1] Estación, plaza, calles y paseos madrileños, todos muy conocidos. La estación de Atocha es la más antigua estación ferroviaria de Madrid; un monumento de arqueología industrial en activo.

172

Entró en la estación. Se dio cuenta de que se había apresurado en exceso: faltaba más de un cuarto de hora para la llegada del tren. En la estación, entre el vapor pálido de las locomotoras y el frío pegajoso del amplio recinto, la mañana de invierno pesaba como una manta mojada. Miguel notó que la humedad le atravesaba la ropa y le empapaba la piel. Debía esperar todavía más de un cuarto de hora. Se puso a pasear por los andenes. Había mucha gente. Unos esperaban, como él; otros eran viajeros que iban ocupando un largo tren próximo a partir. El rumor denso de las conversaciones era cortado de vez en cuando por la sirena de una máquina[2] en maniobras. Miguel se cansó pronto de pasear; compró un periódico y buscó un banco vacío. Se sentó. Leyó los titulares de la primera plana: «La reunión de Ministros de Asuntos Exteriores de las grandes potencias». «Entrega de un pergamino al alcalde de Lisboa». «Se aprueba el presupuesto extraordinario...». En su cara se dibujó un gesto de hastío. Nada de aquello tenía interés. Las mismas noticias de todos los días con pequeñas variantes; cosas vulgares, apariencias sin sentido.

Un hombre se sentó en el banco a su lado. Al hacerlo, le dio un golpe en el brazo.

—Oh, perdone... perdone... —se excusó.

—No es nada —contestó Miguel.

Y continuó leyendo. Sin embargo, al poco advirtió que el hombre no podía estarse quieto. Lo miró de reojo, con disimulo. El hombre parecía hablar solo. Era bajo y encorvado. Tenía el pelo muy largo, de color blanco amarillento, y la piel oscura y arrugada. Vestía de negro; un traje raído con reflejos verdosos en los codos y en las bocamangas. El hombre, que silabeaba algo en silencio, sorprendió la mirada de Miguel. Su cara enjuta, de pergamino, se abrió en una sonrisa.

—Espero el exprés de Andalucía. ¿Usted también? —dijo.

Antes de que Miguel pudiera contestarle añadió:

—Oh, usted perdone, no me haga caso, le estoy molestando...

Miguel no sabía qué responder.

—No, no se preocupe, no molesta... —dijo al fin.

---

[2] *máquina:* locomotora.

—Es que, sabe, espero a mi hija que viene de Sevilla. Y hace tanto tiempo que no la veo... Casi cuatro años.

—Sí... claro...—respondió Miguel maquinalmente.

Quedaron callados. El hombre se revolvía, inquieto, en el asiento. Constantemente miraba a la entrada de la estación, al boquete blanco, de luz, por donde debía llegar el tren. Miguel lo observó ahora sin recato. Sus ojos, pequeños y vivos, sostenían dos grandes bolsas negruzcas. En la frente se le notaban las venas, gruesas, entrecruzadas, de color azul intenso. Los labios desaparecían dentro de la boca. Miguel calculó que podía tener unos sesenta y cinco años; quizá menos, aunque hacía el efecto de haber envejecido de pronto.

De repente, el hombre se puso a hablar apresuradamente, sin apartar la vista del semircírculo de luz.

—Mi hija, sabe, es una muchacha muy buena, pero tuvo un día un arrebato... sí, esas cosas que pasan a veces... y se fue de casa. Se fue, se fue con un hombre. Yo he sufrido mucho en estos cuatro años. Me decían que había tenido yo la culpa. Hasta Luisa, mi mujer, me lo decía. Pero no, yo no tuve la culpa. Yo la quería y la quiero mucho. Sólo le decía que aquel hombre no me gustaba. ¡Ya ve! Yo deseaba para ella lo mejor... Nada más...

Miguel se le quedó mirando con un gesto de absoluta sorpresa. El hombre seguía, pestañeando, con la vista perdida en la boca luminosa de la estación. Todo aquello era absurdo; era ridículo que aquel tipo le contara una historia íntima que nada le interesaba. Poco importaba que la historia fuera falsa o verdadera; a él no le interesaba, y eso era bastante. ¿Qué pretendía aquel hombre? Miguel lo examinó ahora con recelo. Pero pronto la sospecha se le disolvió en una sensación de lástima. El viejo estaba sentado en el borde del banco, inclinado hacia adelante. Su aspecto derrotado resaltaba más por la agitación que le invadía. Cuando volvió a hablar, las bolsas de los ojos le temblaron ligeramente:

—Pero yo la he perdonado... Luisa, mi mujer, no. Aunque la perdonará también, cuando llegue, estoy seguro. Estas cosas hay que perdonarlas, ¿verdad?

—Sí, desde luego... —aventuró Miguel, confundido.

El hombre sonrió nerviosamente.

—Usted que es joven lo comprenderá...

Un largo silbido cruzó el aire calmo. El tren que se hallaba en el primer andén comenzó a moverse con pesadez. Iba repleto de viajeros. El ruido seco, intermitente, de la marcha inicial fue convirtiéndose en un rumor continuo. De las ventanillas surgieron pañuelos blancos, agitados, como pequeños relámpagos, sobre el fondo oscuro del tren. Hasta que la negra fila de vagones desapareció más allá de la claridad.

Miguel no advirtió la salida del tren. Un cúmulo de pensamientos, de interrogaciones, giraban con rapidez en su mente. Aquel viejo extraño que le hablaba de su hija; Rosa; su existencia tranquila, aburrida; el capricho del azar que había puesto a su lado a aquel desconocido; la frase última del hombre: «usted que es joven lo comprenderá». ¿Qué quería que comprendiera? No, él no comprendía nada. La casualidad los había reunido en la espera y Miguel no comprendía por qué hablaban...

La voz del hombre, cascada, impaciente, lo sacó de su confusa meditación:

—Trae retraso. Siempre traen retraso los trenes, aunque no lo anuncien.

Miguel miró distraídamente su reloj de pulsera. No se dio cuenta de la hora que marcaba. Pero, en efecto, pasaban ya unos minutos de la hora señalada.

—Voy a ir un momento, aquí... al reservado[3] —dijo el hombre, y sonrió torpemente—. Si viera venir el tren haga el favor de avisarme enseguida, si no le molesta.

—Sí, sí, le avisaré.

Se levantó y corrió hacia la puerta de servicios. Sus piernas, cortas, endebles, vacilaban en la carrera; a cada paso parecía que se iba a desplomar sobre el andén.

Solo en el banco, Miguel dejó de pensar en el hombre. De súbito, la imagen de Rosa le llenaba. Sentía ahora un deseo impaciente de que Rosa llegara, de tenerla pronto a su lado, como si el viejo le hubiera contagiado el nerviosismo de la espera. Entonces pensó en la posibilidad de que ella no viniera. «Si no llegara ese día, no vuelvas a pensar en mí...» No, no podía ser. Rosa tenía que llegar. Ahora comprendía que le hacía

---

[3] *reservado:* servicios, urinario.

falta su presencia. Como al viejo la de su hija. Le era necesaria. No podía encontrarse de nuevo en su cuarto, cómodo, despreocupado, sin vida...

Volvió el hombre y se sentó de nuevo junto a él. Entrelazó los dedos sobre las rodillas y se quedó mirando fijamente a la vía. Impensadamente, Miguel le preguntó:

—¿No tiene más hijas que la que espera?

—Nada más; es la única que tenemos. Sólo pensamos en ella. ¿En qué otra cosa vamos a pensar? Sí, Luisa la perdonará. Hay que olvidar las faltas de los demás. Yo, al menos, así lo creo, y...

El hombre cortó la frase. Puso una mano sobre el brazo de Miguel; alzó la cabeza y abrió mucho los ojos.

—Ya viene. ¿No oye? Sí, ya viene. Usted me perdonará...

Se levantó casi de un salto y anduvo rápido por el andén, pegado a la vía, en dirección al arco iluminado por la débil luz de la mañana. Miguel se levantó también y caminó despacio, viendo cómo se empequeñecía, al alejarse, la silueta del viejo.

Llegaba el tren. Sobre las cabezas de la gente que se dirigía a la boca de la estación, la mole oscura de la locomotora se acercaba con un ruido cansado. A la repentina emoción que la presencia próxima de Rosa producía a Miguel, se unía ahora una honda curiosidad por ver la llegada de aquella otra mujer a la que el viejo esperaba. Ver su rostro gastado al abrazar a la hija; conocer a la desconocida. Sin embargo, cuando intentó localizar al viejo, su figura menuda se había perdido entre la multitud.

El tren se detuvo. A cada ventanilla se asomaban dos o tres caras sonrientes cubiertas por un velo de fatiga. Miguel recorría los vagones con paso rápido. Buscaba ansiosamente entre las caras de los viajeros. Viene el tren lleno, demasiado lleno —se dijo.

Al fin distinguió a Rosa. Se inclinaba hacia afuera, en el penúltimo vagón, agitando el brazo en el aire.

Subió al departamento. Cuando abrazó a Rosa sintió una gran tranquilidad, como si descansara de un trabajo violento, agotador. Rosa tenía los ojos encendidos, húmedos, rodeados de una sombra violácea.

Durante un rato, frente a frente, muy cerca uno de otro,

permanecieron casi en silencio. Palabras cortadas, breves frases que la emoción contenida hacía resonar en el estrecho departamento del coche cama. Luego, la voz de un mozo que les ofrecía sus servicios distrajo su atención a la ventanilla. El mozo cargó el equipaje y bajaron.

El andén estaba ya casi vacío. Los últimos viajeros se dirigían a la salida. Miguel llevaba a Rosa del brazo. De su pelo negro, brillante, emanaba un suave perfume de romero. Callados, caminaban lentamente. Miguel, sin darse cuenta, apretaba con fuerza el brazo delgado. Sentía, bajo la tela fina de la manga, el calor dulce de la carne. Y tenía una vaga impresión de hallazgo, como si hubiera encontrado de pronto algo que por mucho tiempo había buscado desesperadamente.

Cuando llegaban a la salida, se detuvo en seco. Acababa de ver al viejo. Estaba junto a la puerta, un poco jadeante, caídos los brazos, en los ojos una mirada de cansancio, de desencanto. La triste expresión del viejo, allí, solo, buscando ansioso entre los viajeros rezagados, le produjo una mezcla de malestar y ternura. «¿Por qué está ahí solo?» «¿Por qué no ha venido su hija?»

Rosa miraba extrañada a Miguel, que seguía, parado, con la vista fija en el hombre.

—Vamos —le dijo—. ¿Qué miras?

—Nada, nada... —respondió él, rápido— Vamos...

Siguieron andando. Al pasar al lado del viejo, el mozo que llevaba las maletas lo saludó. Le preguntó:

—¿Qué, don Jacinto, no ha venido?

En la cara del viejo se dibujó un gesto de dolor resignado.

—No... no... Parece que no... —contestó débilmente.

—Vaya, lo siento.

—Gracias, gracias...

Salieron del recinto de la estación. Cuando Rosa se hubo acomodado en el taxi, mientras Miguel pagaba al mozo, le preguntó:

—Ese señor... el que estaba en la puerta... Dígame: ¿lo conoce?

—Sí. Bueno... —el mozo alzó las cejas— lo conozco sólo de verlo por aquí... Hace casi un mes que viene todos los días a esperar el exprés de Andalucía.

177

—¿Que viene todos los días?

—Sí... Espera a una hija, según dice. No sé; es un hombre, sabe usted, algo raro...

Miguel subió al taxi. Comenzaba a caer una lluvia ligera. Recorrieron varias calles en silencio. Miguel pensaba en el hombre de la estación. En el parabrisas del coche, entre las relucientes gotas de agua, veía su expresión descorazonada, tristísima.

De repente, Rosa se apretó contra él.

—Los últimos días, hasta esta misma noche he estado dudando... Tenía miedo —le dijo.

—¿Miedo? —Miguel pasó la mano por el pelo de Rosa—. No; olvídalo. Ya verás, ellos también lo olvidarán pronto.

—No, no era miedo de ellos; ése creo que lo vencí. Tenía miedo pensando en ti.

—¿En mí?

—Sí, Miguel. Es una tontería, sabes... Pero, no sé por qué, estaba imaginando tu despertar. Y te veía de una forma muy extraña, mirando tu cuarto desde la cama, ajeno a todo; al cuarto, a la mañana gris, lluviosa, que así la presentía, tal como está. Y ajeno también a mí, como si no me conocieras, como si yo fuera algo extraño que se introducía de pronto en tu vida...

Miguel apretó la mano tibia de Rosa.

—Qué cosas más raras se te ocurre pensar...

CARLOS EDMUNDO DE ORY*

El paquete postal

En el mismo cuarto —vivían en una boardilla— los dos guardaban silencio. La mujer estaba ya acostada, o mejor dicho, sentada, como de costumbre, en la cama, apoyada la espalda contra los cojines verdes, y estudiaba en sus libros de texto. A la sazón preparábase para un examen de Facultad muy difícil para ella, que en su juventud encamada también (curiosa coincidencia), no había podido alcanzar el grado de bachiller. Ahora, a sus cuarenta años, una decisión tardía, aunque enérgica, forzada por las circunstancias, le hacía jugar el papel[1] de estudiante ¡con tanta conciencia! Ningún impedimento la doblegaría. Su voluntad era firme: la tenía puesta en la finalidad, esto es, el éxito, y estudiaba por correspondencia en tales momentos robados al descanso. En efecto, el grueso de sus horas iba en el trabajo fuera de casa. Ella llevaba el peso del pequeño hogar.

La niña de ocho años dormía en su camita.

¿Y él? Pues él sí, claro, siempre ahí metido en el domicilio conyugal, vieja torre de amor, como la mosca en la miel o como una araña instalada en su rincón, vivía aislado del mun-

---

* *Basuras,* Madrid, Júcar, 1975; *El Bosque,* 1952; *Kiririki-Mangó,* 1954; *Una exhibición peligrosa,* 1964; *El alfabeto griego,* 1970.

[1] *jugar el papel:* galicismo: representar, desempeñar, hacer el papel. Como éste, hay varios galicismos obvios en el texto que podrían ser deliberados (para crear mayor enajenación y soledad, etc.), y no voy a anotar.

do, entregado en cuerpo y alma a sus sueños, sus nervios, su sed de ternura. Sentía la presencia de la mujer como un salvavidas. Ella, por su cuenta, en su callar tranquilo y plasmado en la atención del estudio, se bastaba a sí misma, pasiva y acaso poseída de su augusta suficiencia. Entre la entereza de la mujer, perfectamente muda bajo la estabilidad de su menester y el latido ansioso del hombre ocupándose en lo suyo, se ponía de manifiesto una corriente de silencios inapelables. No parecía haber diálogo en sus sonidos, cuyas gamas se igualaban fatalmente dentro de lo inaudible. Mas cabía exigir una cualidad a los actos en aquel momento ceremonial de mutuo recogimiento. Sin olvidar que, por la triple respiración de estos seres unidos en la intimidad afectiva todo el aire del cuarto callaba también respetuoso. Ahí, dentro del cuarto y de sus silencios, solamente él vivía al rojo vivo una existencia desmedida. Ella no lo miraba hacer. ¿Qué hacía? Estaba entregado a una labor insignificante y, sin embargo, premiosa. Tenía que enviar al día siguiente, sin más tardar, un conjunto de envoltorios —fajos de papeles—, maniáticamente preparados, que ya durante el día motivaron en sus nervios una preocupación.

Estuvo preocupado por ello febrilmente, en la ausencia de la mujer, sugestionado por la idea de no conseguir un resultado satisfactorio en la tarea del envío. Incluso antes de haber comenzado la lucha del trabajo, por fin resuelto, temía —aun siendo un deseo imperioso— que llegara el instante destinado al envoltorio. Sin duda, la presencia de su mujer le daría ánimos. Es cierto que lo más duro, el trabajo de días para dar término a su objetivo, lo fundamental (es decir, los originales con sus copias, bien dispuestos), cumplido ahora, ínfimo era el esfuerzo que le solicitaba la cuestión del envío. Se trataba de una serie de escritos suyos —obras terminadas, años de trabajo—, que desde hacía tiempo aguardaba un editor de su país dispuesto a publicarlas en plazos sucesivos. Al menos, ella podía sonreírle en la circunstancia viéndole, antes de meterse en la cama para dormir, realizando un acto definitivo. ¿No era una noche feliz? También él se esforzaba en la lucha por la vida con intentos productivos. ¡Oh, sí! Pero no comprendía su silencio de boca y de ojos. Mírame. Me cuesta tanto preparar este paquete.

Había esperado la noche, por si ella, espontáneamente, en dos segundos, le ataba la cuerda lo mejor posible.

La cuerda.

Así como ella, en su cometido, sabía aislarse aprovechando el tiempo, gracias a su actitud eficaz, por el contrario, en lo suyo, él no atinaba a resolver sus problemas. Todo era un problema para él en el ejercicio de una función. Pensaba que su torpeza manual le inhibía de antemano. Cualquiera que fuese su actividad, siempre denotaba impaciencia y tanto celo, que, inseguro de los resultados y hasta de los propósitos, toda tentativa de acometer una acción le suponía un esfuerzo considerable. Incluso la más insignificante, accesoria, como atar la cuerda. Es que tenía que ser atada convenientemente, y, por decirlo así, de manera artesanal. No sólo por el primor exterior, sino a causa del contenido del paquete y por el viaje que iba a emprender. Como si su corazón fuese dentro. Era un esfuerzo colosal para él la ordenación de páginas adheridas mediante pegamento y conseguir una vista pulcra en las portadas; en fin, procurar una posibilidad de encuadernación, una apariencia correcta, sobremanera curiosa, casi refinada y, sin embargo, sobria. La mejor manera. ¡Cuánto tiempo perdía! Los envíos le ponían ansioso. Siempre los hacía más o menos bien, afanosamente y desperdiciando energía (y tiempo) con tal de satisfacer su manía material de perfección. Antes le ataba los sobres su mujer. Pero en la actualidad, ella se había ido desligando (¡qué coincidencia!) de las cosas de su marido, ocupaciones en las que intervenía como alivio y áncora muchas otras veces, pero que al cabo dejaba de prestar mano por los quebraderos de cabeza que le ocasionaban. No obstante, él, habituado a la ayuda, necesitada precisamente en casos urgentes, no podía privarse de la colaboración de su mujer sin experimentar cierta impotencia. A la inversa, su mujer nunca recurría a él para nada. ¡Y como no sabía hacer nudos!

Toda la vida para él, se daba cuenta ahora, era un delirio y una imposibilidad de nudos. Este silencio de los dos despiertos, avanzada la noche —y la niñita durmiendo—, ¿era un nudo entre ellos? Puso los numerosos fajos de papeleo dentro de la cajita de cartón (que pidió en su tienda) y se sintió algo satisfecho. Hasta aquí, la simple manipulación de cerrar la cajita, obtenida sin pena, concedía una apariencia de solución al proyectado envío. El paso final tenía que andarlo solo. Entonces fue en busca del hato de cuerda. Todo lo que quedaba por hacer era atar la caja, que iría abierta, para franquearla como paquete postal certificado. Diría que eran impresos o papeles de negocios. Sabía que, por último, con el objeto precioso en la mano, se vería en la obligación de parlamentar con el empleado de la taquilla. Salir libre del correo significaba un triunfo para él. El atado traía consigo un esfuerzo. Aún no era el momento de respirar. Miradle.

Continuaba el silencio. Sólo que él hacía ruido con las tijeras. ¿Había terminado ya? Se agitaba poniendo orden, yendo y viniendo del cuarto de dormir al rincón de la cocina donde estaba el cubo de la basura, pues necesitaba ver libre de escombros[2] la mesa. Recogía los trocitos de cuerda inservibles y todavía no había atado el paquete. Aparte de ese tejemaneje nervioso e inepto y del rumor constante que producía su meticulosidad, su manía de limpieza y los ineficaces intentos para atar el paquete, podía decirse que el silencio reinante era humanamente un silencio. Un silencio desprendido de dos personas vigilantes del sueño de la niñita, mientras se ocupaban en actos independientes.

Suspiros, suspiros. Era él quien suspiraba, al principio vanamente, sin esperanza alguna. Padecidos en sí mismo como agobio inmotivado. No aludía directamente al esfuerzo que le costaba atar el paquete a su gusto. Ella, la mujer, su esposa, permanecía indiferente. Acaso por eso dejó de suspirar. No suspiraba más, sino que el hombre sudaba. Se le había enredado la cuerda. Dejó de utilizarla y se procuró una nueva tira de ovillo. Calculando la medida aproximada, una vez más cortó con las tijeras el trozo necesario y se dispuso a colocarlo en forma de cruz, cuyo atado más rápido no ofrece dificultades; quiso adaptarlo simétricamente en un doble cruce, con el fin de que el paquete no sufriera percances yendo abierto: que su contenido llegase asegurado a su destinatario. Bien atado, no

---

[2] *escombros*: hipérbole abultada. La mesa podría quedar limpia de *recortes, sobras, restos, desperdicios*, etc. Pero todo el cuento es una exageración bien llevada, predominando en ella lo sutil.

182

había nada que temer. Nadie lo abriría en camino si la cuerda resistía así cruzada con su fuerte nudo. Pues en realidad no se trataba de auténticos impresos, sino de hojas mecanografiadas. Y como tal, el paquete no se admitiría abierto. Cerrado, la cuerda no hubiera hecho falta. Pero yendo como carta le costaría mucho dinero, a causa del peso. Todo envío por correo suscitaba dudas y vacilaciones en él. ¡Cuántas veces su mujer se reía de él viéndole echar una carta en el buzón! Ya lejos del buzón volvía como Lot[3] la cabeza, y su ánimo intranquilo se enajenaba en una óptica delirante: la carta era expulsada violentamente del buzón o bien había sido tragada tan profundamente (como Jonás dentro de la ballena) que nunca más se sabría de su existencia.

No era capaz de envolver el paquete a plena satisfacción, como él quería: seguro, impecable. No podía conciliar sus dedos con el ideal. Entonces, ante su propia incapacidad, pidió a su mujer que le ayudara. Porque ella había sido, durante tres años, vendedora de una tienda de perfumes, y, con anterioridad, vendedora en una librería. Por tanto, ni que decir tiene, que atar un paquete para ella era cosa de coser y cantar.

Suspiró otra vez. Porque manifiestamente ella no respondía a su ruego. Todavía no eran ruegos, sino tímidas demandas, tanto miedo tenía a importunarla. Le hizo ver simplemente que necesitaba su ayuda. Contribuir, y, en un santiamén, si quería, salvar al hombre perdido en tamaño problema, tanto más grande cuanto que resultaba inmediata para otro la solución. Ese otro, ¿no había sido siempre su querida mujer? Una remota esperanza en la ayuda solicitada le dejó inactivo, entre apático y vencido. No la obtuvo.

La mujer suya posee un carácter fuerte, duro, decisivo en todo. Cuando no desea hacer una cosa, ni aun pidiéndosela de rodillas la hace. Ningún conflicto se suscita en su conciencia. Niega, y asunto concluido. Ya hacía tiempo que él —perpetuo solicitador— le llamaba la «Mujer del No». A él le cuesta dolor —y profunda tristeza— pensar que se puede ser así, tan indiferente al sufrimiento ajeno, a la incapacidad de otro, a la inocente y patética necesidad de otro, al auxilio y a la caridad en

---

[3] *como* la mujer de *Lot. (Génesis*, 19, 26.)

suma, sobre todo cuando es evidente la torpeza extrema del otro, cuya meticulosidad, asimismo extrema, empeora la situación.

Intentó una vez más, tres, cuatro veces más disponer el paquete sólo y con la ayuda de Dios únicamente. O por lo menos con la intercesión divina. Se lo pidió en términos rogativos; la mujer le miró fijamente.

—¡Por Dios! ¿Quieres colocar tú la cuerda? ¡Porque yo no atino!

Contestación:

—Sabes muy bien hacerlo tú solo. El otro día vi que envolviste estupendamente otro paquete.

—Sí, sí. Pero cruzando la cuerda por el centro, y eso es más fácil. Mientras que hacer dos cruces... No acabo de comprender la técnica.

Ella dejó de mirarlo y siguió con sus estudios. Era tarde ya; deberían estar durmiendo como la niñita. Pero el silencio se había roto. El aire del cuarto estaba cargado de malestar. El hombre se sentía mal. ¿Estudiaba ella con atención ahora? Parecía que sí. Entonces él se dirigía a ella rotundamente, con rabia acumulada. Exigió de ella que expresara su negativa con un *no* explícito, pues así la cogería en falta, moralmente hablando, más bien para atenerse a lo franco de la negativa.

—¿No quieres?

—No.

Dijo claramente que no. Sin mirarlo, los ojos puestos en el libro abierto. El hombre se sintió desesperado. Se sintió muerto, muerto de fatiga. ¡Todo el santo día ocupado en el paquete! Perdía el tiempo, la vida, y su sueño de nudos, de cumplimientos, su amor perfecto no respondía a la realidad de las cosas. Ya tampoco podría leer antes de acostarse; leer tranquilo pudiendo contemplar el paquete dispuesto sobre la mesa para su envío al día siguiente. Veía la cuerda disponible con ojos borrachos. La maldita cuerda. Y el paquete como esperando...

De pie, no hizo nada al pronto. Se tocó la frente. Por dentro ardía de nervios y de pobreza de amor.

¿Era eso pobreza de amor? Uno de ellos dos, al menos, era pobre. Pero, ¿quién? ¿Quién? ¿Quién? ¡Qué equívoco! ¡Qué incomprensión! ¡Qué miseria!

184

Nerviso, ansioso, impotente, desvalido. No pudo contenerse y, presa de la cólera, empezó a tronar contra su mujer:

—Pisoteas al prójimo con tu conducta negativa. Tener un sí espontáneo en el corazón es ser generoso. Pero basta tener corazón. Tu voluntad frente a mis ruegos es siempre la negación. ¡Eres un monstruo de inhumanidad! ¡Qué monstruo eres! No comprendo que se pueda ser así. Sabes que sufro, que he estado perdiendo una hora con el paquete, que quiero descansar, y nada. Te niegas a ayudarme alegando que yo lo sé hacer tan bien como tú. Si lo supiera hacer, lo haría. Te pido un nudo, sólo un nudo. ¿Por qué rehúsas atar lo que hay que atar? Ni siquiera mi silencio se parecería al tuyo esta noche. Tú estudiabas tan contenta, en tu cama: yo pensaba todo el tiempo en ti, en que hiciéramos juntos el paquete. No te importa nada más que tu vida. Tus cosas. ¡La barrera que nos separa! ¡Qué monstruo! ¡Qué monstruo!

Silencio por parte de la mujer insultada así. ¿Qué pensaría?

De pronto se oyó un llanto en el cuarto. Los gritos del hombre despertaron a la hija.

IGNACIO ALDECOA*

La despedida

A través de los cristales de la puerta del departamento y de la ventana del pasillo, el cinemático[1] paisaje era una superficie en la que no penetraba la mirada; la velocidad hacía simple perspectiva de la hondura. Los amarillos de las tierras paniegas[2], los grises del gredal y el almagre de los campos lineados por el verdor acuoso de las viñas se sucedían monótonos como un traqueteo.

En la siestona tarde de verano, los viajeros apenas intercambiaban desganadamente suspensivos retazos de frases. Daba el sol en la ventanilla del departamento y estaba bajada la cortina de hule.

El son de la marcha desmenuzaba y aglutinaba el tiempo; era un reloj y una salmodia. Los viajeros se contemplaban mutuamente sin curiosidad y el cansino aburrimiento del viaje les ausentaba de su casual relación. Sus movimientos eran casi im-

---

* *Caballo de pica*, Madrid, Taurus, 1961; *Espera de tercera clase*, 1955; *Vísperas del silencio*, 1955; *El corazón y otros frutos amargos*, 1959; *Arqueología*, 1961; *Neutral Córner*, 1962; *Pájaros y espantapájaros*, 1963; *Los pájaros de Baden-Baden*, 1965; *Santa Olaja de Acero y otras historias*, 1968; *La tierra de nadie y otros relatos*, 1970; *Cuentos Completos*, 2 vols., 1973; *Cuentos*, 1976.

[1] *Cinemática:* Parte de la mecánica que estudia el movimiento en sus condiciones de espacio y tiempo, prescindiendo de la idea de fuerza (DA). Creo que es ése, aquí, el sentido de *cinemático;* el espacio y el tiempo se mueven solos, lentísimamente, sin otro impulso.

[2] *tierras paniegas:* sembradas de trigo.

púdicamente familiares, pero en ellos había hermetismo y lejanía.

Cuando fue disminuyendo la velocidad del tren, la joven sentada junto a la ventanilla, en el sentido de la marcha, se levantó y alisó su falda y ajustó su faja con un rápido movimiento de las manos, balanceándose, y después se atusó el pelo de recién despertada, alborotado, mate y espartoso.

—¿Qué estación es ésta, tía? —preguntó.

Uno de los tres hombres del departamento le respondió antes que la mujer sentada frente a ella tuviera tiempo de contestar.

—¿Hay cantina?

—No, señorita. En la próxima.

La joven hizo un mohín, que podía ser de disgusto o simplemente un reflejo de coquetería, porque inmediatamente sonrió al hombre que le había informado. La mujer mayor desaprobó la sonrisa llevándose la mano derecha a su roja, casi cárdena pechuga, y su papada se redondeó al mismo tiempo que sus labios se afinaban y entornaba los párpados de largas y pegoteadas pestañas.

—¿Tiene usted sed? ¿Quiere beber un traguito de vino? —preguntó el hombre.

—Te sofocará —dijo la mujer mayor— y no te quitará la sed.

—¡Quiá!, señora. El vino, a pocos, es bueno[3].

El hombre descolgó su bota del portamaletas y se la ofreció a la joven.

—Tenga cuidado de no mancharse —advirtió.

La mujer mayor revolvió en su bolso y sacó un pañuelo grande como una servilleta.

—Ponte esto —ordenó—. Puedes echar a perder el vestido.

Los tres hombres del departamento contemplaron a la muchacha bebiendo. Los tres sonreían pícara y bobamente; los tres tenían sus manos grandes de campesinos posadas, mineral e insolidariamente, sobre las rodillas. Su expectación era teatral, como si de pronto fuera a ocurrir algo previsto como muy gracioso. Pero nada sucedió y la joven se enjugó una gota que

---

[3] *El vino, a pocos, es bueno:* tomado con moderación es beneficioso.

le corría por la barbilla a punto de precipitarse ladera abajo de su garganta hacia las lindes del verano, marcadas en su pecho por una pálida cenefa ribeteando el escote y contrastando con el tono tabaco de la piel soleada.

Se disponían los hombres a beber con respeto y ceremonia, cuando el traqueteo del tren se hizo más violento y los calderones de las melodías de la marcha más amplios. El dueño de la bota la sostuvo cuidadosamente, como si en ella hubiera vida animal, y la apretó con delicadeza, cariciosamente.

—Ya estamos —dijo.

—¿Cuánto para aquí? —preguntó la mujer mayor.

—Bajarán mercancía y no se sabe. La parada es de tres minutos.

—¡Qué calor! —se quejó la mujer mayor, dándose aire con una revista cinematográfica—. ¡Qué calor y qué asientos! Del tren a la cama...

—Antes era peor —explicó el hombre sentado junto a la puerta—. Antes, los asientos eran de madera y se revenía el pintado. Antes echaba uno hasta la capital cuatro horas largas, si no traía retraso. Antes igual no encontraba usted asiento y tenía que ir en el pasillo con los cestos. Ya han cambiado las cosas, gracias a Dios. Y en la guerra... En la guerra tenía que haber visto usted este tren. A cada legua le daban el parón y todo el mundo abajo. En la guerra...

Se quedó un intante suspenso. Sonaron los frenos del tren y fue como un encontronazo.

—¡Vaya calor! —dijo la mujer mayor.

—Ahora se puede beber —afirmó el hombre de la bota.

—Traiga usted —dijo, suave y rogativamente, el que había hablado de la guerra—. Hay que quitarse el hollín[4]. ¿No quiere usted, señora? —ofreció a la mujer mayor.

—No, gracias. No estoy acostumbrada.

—A esto se acostumbra uno pronto.

La mujer mayor frunció el entrecejo y se dirigió en un susurro a la joven; el susurro coloquial tenía un punto de menosprecio para los hombres del departamento al establecer aquella

---

[4] *Hay que quitarse el hollín:* hay que humedecerse y aclarar del mal aire de carbonilla y pavesas la garganta.

marginal intimidad. Los hombres se habían pasado la bota, habían bebido juntos y se habían vinculado momentáneamente. Hablaban de cómo venía el campo[5] y en sus palabras se traslucía la esperanza. La mujer mayor volvió a darse aire con la revista cinematográfica.

—Ya te lo dije que deberíamos haber traído un poco de fruta —dijo a la joven—. Mira que insistió la Encarna; pero tú, con tus manías...

—En la próxima hay cantina, tía.

—Ya lo he oído.

La pintura de los labios de la mujer mayor se había apagado y extendido fuera del perfil de la boca. Sus brazos no cubrían la ancha mancha de sudor axilar, aureolada del destinte de la blusa.

La joven levantó la cortina de hule. El edificio de la estación era viejo y tenía un abandono triste y cuartelero. En su sucia fachada nacía, como un borbotón de colores, una ventana florida de macetas y de botes con plantas. De los aleros del pardo tejado colgaba un encaje de madera ceniciento, roto y flecoso. A un lado estaban los retretes, y al otro un tingladillo, que servía para almacenar las mercancías. El jefe de estación se paseaba por el andén; dominaba y tutelaba como un gallo, y su quepis[6] rojo era una cresta irritada entre las gorras, las boinas y los pañuelos negros.

El pueblo estaba retirado de la estación a cuatrocientos o quinientos metros. El pueblo era un sarro que manchaba la tierra y se extendía destartalado hasta el leve henchimiento de una colina. La torre de la iglesia —una ruina erguida, una desesperada permanencia— amenazaba al cielo con su muñón. El camino calcinado, vacío, y como inútil hasta el confín de azogue, atropaba[7] las soledades de los campos.

Los ocupantes del departamento volvieron las cabezas. Forcejeaba, jadeante, un hombre en la puerta. El jadeo se intensificó. Dos de los hombres del departamento le ayudaron a pasar la cesta y la maleta de cartón atada con una cuerda. El hombre

---

[5] *de cómo venía el campo:* de cómo sería la próxima cosecha.

[6] *quepis:* gorra de uniforme, ligeramente cónica y con visera horizontal.

[7] *atropar:* juntar, reunir (DA).

se apoyó en el marco y contempló a los viajeros. Tenía una mirada lenta, reflexiva, rastreadora. Sus ojos, húmedos y negros como limacos[8], llegaron hasta su cesta y su maleta, colocadas en la redecilla del portamaletas, y descendieron a los rostros y a la espera, antes de que hablara. Luego se quitó la gorrilla y sacudió con la mano desocupada su blusa.

—Salud les dé Dios —dijo, e hizo una pausa—. Ya no está uno con la edad para andar en viajes.

Pidió permiso para acercarse a la ventanilla y todos encogieron las piernas. La mujer mayor suspiró protestativamente y al acomodarse se estiró buchona.

—Perdone la señora.

Bajo la ventanilla, en el andén, estaba una anciana acurrucada, en desazonada atención. Su rostro era apenas un confuso burilado de arrugas que borroneaba las facciones, unos ojos punzantes y unas aleteadoras manos descarnadas.

—¡María! —gritó el hombre—. Ya está todo en su lugar.

—Siéntate, Juan, siéntate —la mujer voló una mano hasta la frente para arreglarse el pañuelo, para palpar el sudor del sofoco, para domesticar un pensamiento—. Siéntate, hombre.

—No va a salir todavía.

—No te conviene estar de pie.

—Aún puedo. Tú eres la que debías...

—Cuando se vaya...

—En cuanto llegue iré a ver a don Cándido. Si mañana me dan plaza, mejor.

—Que haga lo posible. Dile todo, no dejes de decírselo.

—Bueno, mujer.

—Siéntate, Juan.

—Falta que descarguen. Cuando veas al hijo de Manuel le dices que le diga a su padre que estoy en la ciudad. No le cuentes por qué.

—Ya se enterará.

—Cuídate mucho, María. Come.

—No te preocupes. Ahora, siéntate. Escríbeme con lo que te digan. Ya me leerán la carta.

—Lo haré, lo haré. Ya verás cómo todo saldrá bien.

---

[8] *limaco:* babosa.

El hombre y la mujer se miraron en silencio. La mujer se cubrió el rostro con las manos. Pitó la locomotora. Sonó la campana de la estación. El ruido de los frenos al aflojarse pareció extender el tren, desperezarlo antes de emprender la marcha.

—¡No llores, María! —gritó el hombre—. Todo saldrá bien.

—Siéntate, Juan —dijo la mujer, confundida por sus lágrimas—. Siéntate, Juan —y en los quiebros de su voz había ternura, amor, miedo y soledad.

El tren, se puso en marcha. Las manos de la mujer revoletearon en la despedida. Las arrugas y el llanto habían terminado de borrar las facciones.

—Adiós, María.

Las manos de la mujer respondían al adiós y todo lo demás era reconcentrado silencio. El hombre se volvió. El tren rebasó el tingladillo del almacén y entró en los campos.

—Siéntese aquí, abuelo —dijo el hombre de la bota, levantándose.

La mujer mayor estiró las piernas. La joven bajó la cortina de hule. El hombre que había hablado de la guerra sacó una petaca oscura, grande, hinchada y suave como una ubre.

—Tome usted, abuelo.

La mujer mayor se abanicó de nuevo con la revista cinematográfica y preguntó con inseguridad.

—¿Las cosechas son buenas este año?

El hombre que no había hablado a las mujeres, que solamente había participado de la invitación al vino y de las hablas del campo, miró fijamente al anciano, y su mirada era solidaria y amiga. La joven decidió los prólogos de la intimidad compartida.

—¿Va usted a que le operen?

Entonces el anciano bebió de la bota, aceptó el tabaco y comenzó a contar. Sus palabras acompañaban a los campos.

—La enfermedad..., la labor..., la tierra..., la falta de dinero...; la enfermedad..., la labor..., la tierra...; la enfermedad..., la labor...; la enfermedad... La primera vez, la primera vez que María y yo nos separamos...

Sus años se sucedían monótonos como un traqueteo.

CARMEN MARTÍN GAITE*

La tata

—Anda, Cristina; si no cenas, se va la tata; se va a su pueblo.

—Yo ya acabé, tata. Cojo un plátano, ¿ves? Yo lo pelo. Yo solo.

—¿Ves guapita? ¿Ves tu hermano? Pues tú igual... ¡Am! Así, ¡qué rico! Pero no lo escupas, no se escupe, cochina. Mira, mira lo que hace Luis Alberto. ¡Huy, pela un plátano! Dale un cachito, tonto, dale a la nena. No quiere, ¿le pegamos?... Pero ¿qué haces tú, hombre? No hagas esas porquerías con la cáscara. Venga, Cristina, bonita, otra cucharada, ésta... Que si no, llora la tata... Llora, pobre tata, ayyy, ayyy, ayyy, mira cómo llora.

Con una mano tenía cogida la cuchara y con la otra se tapó los ojos. Se la veía mirar por entre los dedos delgados, casi infantiles. La niña, que hacía fuerza para escurrirse de sus rodillas, se quedó unos segundos estupefacta, vuelta hacia ella y se puso a lloriquear también.

—No comé Titina, no comé. Pupa boca —dijo con voz de mimo.

—Un poquito. Esto sólo. Esto y ya.

—Tata —intervino el hermano—, le duelen las muelas. No

* *Las ataduras*, Barcelona, Destino, 1960; *El balneario*, 1954; *Cuentos Completos*, 1979; *El castillo de las tres murallas*, 1981; *Dos cuentos maravillosos*, 1992.

quiere. Es pequeña, ¿verdad? Yo ya como solo porque soy mayor. ¿Verdad que soy mayor?

—Sí, hijo, muy mayor. Ay, pero, Cristina, no escupas así, te estoy diciendo. Vamos con la niña, cómo lo pone todo. ¡Sucia!, la leche no se escupe. Mira que ponéis unos artes de mesa...[1]. No sé a qué hora vamos a acabar hoy.

Afianzó de nuevo a la niña y corrió el codo, que se le estaba pringando en un poquito de sopa vertida. La siguiente cucharada fue rechazada en el aire de un manotazo, y cayó a regar una fila de cerillas que estaban como soldaditos muertos sobre el hule de cuadros, su caja al lado rota y magullada.

—Qué artes de mesa —volvió a suspirar la tata.

Y al decirlo ella y pasar los ojos por encima del hule mal colocado, todo lo que había encima, la caja, las cerillas, regueros de leche y azúcar, cucharitas manchadas, un frasco de jarabe y su tapón, el osito patas arriba con un ojo fuera, una horquilla caída del pelo de la tata, parecían despojos de batalla.

Luis Alberto se echó a reír, sentado en el suelo de la cocina.

—Huy lo que hace, qué cochina. Espurrea la leche. Tata, yo quiero ver esa caja que tenías ayer. Me dijiste que si cenaba bien me la enseñabas. Esa tan bonita, de la tapa de caracoles.

—No, no; mañana. Ahora a la cama. Ya debías de estar tú en la cama. Y ésta igual. Son mucho más de las nueve. ¿Adónde vas? ¡Luis Alberto! Venga, se acabaron las contemplaciones. Los dos a la cama.

—Voy a buscar la caja. Yo sé dónde la tienes.

—Nada de caja. Venga, venga. A lavar la cara y a dormir.

—Titina no omir —protestó la niña—. Titina pusa.

La tata se levantó con ella en brazos, cogió una bayeta húmeda y la pasó por el hule.

—No has comido nada. Eres mala; viene el hombre del saco y te lleva.

La niña tiraba de ella hacia la ventana.

—No saco. No omir. Pusa petana.

—¿Qué dices, hija, qué quieres? No te entiendo.

---

[1] *Mira que ponéis unos artes de mesa...*: ironía: sobre la mesa todo está amontonado, sucio y en desorden.

194

Luis Alberto había arrimado una banqueta a la ventana abierta y se había subido.

—Quiere oír la música de la casa de abajo —aclaró—. Asomarse a la ventana, ¿ves?, como yo. Porque ve que yo lo hago.

—Niño, que no te vayas a caer.

—Anda, y más me aúpo. Hola, Paquito. Tata, mira Paquito.

—Que te bajes.

—¡Paquito!

En la ventana de enfrente, un piso más abajo, un niño retiró el visillo de lunares y pegó las narices al cristal; empezó a chuparlo y a ponerse bizco. Una mano lo agarró violentamente.

—Esa es su tata —dijo Luis Alberto—. ¿No la conoces tú?

—No.

—Claro, porque eres nueva. Se llama Leo; ya se han ido. Leo tiene mal genio, a Paquito le pega ¿sabes?

Cristina se reía muy contenta. Levantó los brazos y se puso a agitarlos en el aire como si bailara.

—No omir —dijo—. A la calle.

Luego se metió un puño en un ojo y se puso a llorar abrazada contra el hombro de la tata. De todo el patio subía mezclado y espeso un ruido de tenedores batiendo, de llantos de niños y de música de radios, atravesado, de vez en cuando, por el traqueteo del ascensor, que reptaba pegado a la pared, como un encapuchado, y hacía un poco de impresión cuando iba llegando cerca, como ahora, que, sacando la mano, casi se le podía tocar.

—Viene a este piso —dijo Luis Alberto—. ¿Ves? Se para. Yo me bajo y voy a abrir.

—Pero quieto, niño; si no han llamado.

A la tata le sobrecogía ver llegar el ascensor a aquel piso cuando estaban solos, y siempre rezaba un avemaría para que no llamaran allí. Se puso a rezarla mirando para arriba, a un cuadrito de cielo con algunas estrellas, como un techo sobre las otras luces bruscas de las ventanas, y llegaba por lo de «entre todas las mujeres»[2] cuando sonó el timbrazo. El niño había

---

[2] Casi al final de la primera parte del Avemaría: «bendita Tú eres entre todas las mujeres...», etc.

salido corriendo por el pasillo, y ella le fue detrás, sin soltar a la niña, que ya tenía la cabeza pesada de sueño. La iba besando contra su pecho y la apretaba fuerte, con el deseo de ser su madre. «Nadie me iba a hacer daño —pensó por el pasillo— llevando a la niña así. Ningún hombre, por mala entraña que tuviera.» Luis Alberto se empinó para llegar al cerrojo.

—Pero abre, tata —dijo saltando.

—¿Quién es?

Era la portera, que venía con su niña de primera comunión para que la viera la señorita.

—No está la señorita. Cenan fuera, ya no vienen. Que guapa estás. ¿Es la mayorcita de usted?

—La segunda. Primero es el chico. Ese ya la ha tomado, la comunión, pero a las niñas parece que hace más ilusión vestirlas de blanco.

—Ya lo creo. Y tan guapa como está. Pero pasen, aunque no esté la señorita, y se sienten un poco. Quieto, niño, no la toques el traje. Pase.

La portera dio unos pasos con la niña.

—No, si nos vamos. Oye, ¿tenéis cerrado con cerrojo?

—Es que a la tata le da miedo —dijo Luis Alberto.

Ella desvió los ojos hacia la niña, medio adormilada en sus brazos.

—Como a estas horas ya no suele venir nadie —se disculpó—. Pero, siéntese un rato, que le saque unas pastas a la niña. Ésta se me duerme. Mira, mira esa nena, qué guapa. Dile «nena, qué guapa estás», anda, díselo tú. Ya está cansada, llevan una tarde. El día que no está su mamá...

—¿Han salido hace mucho?

—Hará como una hora, cuando vino el señorito de la oficina. Ella ya estaba arreglada y se fueron.

—Claro —dijo la portera—, yo no estaba abajo, por eso no los he visto salir. He ido con ésta a casa de unos tíos, a Cuatro Caminos[3], y antes a hacerla las fotos. No sé qué tal quedará, es tonta, se ha reído.

---

[3] *Cuatro Caminos:* barrio de Madrid de mayoría proletaria hasta los años 60, aproximadamente.

La niña de la portera miraba a las paredes con un gesto de cansancio. Se apoyó en el perchero.

—Loli, no te arrimes ahí. Ya está más sobada. No se puede ir con ellos a ninguna parte. Ponte bien.

—Loli, pareces una mosquita en leche —dijo Luis Alberto.

La niña se puso a darle vueltas al rosario, sin soltar el libro de misa nacarado. Cuando la tata se metió y trajo un plato con pastas, las miró con ojos inertes.

—Coge esa, Loli —le dijo el niño—. Esa de la guinda. Son las más buenas.

—Mamá, ¿me quito los guantes?

—Sí, ven, yo te los quito. Pero no comas más que una. ¿Cómo se dice?

—Muchas gracias —musitó Loli.

—Qué mona —se entusiasmó la tata—. Está monísima. A mí me encantan las niñas de primera comunión. La señorita lo va a sentir no verla.

—Sí, mujer, se lo dices que he venido.

—Claro que se lo diré.

—Cuando la comunión del otro mayor me dio cincuenta pesetas. No es que lo haga por eso, pero por lo menos si entre lo de unos y otros saco para el traje.

—Claro, mujer; ya ve, cincuenta pesetas.

Cristina se había despabilado y se quiso bajar de los brazos. Se fue, frotándose los ojos, adonde estaban los otros niños.

—Sí, son muy buenos estos señores —siguió la portera—. A ti, ¿qué tal te va?

—Bien. Esta mañana me ha reñido ella. Saca mucho genio algunas veces, sobre todo hoy se ha puesto como loca.

—Eso decía Antonia, la que se fue. Se fue por contestarla. A esta señorita lo que no se la puede es contestar.

—No, yo no la he contestado, desde luego, pero me he dado un sofocón a llorar. Ya ve, porque tardé en venir de la compra. Cómo no iba a tardar si fui yo la primera que vi a ese hombrito que se ha muerto ahí, sentado en un banco del paseo... Esta mañana... ¿No lo sabe?

—¿Uno del asilo? Lo he oído decir en el bar. ¿Y dónde estaba? ¿Lo viste tú?

—Claro, ¿no se lo estoy diciendo?, al salir de la carnicería.

Iba yo con el niño, que eso es lo que le ha molestado más a ella, que me acercara yendo con el niño; dice que un niño de esta edad no tiene que ver con un muerto, ni siquiera saber nada de eso, que pierden la inocencia; pero yo, ¿qué iba a hacer?, si fue el mismo niño el que me llamó la atención. Se pone, «tata, mira ese hombre, se le cae el cigarro, ¿se lo cojo?» Miro, y en ese momento estaba el hombrito sentado en un banco de esos de piedra del paseo, de gris él, con gorra, y veo que se le cae la cabeza y había soltado el cigarro de los dedos. Se quedó con la barbilla hincada en el pecho, sin vérsele la cara, y, claro, yo me acerqué y le dije que qué le pasaba, a lo primero pensando que se mareaba o algo... Mire usted, la carne se me pone de gallina cuando lo vuelvo a contar.

La tata se levantó un poco la manga de la rebeca y mostró a la portera el vello erizado, sobre los puntitos abultados de la piel.

—¿Y estaba muerto?

—Claro, pero hasta que me di cuenta, fíjese; llamándolo, tocándolo, yo sola allí con él. Se acababa de morir en aquel mismo momento que le digo, cuando lo vio el niño. Luego ya vino otro señor, y más gente que paseaba, y menos mal, pero yo me quedé hasta que vinieron los del Juzgado a tomar declaración, porque era la primera que lo había visto. Dice la señorita que por qué no la llamé por teléfono. Ya ve usted, no me acordaba de la señorita ni de nada, con la impresión. El pobre. Luego, cuando le levantaron la cabeza, me daba pena verlo, más bueno parecía. Todo amoratadito.

La niña de la portera se había sentado en una silla. Durante la narración, Luis Alberto había traído del comedor una caja de bombones, eximiéndose de la obligación de pedir permiso, en vista de lo abismadas en el relato que estaban las dos mujeres. La niña de la portera cogió uno gordo, que era de licor, y se le cayó un reguero por toda la pechera del vestido.

—Mamá —llamó con voz de angustia, levantándose.

—¿Qué pasa, hija?, ya nos vamos. Pues, mujer, no sabía yo eso, vaya un susto que te habrás llevado.

—Fíjese, y luego, la riña...

—Mamá...

—Hay que tener mucha paciencia, desde luego... ¿Qué quieres, hija?, no seas pelma.

—Mamá, mira, es que me he manchado el vestido un poquito.

Y Loli se lo miraba, sin atreverse a sacudírselo, con las manos pringadas de bombón. Quiso secárselas en los tirabuzones.

—Pero, ¿qué haces? ¿Con qué te has manchado? ¡Ay, Dios mío, dice que un poquito, te voy a dar así, idiota!

Loli se echó a llorar.

—Mujer, no la pegue usted.

—No la voy a pegar, no la voy a pegar[4]. Dice que un poquito. ¿Tú has visto cómo se ha puesto? Estropeado el traje, para tirarlo. Si no mirara el día que es, la hinchaba la cara. Venga, para casa.

—Yo no sabía que era de jarabe.

—No sabías, y lo dice tan fresca. Vamos, es que no te quiero ni mirar; te mataba. ¡Qué asco de críos, chica! Yo no sé cómo tenéis humor de meteros a servir, también vosotras.

—Pobrecita, no la haga llorar más, que ha sido sin querer.

—Es una mema, es lo que es. Una bocazas. Venga, no llores más ahora, que te doy. Hala. Bueno, chica, nos bajamos.

—Adiós, y no se ponga así, señora Dolores, que eso se quita. Adiós, guapita, dame un beso tú. Que ahora ya tienes que ser muy buena. Pobrecita, cómo llora. ¿Verdad que vas a ser muy buena?

—Sí, buena —gruñó la portera—, ni con cloroformo.

—Que sí, mujer. Ahora ya lo que hace falta es que la vea usted bien casada.

—Eso es lo que hace falta. Bueno, adiós, hija.

Luis Alberto y Cristina se querían bajar por la escalera.

—Yo no quiero que se vaya la Loli —dijo el niño—. Yo me bajo con ella.

—Anda, anda, ven acá. Tú te estás aquí. Venir acá los dos. Adiós, señora Dolores.

—Yo me bajo con la Loli.

Ya con la puerta cerrada, armaron una perra terrible, y Luis Alberto se puso a pegarle a la tata patadas y mordiscos y a llamarla asquerosa. Eran más de las diez cuando los pudo meter

---

[4] *No la voy a pegar, no la voy a pegar:* (cómo) no la voy a pegar, (cómo) no la voy a pegar.

en la cama. Cristina ya se había dormido, y el niño seguía queriendo que se quedara la tata allí con él porque se empezó a acordar del hombre de por la mañana y le daba miedo. A la tata también le daba un poco.

—¿Por qué dice mamá que no lo tenía que haber visto yo? ¿Porque estaba muerto?

—Venga; no hables de ese hombre. Si no estaba muerto.

—Huy que no... ¿Y por qué tenía la cara como si fuera de goma?

—Anda, duérmete.

—Pues cuéntame un cuento.

—Si yo no sé cuentos.

—Sí sabes, como aquél de ayer, de ese chico Roque.

—Eso no son cuentos, son cosas de mi pueblo.

—Pues eso, cosas de tu pueblo. Lo de los lobos que decías ayer.

—Nada, que en invierno bajan lobos.

—¿De dónde bajan?

—No hables tan alto. Tu hermana ya se ha dormido.

—Bueno, di, ¿de dónde bajan?

—No sé, de la montaña. Un día que nevó vi yo uno de lejos, viniendo con mi hermano, y él se echó a llorar, ¡cuánto corrimos!

—¿Es muy mayor tu hermano?

—No, es más pequeño que yo.

—Pero, ¿cómo de pequeño?

—Ahora tiene catorce años.

—Anda, cuánto, es mucho. ¿Y por qué lloraba si es mayor?

—Pues no sé, entonces era chico. Que te duermas.

—Anda, di lo del lobo. ¿Y cómo era el lobo?

Llamaron al teléfono.

—Espera, calla, ahora vengo —saltó la tata sobrecogida.

—No, no te vayas, que luego no vuelves.

—Sí vuelvo, guapo, de verdad. Dejo la puerta abierta y doy la luz del pasillo.

El teléfono estaba en el cuarto del fondo. Todavía no sabía muy bien las luces, y, cuando iba apurada, como ahora, se tropezaba con las esquinas de los muebles. Descolgó a oscuras el

200

auricular, porque lo que la ponía más nerviosa es que siguiera
sonando. El corazón le pegaba golpes.

—¿Quién es?

—Soy yo, la señorita. ¿Es Ascensión?

—Asunción.

—Es verdad, Asunción, siempre me confundo. ¿Cómo tardaba tanto en ponerse?

—Estaba con el niño, contándole cuentos.

—¿No se han dormido todavía? Pero ¿cómo les acuesta tan
tarde, mujer, por Dios?

—Es que no se quieren ir a la cama, y yo no sé qué hacer
con ellos cuando se ponen así, señorita. No les voy a pegar. La
niña casi no ha querido cenar nada.

—¿Ha llamado alguien?

—No, nadie, usted ahora, y antes una equivocación.

—¿Qué dices, Pablo? No te entiendo. Espere.

Venía por el teléfono un rumor de risas y de música.

—No, nada, que preguntaba el señorito que si había llamado su hermano, pero ya dice usted que no.

—No sé, un rato he estado con la puerta de la cocina cerrada, para que no se saliera el olor del aceite, pero creo que lo
habría oído, siempre estoy escuchando...

—Bueno, pues nada más. No se olvide de recoger los toldos
de la terraza, que está la noche como de tormenta.

—No, no; ahora los recojo.

—Y al niño, déjelo, que ya se dormirá solo.

—¿Y si llora?

—Pues nada, que llore. Lo deja usted. Bueno, hasta mañana. Que cierre bien el gas.

—Descuide, señorita. Adiós. ¡Ah!, antes ha venido la portera con la niña de primera comunión, dijo... señorita...

Nada, ya había colgado. Yéndose la voz tan bruscamente
del otro lado del hilo y con la habitación a oscuras, volvía a tener miedo. Se levantó a buscar el interruptor y le dio la vuelta.
Estaban los libros colocados en sus estantes, los pañitos estira-
dos y aquel cuadro de ángeles delgaduchos. Todo en orden.
Olía raro. Todavía daba más miedo con la luz.

Salió a la terraza y se estuvo un rato allí mirando a la calle.
Hacía un aire muy bueno. No pasaba casi gente, porque era la

hora de cenar, pero consolaba mucho mirar las otras terrazas de las casas, y bajo los anuncios verdes y rojos de una plaza cercana, los autobuses que pasaban encendidos, las puertas de los cafés. En un balcón, al otro lado de la calle, había un chico fumando, y detrás, dentro de la habitación, tenían una lámpara colorada. La tata apoyó la cara en las manos y le daba gusto y sueño mirar a aquel chico. Hasta que su brazo se le durmió y notó que tenía frío. Recogió los toldos, que descubrieron arriba algunas estrellas tapadas a rachas por nubes oscuras y ligeras, y el chirrido de las argollas, resbalando al tirar ella de la cuerda, era un ruido agradable, de faena marinera.

Se metió con ganas de cantar a la casa, silenciosa y ahogada, y pasó de puntillas por delante del cuarto de los niños. Ya no se les oía. Tuvo un bostezo largo y se paró para gozarlo bien.

El sueño le venía cayendo vertical y fulminante a la tata, como un alud, y ya desde ese momento sólo pensó en la cama; los pies y la espalda se la pedían. Era una llamada urgente. Cenó de prisa, recogió los últimos cacharros y sacó el cubo de la basura. Luego el gas, las luces, las puertas.

Cuando se metió en su cuarto y se empezó a desnudar, habían remitido los ruidos del patio y muchas ventanas ya no tenían luz. Unas sábanas tendidas de parte a parte se movían un poco en lo oscuro, como fantasmas.

MEDARDO FRAILE*

La trampa[1]

—¿A dónde vas?

—No sé.

De doce de la noche a ocho de la mañana se duerme. De ocho de la mañana a doce de la noche, no.

—¿A dónde vas?

—¡Yo qué sé!

Hay tres caminos. Llevan a tres sitios, los mismos siempre. ¿Y entre ellos? ¿Y si fuera por entre dos de ellos? Iría también a sitios conocidos, siempre los mismos. Porque esto es conocido. Porque nada se mueve. Porque somos así. Porque estamos en el mapa y en el padrón y nos busca el tren, el coche de línea, el correo, el teléfono, los amigos, la familia, y nos encierra la calle, la habitación, la puerta. La ventana mira siempre al mismo sitio. ¿Y si un día mirase a otro sitio? No lo hará.

Hay veces en que a las cuatro de la tarde o a las siete tengo un sueño de losa. Pero a esa hora no se duerme y yo no duermo. Hay veces en que a las cuatro de la mañana, o a las cinco, tengo los ojos abiertos y la cabeza clara como una estrella. Y

* *Descubridor de nada y otros cuentos*, Madrid, Prensa Española, 1970; *Cuentos con algún amor*, 1954; *A la luz cambian las cosas*, 1959; *Cuentos de Verdad*, 1964; *Con los días contados*, 1972; *Ejemplario*, 1979; *El gallo puesto en hora*, 1987; *Santa Engracia, número dos o tres*, 1989; *El rey y el país con granos*, 1991; *Cuentos Completos*, 1991.

[1] Fue mi último cuento «de Posguerra»; el primero que escribí a poco de llegar a Southampton (1964), una noche de insomnio, después de haber bebido dos copas de vino —¿español?— con estudiantes ingleses.

quiero dormirme. Y no puedo. Y mi mujer duerme. Y mis hijos. Porque el brasero y yo somos iguales; tarda en enfriarse. Noto en mi cabeza las brasas, las últimas brasas de la madrugada, en las que, a veces, cae una idea, cualquiera, y las reaviva dolorosamente, con algo funeral, como puñado de espliego[2].

¿Por qué no he podido comer hoy a la hora de comer?

—¿A dónde vas a estas horas?

Estas horas son siempre para otra cosa, lo sé. A veces huele a comida en las calles, o a cocina recién encendida, o a mula adormilada y caliente, o los campos y las estrellas empiezan a echar el vaho. ¿Y si ahora saliera y no viera a Mateo, no le viera nunca más y no se hubiera muerto?

—Acuéstate.

—No puedo...

—Levántate.

—Más tarde...

El otro día hubiera dado cualquier cosa por pasar a la otra habitación por otro sitio. Quise hacerlo y no pude. Empujé y no pude. Di puñetazos y voces y no pude. Estuve a punto de ir por la piqueta.

Al filo de una madrugada estrangulé al gallo. Le echaron de menos porque no cantó. Aunque los vecinos[3] cantaron como todos los días.

No quiero cerrar nada por las noches, ni las ventanas, ni las puertas, ni el corral, ni la cuadra. No quiero dejar de ver el sol por las noches. Y lo veo. ¿Cómo se explica que nadie en absoluto, nadie, salga a la calle de noche? Si quiero fumarme ahora un cigarro con Felipe, ¿lo puedo hacer?

A veces me voy a trabajar a las tantas, aunque no tenga trabajo pendiente. Luego, a lo mejor, no hago nada; un monigote de hierro sin pies ni cabeza. Pero entre golpe y golpe me empapo de silencio; un baño, como si me diera un baño. Y hasta las tías del Ejido[4] están dormidas; las tías del Ejido, con sus

---

[2] *espliego:* lavanda, lavándula, alhucema, semilla de esta planta que se emplea como sahumerio. En Andalucía era frecuente echar un puñadito en los braseros una o dos veces al día.

[3] *los* (gallos) *vecinos.*

[4] *las tías:* las rameras. *Ejido:* campo común de todos los vecinos de un pue-

nalgas gordas, lustrosas, bien magreadas. Si quisiera... Pero también tengo mi cama y mi mujer, que esperan. ¿Y si no quiero esa cama?

¿Por qué no puede haber gente bailando de noche? ¿Es imposible? ¿No puede haber charanga?

—Acuéstate. O pasea un poco si no puedes dormirte.

Sí, eso. Pero ¿adónde? No a caer en la trampa; no a coger la calle. Por la izquierda, a la plaza, lo sé; por la derecha, a la iglesia, al campo, al cementerio. No; no cojo la calle, ni los caminos, ni la puerta, ni miro por la ventana, ni puedo dormir de noche, ni comer a las horas de comer, ni reírme cuando los demás y, a veces, cuando ríen, noto como una espuma rebosadora, escociente que me sale a los ojos.

Ha habido noche que he cogido la vereda de los bardales que nadie la sabe. Y otra que fui pisando luna. Y también es muy bueno meterse en el río y seguir adelante, como si nada.

Siempre que voy a salir me acecha la trampa: la enorme, peligrosa zanja del día, llena de pequeñas zanjas, y la zanja más libre de la noche, que es como un narcótico.

Me levanto y miro y remiro el reloj, la primera trampa, y me apresuro y me angustio porque una varilla negra se acerca a las ocho o a las nueve y yo tengo que salir, quiera o no quiera, cinco minutos antes. Y el reloj es como un memo inhumano al que hubieran coronado rey. Salgo y me cruzo con Nicolás y voy a decirle «¡buenos días!», pero no; sólo caigo la mitad en la trampa y le digo «¡buenas noches!», y él, que está en la trampa desde que nació, me mira con un gesto de extrañeza, o se ríe porque se cree que no es de noche, y nadie le metería en la cabeza que otros ahora en el mundo están durmiendo, o que yo estoy fuera de todo eso, y no admito la acera, ni el camino más corto, y voy pisando raya por pisar medalla[5]. Y que un día ayudo al cura, y otro soy recovero, y otro no hago nada, y el domingo no se oyen en el pueblo más martillazos que los míos, aunque todos los días, todos, sea herrero, el herrero. Y,

blo, lindante con él, que no se labra, y donde suelen reunirse los ganados o establecerse las eras (DA). Y los prostíbulos.

[5] juego de niños. Procuran no pisar las junturas de las losas, porque «el que pisa raya, pisa medalla»; pisar una medalla es «pecado» o falta.

a veces, salgo por la ventana y no por la puerta, y a veces por las bardas del corral que dan al de Goyo, que está casado, y si me ve, sólo puede pensar una cosa: que voy por su mujer. Y se equivoca, que no voy por su mujer.

A veces me gustaría ser carcoma; a veces, murciélago.

—Tienes que descansar.

No. No puedo. Y a la tarde, cuando me siento a la puerta en una silla al revés, la gente cree que estoy allí, como todos, pero no estoy allí; tengo siempre un resquemor y una deuda conmigo mismo y siempre estoy entrampado con el orden.

Ahora estoy rendido y no quisiera irme, pero algo duro, y áspero, y fuerte, me empuja a hacerlo, y aunque grite «¡déjame!, ¡déjame!», sé que estoy yéndome. Y estoy cansado, muy cansado, molido. Porque el hombre está hecho para la trampa; porque lo fácil, lo cómodo, es la trampa, y está tan bien hecha que me falta cabeza y coraje para salir de ella.

Un día me escaparé de verdad, quizá por los tejados. El día que no sepa dónde voy, ni piense, ni sienta. Ahora estoy probando. Y entonces que me vengan a decir a mí que no hay más que el día y la noche, que no hay más que esas horas para hacer eso, que no hay otros caminos...

Ana María Matute*

La felicidad

Cuando llegó al pueblo, en el auto de línea, era ya anochecido. El regatón de la cuneta brillaba como espolvoreado de estrellas diminutas. Los árboles, desnudos y negros, crecían hacia un cielo gris azulado, transparente.

El auto de línea paraba justamente frente al cuartel de la Guardia Civil. Las puertas y ventanas estaban cerradas. Hacía frío. Solamente una bombilla, sobre la inscripción de la puerta, emanaba un leve resplandor. Un grupo de mujeres, el cartero y un guardia, esperaban la llegada del correo. Al descender notó crujir la escarcha bajo sus zapatos. El frío mordiente se le pegó a la cara.

Mientras bajaban su maleta de la baca, se le acercó un hombre.

—¿Es usted don Lorenzo, el nuevo médico? —le dijo.

Asintió.

—Yo, Atilano Ruigómez, alguacil, para servirle.

Le cogió la maleta y echaron a andar hacia las primeras casas de la aldea. El azul de la noche naciente empapaba las paredes, las piedras, los arracimados tejadillos. Detrás de la aldea se

* *Historias de la Artámila*, Barcelona, Destino, 1961; *Los niños tontos*, 1956; *El tiempo*, 1956; *El país de la pizarra*, 1956; *Paulina*, 1960; *El arrepentido*, 1961; *Tres y un sueño*, 1961; *Libro de juegos para los niños de los otros*, 1961; *Caballito loco*, 1961; *El saltamontes verde*, 1961; *El río*, 1963; *Algunos muchachos*, 1968; *La torre vigía*, 1971; *Carnavalito*, 1972; *El aprendiz*, 1972; *El polizón de Ulises*, 1981.

alargaba la llanura, levemente ondulada, con pequeñas luces zigzagueando en la lejanía. A la derecha, la sombra oscura de unos pinares. Atilano Ruigómez iba con paso rápido, junto a él.

—He de decirle una cosa, don Lorenzo.

—Usted dirá.

—Ya le hablarían a usted de lo mal que andaba la cuestión del alojamiento. Y sabe que en este pueblo, por no haber, ni posada hay.

—Pero, a mí me dijeron...

—¡Sí, le dirían! Mire usted: nadie quiere alojar a nadie en casa, ni en tratándose del médico[1]. Ya sabe: andan malos tiempos. Dicen todos por aquí que no se pueden comprometer a dar de comer... Nosotros nos arreglamos con cualquier cosa: un trozo de cecina[2], unas patatas... Las mujeres van al trabajo, como nosotros. Y en el invierno no faltan ratos malos para ellas. Nunca se están de vacío[3]. Pues eso es: no pueden andarse preparando guisos y comidas para uno que sea de compromiso[4]. Ya ni cocinar deben saber... Disculpe usted, don Lorenzo. La vida se ha puesto así.

—Bien, pero en alguna parte he de vivir...

—¡En la calle no se va usted a quedar! Los que se avinieron a tenerle en un principio, se volvieron atrás, a última hora. Pero ya se andará...

Lorenzo se paró consternado. Atilano Ruigómez, el alguacil del Ayuntamiento, se volvió a mirarle. ¡Qué joven le pareció, de pronto, allí, en las primeras piedras de la aldea, con sus ojos redondos de gorrión, el pelo rizado y las manos en los bolsillos del gabán raído!

—No se me altere... Usted no se queda en la calle. Pero he de decirle: de momento, sólo una mujer puede alojarle. Y quiero advertirle, don Lorenzo: es una pobre loca.

—¿Loca...?

—Sí, pero inofensiva. No se apure. Lo único, que es mejor

---

[1] uso de *en* con gerundio está hoy relegado a zonas rurales.

[2] *cecina*: carne salada, enjuta y seca al aire, al sol o al humo (DA).

[3] *nunca se están de vacío*: siempre tienen algo que hacer.

[4] *de compromiso*: en este caso, alguien no habitual ni de la familia.

advertirle, para que no le choquen a usted las cosas que le diga... Por lo demás, es limpia, pacífica y muy arreglada.

—Pero loca... ¿qué clase de loca?

—Nada de importancia, don Lorenzo. Es que... ¿sabe? Se le ponen «humos»[5] dentro de la cabeza, y dice despropósitos. Por lo demás, ya le digo: es de buen trato. Y como sólo será por dos o tres días, hasta que se le encuentre mejor acomodo... ¡No se iba usted a quedar en la calle, con una noche así, como se prepara!

La casa estaba al final de una callecita empinada. Una casa muy pequeña, con un balconcillo de madera quemada por el sol y la nieve. Abajo estaba la cuadra, vacía. La mujer bajó a abrir la puerta, con un candil de petróleo en la mano. Era menuda, de unos cuarenta y tantos años. Tenía el rostro ancho y apacible, con los cabellos ocultos bajo un pañuelo anudado a la nuca.

—Bienvenido a esta casa —le dijo. Su ronrisa era dulce.

La mujer se llamaba Filomena. Arriba, junto a los leños encendidos, le había preparado la mesa. Todo era pobre, limpio, cuidado. Las paredes de la cocina habían sido cuidadosamente enjalbegadas y las llamas prendían rojos resplandores a los cobres de los pucheros y a los cacharros de loza amarilla.

—Usted dormirá en el cuarto de mi hijo —explicó, con su voz un tanto apagada—. Mi hijo ahora está en la ciudad. ¡Ya verá como es un cuarto muy bonito!

Él sonrió. Le daba un poco de lástima, una piedad extraña, aquella mujer menuda, de movimientos rápidos, ágiles.

El cuarto era pequeño, con una cama de hierro negra, cubierta con colcha roja, de largos flecos. El suelo, de madera, se notaba fregado y frotado con estropajo. Olía a lejía y a cal. Sobre la cómoda brillaba un espejo, con tres rosas de papel prendidas en un ángulo.

La mujer cruzó las manos sobre el pecho:

—Aquí duerme mi Manolo —dijo—. ¡Ya se puede usted figurar cómo cuido yo este cuarto!

—¿Cuántos años tiene su hijo? —preguntó, por decir algo, mientras se despojaba del abrigo.

---

[5] *humos:* aquí, imaginaciones, fantasías.

—Trece cumplirá para el agosto. ¡Pero es más listo! ¡Y con unos ojos...!

Lorenzo sonrió. La mujer se ruborizó:

—Perdone, ya me figuro: son las tonterías que digo... ¡Es que no tengo más que a mi Manuel en el mundo! Ya ve usted: mi pobre marido se murió cuando el niño tenía dos meses. Desde entonces...

Se encogió de hombros y suspiró. Sus ojos, de un azul muy pálido, se cubrieron de una tristeza suave, lejana. Luego, se volvió rápidamente hacia el pasillo:

—Perdone, ¿le sirvo ya la cena?

—Sí, enseguida voy.

Cuando entró de nuevo en la cocina la mujer le sirvió un plato de sopa, que tomó con apetito. Estaba buena.

—Tengo vino... —dijo ella, con timidez—. Si usted quiere... Lo guardo, siempre, para cuando viene a verme mi Manuel.

—¿Qué hace su Manuel? —preguntó él.

Empezaba a sentirse lleno de una paz extraña, allí, en aquella casa. Siempre anduvo de un lado para otro, en pensiones malolientes, en barrios tristes y cerrados por altas paredes grises. Allá afuera, en cambio, estaba la tierra: la tierra hermosa y grande, de la que procedía. Aquella mujer —¿loca? ¿qué clase de locura sería la suya?— también tenía algo de la tierra, en sus manos anchas y morenas, en sus ojos largos, llenos de paz.

—Está de aprendiz de zapatero, con unos tíos. ¡Y que es más avisado![6] Verá qué par de zapatos me hizo para la Navidad pasada. Ni a estrenarlos me atrevo.

Volvió con el vino y una caja de cartón. Le sirvió el vino despacio, con gesto comedido de mujer que cuida y ahorra las buenas cosas. Luego abrió la caja, que despidió un olor de cuero y almendras amargas.

—Ya ve usted, mi Manolo...

Eran unos zapatos sencillos, nuevos, de ante gris.

—Muy bonitos.

—No hay cosa en el mundo como un hijo —dijo Filomena, guardando los zapatos en la caja—. Ya le digo yo: no hay cosa igual.

---

[6] *avisado*: prudente, discreto, sagaz (DA).

Fue a servirle la carne y se sentó luego junto al fuego. Cruzó los brazos sobre las rodillas. Sus manos reposaban y Lorenzo pensó que una paz extraña, inaprensible, se desprendía de aquellas palmas endurecidas.

—Ya ve usted —dijo Filomena, mirando hacia la lumbre—. No tendría yo, según todos dicen, motivos para alegrarme mucho. Apenas casada quedé viuda. Mi marido era jornalero, y yo ningún bien tenía. Sólo trabajando, trabajando, saqué adelante la vida. Pues ya ve: sólo porque le tenía a él, a mi hijo, he sido muy feliz. Sí, señor: muy feliz. Verle a él crecer, ver sus primeros pasos, oírle cuando empezaba a hablar... ¿no va a trabajar una mujer, hasta reventar, sólo por eso? Pues, ¿y cuando aprendió las letras, casi de un tirón? ¡Y qué alto, qué espigado me salió! Ya ve usted: por ahí dicen que estoy loca. Loca porque le he quitado del campo y le he mandado a aprender un oficio. Porque no quiero que sea un hombre quemado por la tierra, como fue su pobre padre. Loca me dicen, sabe usted, porque no me doy reposo, sólo con una idea: mandarle a mi Manuel dinero para pagarse la pensión en casa de los tíos, para comprarse trajes y libros. ¡Es tan aficionado a las letras! ¡Y tan presumido! ¿Sabe usted? Al quincallero le compré dos libros con láminas de colores, para enviárselos. Ya le enseñaré luego... Yo no sé de letras, pero deben ser buenos. ¡A mi Manuel le gustarán! ¡Él sacaba las mejores notas en la escuela! Viene a verme, a veces. Estuvo por Pascua y volverá para la Nochebuena.

Lorenzo escuchaba en silencio, y la miraba. La mujer, junto al fuego, parecía nimbada de una claridad grande. Como el resplandor que emana a veces de la tierra, en la lejanía, junto al horizonte. El gran silencio, el apretado silencio de la tierra, estaban en la voz de la mujer. «Se está bien aquí —pensó—. No creo que me vaya de aquí.»

La mujer se levantó y retiró los platos.

—Ya le conocerá usted, cuando venga para la Navidad.

—Me gustará mucho conocerle —dijo Lorenzo—. De verdad que me gustará.

—Loca, me llaman —dijo la mujer. Y en su sonrisa le pareció que vivía toda la sabiduría de la tierra, también—. Loca, porque ni visto ni calzo, ni un lujo me doy. Pero no saben que no es sacrificio. Es egoísmo, sólo egoísmo. Pues, ¿no es para mí todo lo que le dé a él? ¿No es él más que yo misma? ¡No entienden esto por el pueblo! ¡Ay, no entienden esto, ni los hombres, ni las mujeres!

—Locos son los otros —dijo Lorenzo, ganado por aquella voz—. Locos los demás.

Se levantó. La mujer se quedó mirando el fuego, como ensoñada.

Cuando se acostó en la cama de Manuel, bajo las sábanas ásperas, como aún no estrenadas, le pareció que la felicidad —ancha, lejana, vaga— rozaba todos los rincones de aquella casa, impregnándole a él, también, como una música.

A la mañana siguiente, a eso de las ocho, Filomena llamó tímidamente a su puerta:

—Don Lorenzo, el alguacil viene a buscarle...

Se echó el abrigo por los hombros y abrió la puerta. Atilano estaba allí, con la gorra en la mano:

—Buenos días, don Lorenzo. Ya está arreglado... Juana, la de los Guadarramas[7], le tendrá a usted. Ya verá cómo se encuentra a gusto.

Le interrumpió, con sequedad:

—No quiero ir a ningún lado. Estoy bien aquí.

Atilano miró hacia la cocina. Se oían ruidos de cacharros. La mujer preparaba el desayuno.

—¿Aquí?

Lorenzo sintió una irritación pueril.

—¡Esa mujer no está loca! —dijo—. Es una madre, una buena mujer. No está loca una mujer que vive porque su hijo vive..., sólo porque tiene un hijo, tan llena de felicidad...

Atilano miró al suelo con una gran tristeza. Levantó un dedo, sentencioso, y dijo:

—No tiene ningún hijo, don Lorenzo. Se le murió de meningitis, hace lo menos cuatro años.

---

[7] *Juana, la de los Guadarramas,* la de la familia de los Guadarrama o la de los apodados Guadarramas.

Alfonso Sastre*

Nagasaki

Me llamo Yanajido. Trabajo en Nagasaki y había venido a ver a mis padres en Hiroshima[1]. Ahora, ellos han muerto. Yo sufro mucho por esta pérdida y también por mis horribles quemaduras. Ya sólo deseo volver a Nagasaki con mi mujer y con mis hijos.

Dada la confusión de estos momentos, no creo que pueda llegar a Nagasaki enseguida, como sería mi deseo; pero sea como sea, yo camino hacia allá.

No quisiera morir en el camino. ¡Ojalá llegue a tiempo de abrazarlos!

---

* *Las Noches Lúgubres,* Madrid, Horizonte, 1964.

[1] Como es bien sabido —y comienza a olvidarse—, se arrojó la primera bomba atómica sobre Hiroshima el 6 de agosto de 1945 a las 8,15 de una soleada mañana de verano, y la segunda bomba cayó, tres días más tarde, en Nagasaki... Su horror hizo escribir a Alfonso Sastre muy poco después una de sus primeras obras, *Uranio 235,* estrenada en el teatro Infanta Beatriz, de Madrid, el 11 de abril de 1946 por *Arte Nuevo.*

La Santa Hermandad

Cuando me capturaron los cuadrilleros de la Santa Hermandad[1], yo no sabía de qué se trataba, y supuse que el error se aclararía pronto; pero no me escucharon. Por lo visto, se trataba de algo más grave que un puro asunto civil. (Aunque éstos, a veces, también presentan cierta gravedad, pues, como se sabe, los cuadrilleros de la Santa Hermandad están facultados no sólo para detener, sino también para juzgar y ejecutar las sentencias, las cuales, caso de ser de muerte, se realizan atando a un árbol al reo y acribillándole a saetazos hasta que muere.) El hecho es que los cuadrilleros, en este caso, cumplían, excepcionalmente, órdenes emanantes de otra organización, encargada ésta de velar por la pureza dogmática; me refiero a la Santa Inquisición (S. I.), por cuyos oficios siento un profundo respeto como cristiano viejo que soy y obediente y respetuoso con el dogma[2].

---

[1] Hubo una *Santa Hermandad* anterior a la más conocida de los Reyes Católicos. Existió en la minoría de edad de Alfonso VIII, organizada por los vecinos de Toledo y Talavera para defenderse de los Castros y los Laras, y también de los forajidos que, al amparo de los bandos políticos, abundaban en esa comarca. Los Reyes Católicos la reglamentaron y convirtieron en institución social de carácter permanente (1476) para garantizar la seguridad personal y limpiar los caminos de malhechores, y prestó sus servicios en cuadrillas o grupos de cuatro hombres, por lo que se les conocía por *cuadrilleros*. Una de las Ordenanzas decía: «Que el malhechor reciba los sacramentos que pudiese recibir como católico cristiano, é que muera lo más prestamente que se pueda.» El organizador fue el asturiano Alonso de Quintanilla, Contador de los Reyes Católicos. Con el tiempo, degeneró tanto esa milicia, que Cervantes le hizo exclamar a don Quijote: «¿Cuadrilleros? ¡Ladrones en cuadrilla!»

[2] El *Tribunal de la Fe, Inquisición* o *Santo Oficio* había sido creado a comienzos

El caso es que estoy en un calabozo del Santo Oficio de Sevilla y acabo de saber que, por lo visto, se trata de un proceso de brujería.

He sido interrogado, para lo cual me han retorcido un tobillo hasta rompérmelo.

Les he dicho todo lo que sabía sobre las personas de mi pueblo —varias mujeres— que, al parecer, se dedican a prácticas de brujería; y ya me soltaban un poco para darme un respiro y ponerme en condiciones de firmar la declaración, cuando ha entrado un Alto Inquisidor y ha mirado compasivo mi colgante y tumefacto pie. «Hermanos —ha dicho a los agentes de la S. I.—, paréceme que habéis hecho violencia al desdichado. Traedme su declaración, que yo la lea, y veremos si encontramos el modo de dejarle en paz para que proceda a la curación de sus llagas, las cuales no son, a fin de cuentas, sino un pálido reflejo de los sufrimientos de Cristo, de los dolores y martirios de su cuerpo, que no encontraron cura ni consolación, sino burla y desprecio por parte de tus hermanos de raza, perro judío», terminó, dirigiéndose a mí con ojos coléricos y llameantes.

Yo no podía hablar (tales eran mis dolores), pero deseaba decir al Alto Inquisidor cuál era mi verdadera naturaleza y cuánto error había en tenerme por judío, que no lo era, ni tan

---

del siglo XIII por Inocencio III, que, hacia 1215, nombró Inquisidor General a Santo Domingo de Guzmán, pero no se constituyó definitivamente hasta el pontificado de Gregorio IX. Los reyes de Aragón lo establecieron en sus territorios transpirenaicos, donde había penetrado la herejía de los albigenses; pero no en Aragón, ni en Castilla tampoco, por la oposición de San Fernando. Los Reyes Católicos establecieron ese *Tribunal,* pese a que a la reina le repelía su planteamiento, para conseguir la unidad religiosa, nombrando a fray Tomás de Torquemada primer Inquisidor General. Éste se hizo famoso por su inflexible rigor con los *judaizantes* o *relapsos:* 9.000 herejes quemados y 100.000 condenados a otras penas. Su sucesor, fray Diego de Deza, quemó, en ocho años, a 2.590 y atormentó a 35.000. El total de los españoles muertos en la hoguera, es decir, *sine efusione sanguine,* desde que se estableció hasta que fue suprimido el *Tribunal de la Fe,* es de 34.748. En efigie prendieron fuego a 17.689. En Aragón hubo tenaz resistencia al establecimiento de la *Inquisición,* por considerarlo contrario a las libertades aragonesas, hasta el nombramiento de Torquemada.

Salas Barbadillo (1581-1635), «temió más la Inquisición que a Dios, y su moral creo yo que era la moral del miedo», escribió de él su nieto, Joaquín López Barbadillo.

siquiera judaizante, pues sólo recuerdo que hubiera uno en mi pueblo y murió (a la mayor gloria de Dios) *sine efusione sanguine,* quiero decir, que falleció en la hoguera.

Mientras yo, reducido a la mudez por las impresiones y dolores que tan horribles acontecimientos me producían, me retorcía en el potro de la tortura (no he dicho que apenas podía moverme, pero el caso es que tenía las manos atadas a la tabla con una especie de alambre espinoso que me hería cruelmente las muñecas al intentar cualquier movimiento), el Alto Inquisidor leía mi declaración atentamente. Advertí con horror que los colores de su rostro se hacían pálidos y terrosos y que sus músculos se contraían con ira.

Rompió el papel de pronto y arrugándolo hizo como una bola de estopa que introdujo entre mis dientes; acto seguido, los agentes de la S. I. utilizaron sendos palos para hacerme tragar aquella masa de papel. «¿De modo —decía el alto inquisidor— que quieres reírte de nosotros? Entonces tendrás tu merecido.» Sentí que me asfixiaba y que un palo me desgarraba el paladar.

No sé lo que me habrán hecho después. He perdido el sentido. Ahora tengo el cuerpo lleno de sangre y no sé lo que me pasa en la columna vertebral; el caso es que no puedo moverme. Quizá han calculado mal mi resistencia y me la han roto; debe ser eso, porque al tratar de moverme, mi dolor es enorme.

Quisiera hablar con mis hijos, con mis amigos y vecinos, que me adoran, para que se aclarara este error; pero sin duda estoy incomunicado.

¿Cuándo volverán a buscarme los agentes? Tengo miedo de que vuelvan a interrogarme no sólo por el dolor, *sino porque yo no sé qué es lo que quieren que les diga.*

Si lo supiera, estoy seguro de que lo diría, pues no puedo soportar más esta penosa situación.

Cuando vuelvan a maltratarme, haré un experimento: empezaré a decir los nombres de todas las personas que yo recuerde, a ver si acierto con el que ellos quieren escuchar, en el caso de que sea tan sólo un nombre lo que buscan. Si esto no diera resultado, estaré definitivamente perdido, pues si lo que ellos quieren que diga es una frase, ¿por dónde empezar? ¡Son tantas las palabras y tantas las combinaciones posibles! ¡Si al menos se conformaran con una oración simple! Entonces se trataría tan sólo de combinar una lista de sujetos, verbos (transitivos e intransitivos) y predicados o complementos (directos, indirectos y circunstanciales), sin olvidar, eso sí, la lista de los posibles genitivos acompañantes del sujeto. Pero ¿y si se trata de una oración compuesta? ¿Sería una oración coordinada? ¿Una subordinada?

Naturalmente, debo confeccionar una lista de palabras probables. Por ejemplo, los nombres de que he hablado antes he de considerarlos sujetos muy probables en este asunto. Como verbos, empezaré por «conspirar», «blasfemar», «asistir a aquelarres», «matar», «incendiar», «perseguir», «robar», «violar», etc. Como predicados, para los casos en que emplee el verbo «ser», ensayaré primero vocablos como éstos: «bruja», «asesino», «judaizante», «envenenador», etc.; y cuando se trate de verbos transitivos como «matar», y otros, empezaré (en calidad de complementos directos) por emplear vocablos como «niños», «cristianos», «inocentes», y aquí puedo (incluso) precisar algo más o menos con los nombres propios de algunos niños muertos o desaparecidos que yo recuerde. Por ejemplo, Pedro González Torres mató al niño Julianillo Vega. O bien, Luis de Andrade y García «es» «judaizante». O bien, Maruja Pérez Lobo «asiste a aquelarres sabáticos», etc.

Desde luego es un gran trabajo —y sucio y reprobable, lo sé— el que me espera, ¡pero es que tengo miedo a sufrir! ¡Tengo miedo a sufrir, Dios mío!

JOSEFINA RODRÍGUEZ*

A ninguna parte

Por la mañana solía estar triste. Al mediodía empezaba a animarse y alcanzaba la tarde casi gozoso. Un incendio de exaltación le quemaba los ojos al anochecer, cuando, vigilante y ansioso, esperaba que de las cosas irradiase algo mágico.

Tenía diecisiete años. Se llamaba Eugenio. Vivía en una calle céntrica de un barrio suburbano.

Por la mañana bajaba a la tienda de su padre y le ayudaba a vender kilos de sal y de patatas; a sisar[1] gramos de azúcar, centílitros de aceite. La urgencia de las mujeres repiqueteaba en el mostrador y sus protestas empañaban el cristal de la báscula.

—Señor Luis, no me dé esa porquería.

—Señor Luis, mañana le pagaré la cuenta de la semana.

—Señor Luis, no nos robe tan descaradamente, hombre. ¿Me quiere cobrar el tazón a precio de escabeche?[2].

—Señor Luis...

Los chillidos de las mujeres entristecían la mañana de Eugenio, y la contemplación de la escuela, al otro lado de la calle, le producía desazón.

A las diez de la mañana salen los niños al recreo y llenan el

---

* *A ninguna parte,* Madrid, Arion, 1961; *Los niños de la Guerra,* 1983; *Cuento para Susana,* 1988.

[1] sisa: parte que se defrauda o se hurta, especialmente en la compra diaria de comestibles y otras cosas menudas (DA). Aquí sisa el que vende, el tendero.

[2] Hasta hace unos años era muy corriente llevar un tazón para comprar escabeche a granel, del que viene en latas grandes. Se supone que el tendero intenta engañar a la clienta en el peso, al no descontar primero lo que pesa el tazón.

patio de un revoloteo blanco de delantales y frío. Los niños se mueven ordenada, concienzudamente, entre los árboles raquíticos y deshojados del patio-jardín.

Eugenio contempla sus juegos a través de un círculo transparente que ha hecho borrando la niebla del cristal. Eugenio siente el frío en sus piernas, que le parecen de pronto desnudas, despojadas de los pantalones largos, al aire del patio como las de los niños que juegan. Diciembre y enero eran lo peor, recuerda. En los recreos de diciembre y enero, Daniel se las arreglaba para quedarse castigado y solo en la clase.

—Eugenio, alcánzame ese bote.

—Eugenio, no te quedes pasmado, que es para hoy.

—Eugenio, dale a ésta chocolate de La Ermita.

Cuando los niños abandonan la escuela, en torno a los árboles blanqueados de hielo hay pieles de naranja.

—Anda ya, echa el cierre, que vamos a comer.

Eugenio entra en la tarde con el paso de la libertad. Cuelga tras de la puerta de la cocina el guardapolvos gris; saca del armario de luna de los padres un traje. Al salir dice adiós a la madre y a la hermana, que se disponen a bajar a la tienda. Saluda con la mano al padre, que asoma medio cuerpo rígido por encima del mostrador.

Eugenio monta en el tranvía y sube a la ciudad.

La tarde iba creciendo entre Daniel y él, iba resbalando por el pupitre de la academia, se iba gastando en palabras oídas a los profesores, en palabras pronunciadas para los profesores. La última era la lección de inglés —tinta, tintero, zapato, zapatero—, y siempre salían hablando de ella.

—Te digo que el inglés es imprescindible. Que sin inglés no vas hoy a ninguna parte —afirmaba Daniel.

Y Eugenio cabeceaba asintiendo.

Los luminosos de los grandes comercios inauguraban la noche. Los coches se multiplicaban. Las gentes apresuraban el paso y Eugenio y Daniel frenaban el suyo, le imprimían ritmo de paseo. Eugenio tenía una sensación de final de viaje, de arribada feliz a una meta firme.

—... no vas a ninguna parte —repetía Daniel.

En las agencias de viajes, aviones milagrosamente sosteni-

219

dos surcaban el cielo de los escaparates. Eugenio se detenía ante ellos y elaboraba rutas exóticas por los mapas de los continentes. Daniel miraba al suelo. Daniel desdeñaba el vuelo fingido y esgrimía cazurramente su argumento cotidiano:

—Sin el inglés, imposible... No te sale nada, ni vales nada, ni vas a nada.

El estribillo se introducía en el sueño de Eugenio, anidaba en él. Se apartaba con esfuerzo del escaparate.

—Tienes razón —decía—. El inglés es muy importante. Para conseguir trabajos, para viajar...

Los aviones plateados giraban como el mundo; seguían en el espacio las huellas nocturnas del mundo.

El anuncio le pertenecía. Era una llamada especialmente redactada para él, que no podía compartir con nadie, ni siquiera con Daniel. El anuncio tenía rasgos familiares y Eugenio tuvo la seguridad de que podría leerse en alguna de las rayas de su mano. Era un anuncio simple de los que a diario redacta el Destino:

«Necesítase persona iniciada lengua inglesa».

Eugenio se reconoció. Los vocabularios de veintisiete lecciones le vinieron ordenadamente a la cabeza. Tinta, tintero, zapato, zapatero.

«Trabajo fácil, bien remunerado.»

«El comienzo del viaje —pensó Eugenio—. El comienzo de todo lo que deseo y necesito.»

«Informarán de tres a cuatro de la tarde.»

A las tres de la tarde, la calle vivía una tregua de silencio y vacío. Eugenio caminaba despacio bajo el sol picante de abril. Se detuvo ante el escaparate de una mantequería cerrada. La contemplación del queso gigante, las flores, el papel de celofán de las bolsitas de arroz, le hizo despreciar la imagen de su propia tienda, pequeña y sucia, mal iluminada, oliendo siempre a boquerones en vinagre y a especias arrancadas.

«... de tres a cuatro de la tarde, en el hotel...».

Al final de la calle estaba el hotel. Una gran puerta y una fila de coches aparcados ante ella.

«... apartamento seis...».

Sin saber cómo, se sintió sumergido a un tiempo en el terciopelo del diván y en la cálida ola de palabras extrañas. La mujer le miraba, reclamaba seguramente su respuesta. Eugenio escuchaba a la mujer, y la ola de su charla le golpeaba, le abatía, le ahogaba, inmovilizándole en el blando asiento. Cuando entró el hombre y habló en español, Eugenio sintió que las olas se retiraban.

—Una persona joven como usted nos parece muy bien. Usted sabe un poco de inglés, ¿no es cierto?

Eugenio respiró hondamente. Vaciló antes de contestar:

—Sí.

—Es un trabajo fácil, bien pagado. Dos horas diarias cada tarde. Se trata de que usted vaya con el chófer hasta las afueras, acompañando en el coche a nuestro perro, y una vez allí, en el campo, se dedique a pasear un rato con él, jugar, hacerle correr..., ya sabe. En cuanto a los honorarios, si le parece bien, yo había pensado...

Había una chimenea encendida en el salón y Eugenio pensó que era absurdo mantener aquel fuego a las tres de una tarde de abril. Eugenio contempló un momento la chimenea y luego alzó la vista hacia el hombre.

—No; creo que no sabré, que no podré... Yo creí... Yo no entendí bien el anuncio...

Dijo, y el fuego de la chimenea le encendió el rostro.

Cuando salió del hotel, el sol sacaba brillo al asfalto desierto. Eugenio miró a la calle, que se abría esperando sus pasos.

Una calle silenciosa, deshabitada, hostil.

Eugenio miró a la calle y sintió miedo porque no sabía a dónde ir.

Jesús Fernández Santos*

Muy lejos de Madrid

El horizonte se iluminó súbitamente. Vino en la brisa el rumor parecido al crepitar de un fuego, y, como todas las noches, se extendió poco a poco señalando la lejana línea del frente.

El chico se incorporó en la almohada, llamando:

—Mamá, ¿no oyes?

—Duérmete —la voz llegó como un susurro desde la habitación contigua.

—¿No oyes nada?

—Vas a despertar a tu hermano.

—¿Me dejas que vaya ahí?

—No.

—Ven tú aquí, entonces.

—Estate quieto, ya verás cómo te duermes.

El chico intentó cerrar los ojos, pero aun así, aquel fragor lejano le asustaba. De buen grado se hubiera cambiado por el hermano. Bien tranquilo dormía, mientras a él le tocaba pasar su miedo frente a la ventana abierta.

Habían llegado muy de mañana, en el autobús, con el resto de la colonia que la guerra sorprendió a mitad del veraneo. Desde que el frente cortó el ferrocarril, dejando en la otra zona

* *Cabeza rapada*, Barcelona, Seix Barral, 1958; *Las Catedrales*, 1970; *Paraíso Encerrado*, 1973; *Cuentos Completos*, 1978; *A orillas de una vieja dama*, 1979; *El reino de los niños*, 1981; *El viaje en el jardín*, 1986.

al padre, los tres —la madre y los dos hijos— iban retrocediendo, alejándose más, acatando las órdenes de evacuar. Los días pasaban en procesión fugaz, como los pueblos, los trenes cargados de soldados, los nuevos jefes de control que cada mañana conocían. Aldeas blancas, solas. Ancianos impasibles, niños desconocidos, mirando sin saludar, sentados a horcajadas en las arribas de la carretera[1]. Las llanuras, los ardientes páramos, ondulaban al paso del convoy, quedando atrás, apenas entrevistas. Iglesias asoladas, fuentes que aún desgranaban solitarias su fluir silencioso, y por encima de todas las cosas, el silencio de los hombres, su gesto hostil, desconfiado; el miedo de la guerra.

Y con el miedo la excitación, lo inesperado cada día, el encierro de la ciudad salvado para siempre[2], un constante vagar entre campiñas nuevas, a punto de sazón, rodando desde que el sol se alzaba, hasta verlo caer tras las montañas.

Hubo un pueblo como el que soñó siempre, cada vez que leía en invierno historias de batallas, un pueblo cercado, con su viejo castillo de ventanas vacías, y muralla roída por el sol, trepando ladera arriba hasta abrazar los antiguos caseríos.

Sólo cuando las tinieblas se iban acercando, llegaba la tristeza y la melancolía de la noche lejos del hogar, lejos de casa. De bruces sobre el colchón cerca del hermano, se dormía al instante, pero, a poco, despertaba llamando a la madre.

—Mamá.

—¿Qué quieres?

—No tengo sueño.

La madre no respondió, pero ella también debía velar, porque en su alcoba, las baldosas crujieron.

—¿Estás levantada?

—Calla...

—Es que tengo sed. ¿Me traes un poco de agua?

—No hay...

—Tengo miedo.

---

[1] *sentados a horcajadas en las arribas de las carreteras*: sentados a caballo en los pretiles que hay en algunas carreteras a la entrada o salida de los pueblos.

[2] *el encierro de la ciudad salvado para siempre*. Pues que viven en un viaje continuo, el encierro del niño mayor en su casa de Madrid es cosa ya del pasado.

—Duérmete. Ya mañana nos vamos...

Nuevos disparos vinieron a acongojarle de nuevo, trayéndole el recuerdo de su padre.

¿Estaría en Madrid aún? Recordaba ahora su semblante hosco, entrando en casa cada noche, sus largos silencios en la mesa, sus respuestas lacónicas.

Las disputas le hacían desvelarse a medianoche. Alzando la cabeza de la almohada, encontraba al hermano despierto ya.

—¿Qué pasa, Antonio?

—Duérmete, anda...

Siempre la dichosa palabra. Parecía que su única misión en la familia fuera dormir eternamente.

—Están riñendo —insistía.

—Tú ¿qué sabes?

Se hacía el silencio y a poco llegaba la madre entreabriendo con sigilo la puerta de la alcoba. Los dos quedaban inmóviles, entornando los ojos.

Meses después el padre bajó a despedirles, prometiendo en la estación que pasaría a visitarles cada domingo. La madre, a medio verano, cansada de esperar, decidió cierto día llamarle por teléfono. Volvió llorando, lo recordaba bien.

En los días que siguieron, antes de julio, el cartero se detenía ante la terraza.

—No hay nada, señora.

Y acompañaba siempre a sus palabras un vago ademán de la mano en la sien.

Frente a la casa, los relámpagos del frente apenas se distinguen en la claridad que nace.

—Mamá... Está amaneciendo. ¿Cuándo vamos a Madrid?

—No se puede.

—¿No se puede ver a papá?

—No se puede pasar.

—¿Ni por aquí, por el monte?

—Por el monte, menos todavía...

—Ayer, en la estación, estaban diciendo que un hombre se había pasado, por esta montaña... Oye mamá...

—¿Qué quieres?

—¿Dónde van?

—¿Quiénes?

—Los que pasan.

—A Madrid. ¡Qué sé yo!

—¿Para qué van a Madrid?

—A ver a sus familias. A los que quedaron allí. No sé... ¿Por qué lo preguntas?

—¿Por qué no nos vamos también nosotros?

Un rumor de motores viene del campo. El chico mira desde el alféizar. Cerca de la estación hay luces que caminan abriéndose paso en la niebla que vuela disipándose.

—Mamá, ¿no oyes?

—Sí. Son coches.

—¿Vienen por nosotros?

—Puede ser...

—¿Nos vamos a Segovia?

—Donde nos lleven, hijo.

—Oye mamá; son camiones.

—Métete en la cama. Vas a coger frío.

El chico vuelve al lecho. La caravana sigue acercándose. Ahora debe pasar el cruce, junto al depósito de las locomotoras.

—¿Por qué no está papá aquí?

—No pudo venir.

—Pero los otros sí venían.

—¿Qué otros?

—Los de Antonio y Julito y Manolo.

—Tu padre trabaja mucho. Tiene mucho que hacer.

—Ahora ya no va a venir. No puede venir. No quiere vernos.

—No digas eso.

—¿Por qué no está aquí entonces? Es que tampoco quiere verte a ti.

—No digas eso nunca.

—¿Por qué?

—Porque es tu padre.

—Los otros venían los sábados y marchaban el lunes. Todos los sábados...

—Él tiene mucho que hacer.

—¿También los domingos?

—También.

226

—Es mentira.

—Cállate.

En el viento frío, con olor a jara quemada, llegan breves retazos de órdenes y una voz de mando prolongada, confundida en el latir de los motores.

—Mamá —llama el chico en voz más queda—, viene mucha gente.

—¿A la estación?

—En los coches. Soldados... ¿Nos vamos a Madrid, ahora?

La madre no responde.

—¿Nos vamos a Madrid? ¿Cuándo?

—Dentro de unos días. Cuando pase esto.

—¿Y si no pasa?

La columna está tan cerca que su estrépito borra las palabras, mientras desfila al pie de la ventana. Sus luces amortiguadas iluminando sólo un pequeño espacio ante las ruedas, parecen perseguirse pacientemente, hundiéndose en las primeras estribaciones de la sierra. Tan sólo un coche queda rezagado. Se detiene. Aunque es distinto al de los otros días, el chico le reconoce.

—Mamá, ya están aquí. Ya vienen a buscarnos. ¿A dónde vamos hoy?

Dos hombres han descendido y vienen hacia la casa.

—Mamá, ¿estás dormida?

—No. Vete vistiéndote, y despierta a tu hermano.

—¿Por qué lloras?

—No lloro.

—Sí, estás llorando. Se te nota cuando hablas.

—Vístete, anda.

—No llores, mamá, no llores.

JORGE FERRER-VIDAL*

Los caballos

—No deben impresionarte estas cosas, muchacho. Esto suele ocurrir.

El muchacho no podía arrancar los ojos[1] del caballo muerto. El caballo había muerto de repente, mientras marchaban por el camino. El chico se hizo daño al caer. Fue curiosa la caída. El animal había encorvado los lomos como un gato y se había ido al suelo. Al caer, el chico se había cortado en el brazo con una piedra. La herida sangraba. Y, sin embargo, lo único que le dolía era el espectáculo del caballo retorcido en el suelo.

Caía un sol de justicia en el caballo. Había polvo en todos sitios. Polvo y tristeza. El hombre se rascó la nuca. Dijo:

—Bueno, tenía que ocurrir. Un caballo no vive eternamente. Tendrás que aprender a llevar el arado, muchacho.

El caballo había sido desde siempre el cordón umbilical que los mantenía vivos. El hombre sonrió y miró hacia el horizonte. A lo lejos, donde apenas llegaba la vista extendida sobre la llanura, el hombre distinguió la casa, reverberando al sol. Re-

---

* *El hombre de los pájaros,* Madrid, Espasa-Calpe, col. Selecciones Austral, 1982; *Sobre la piel del mundo,* 1957; *Fe de vida,* 1958; *Cuando llegan las golondrinas en la primavera,* 1960; *Historias de desamor y malandanza,* 1963; *También se muere en las amanecidas,* 1969; *El gusano blanco,* 1969; *El racimo de uvas,* 1970; *Sábado, esperanza,* 1972; *Te emplazo, padre,* 1974; *Fueron así tus días y los míos,* 1978; *Notable en armonía,* 1980; *Andresín y los topos,* 1986; *Cuentos de otras latitudes,* 1987; *El cálido verano del 44,* 1991.

[1] *arrancar los ojos:* dejar de mirar.

verberaban los campos, los eriales, las lomas —las diminutas lomas—, los árboles, las zarzas. El hombre volvió a rascarse la nuca. Sudaba. El sol caía sobre su cabeza, sobre la cabeza del muchacho, sobre el cuerpo retorcido, atormentado, del caballo. El hombre dijo:

—Haré yo de caballo.

Y sonrió. Sonrió porque nunca se le había ocurrido la idea de hacer de caballo.

—A lo mejor no está muerto, padre. A lo mejor, podemos arrastrarlo hasta la casa.

El hombre escupió en el suelo. Sabía escupir. El salivazo resbaló sobre el polvo, se envolvió en el polvo hasta formar un paquetito y quedó detenido en mitad del camino, junto al caballo muerto. Después el hombre se secó el sudor de la frente. Le caían las gotas de sudor por la frente y formaban tres vertientes. Dos de ellas, resbalaban por encima de las cejas hacia las sienes; otra, caía directamente sobre la nariz y quedaba colgando como si fuese un moco. Por fin, se derrumbaban todas sobre el suelo y se envolvían también en el polvo del camino, como buscando protección contra el sol. El muchacho también sudaba.

—A lo mejor, aún no está muerto, padre.

El hombre se inclinó. Palpó el pecho del caballo, palpó el vientre. Luego le puso la mano sobre los sobaquillos. El caballo estaba muerto.

—Está muerto, muchacho. Hay que quitarle la silla y el bocado.

Se pusieron los dos a trabajar. El muchacho sacó el bocado. Estaba impregnado de saliva verde, de una saliva verde-esmeralda, espesa como el musgo y el helecho que crecían con la lluvia en los bosques remotos. El hombre se inclinó sobre el animal. Incluso parecía como si el caballo estuviera ya un poco hinchado. Le costó un esfuerzo aflojar la cincha.

—Ahora lo dejaremos aquí. Aquí se pudrirá al sol. Comenzará a resecarse la piel por todos sitios y se formarán grietas. Cuando esté bien hinchado, estallará como una cosa mala.

El muchacho acarició el bocado con la mano. La saliva verde del caballo estaba fresca. Acarició el bocado varias veces. Bien, ya no había caballo. Las cosas se acababan siempre.

Como la madre, como el hermano pequeño que murieron, como el trigo que nunca terminaba de granar y se perdía. Así acabó también el caballo.

La llanura reverberaba al sol. Se había levantado una brisa asfixiante. Se divisaban tolvaneras de polvo creciendo sobre la llanura, surgiendo de la tierra como fantasmas, como sombras de desesperanza. El hombre y el muchacho comenzaron a caminar hacia la casa.

—Es la vida, muchacho. Tenía dieciséis años. Los mismos que tú. Nacisteis el mismo día.

Era cierto. Nacieron el mismo día. El hombre fue al pueblo a buscar al médico y el médico atendió a las dos madres. Después el hombre mandó aviso al señor cura para bautizar al hijo. Y había puesto, al hijo, Narciso y al caballo, *Amapola*. Aquellos fueron buenos tiempos. Era curioso cómo cambiaban las cosas. Era, exactamente, lo que solía decir el señor cura desde el púlpito de la capilla del pueblo: «Vendrán las vacas gordas, vendrán las vacas flacas...» Y cada día peor, cada día la tierra más reseca y menos lluvia y más polvo sobre el suelo, el polvo que ahogaba los tallos antes de nacer al viento y a la superficie de este mundo. El hombre pensó: «Bueno, ahora haré de caballo. Me pondré el arnés sobre los hombros y a tirar del arado. Será bonito. Uno puede hacer cosas peores que tirar de un arado, que hacer de caballo. El caballo es un animal hermoso y noble...»

Iban avanzando por el camino; el camino cargado de cansancio, de muerte; el camino sobre cuyos hombros el cadáver de *Amapola* se pudría ya al sol. Ahora el muchacho lloraba.

—Ten paciencia, muchacho. Soy tu padre.

El hombre sonrió. Era su padre. Miró al cielo, y el azul rabioso, deslumbrante del firmamento, le ofuscó la vista. Cuando volvió la mirada hacia la casa, divisó un borrón difuso, negro. El muchacho, a su lado, caminaba, llorando.

—*Amapola* era mi hermano, padre.

—Sí, era tu hermano.

Ahora al muchacho le había asaltado una tristeza inusitada. Sin saber por qué ni cómo, le había invadido una ola de tristeza caliente, áspera, espesa, como el polvo mismo del camino. El caballo había sido su hermano.

Dolía el sol sobre la llanura, sobre los hierbajos de la llanura, sobre los secos regueros de la llanura que habían olvidado lo que era la humedad, lo que era lluvia, lo que era el discurrir del agua sobre el mundo.

—Lo que tenemos que hacer es seguir adelante. Lo que tienes que hacer es aprender a llevar la mancera[2]. Yo te enseñaré. Es fácil. Ya verás, es muy fácil.

De pronto, el muchacho se detuvo y volvió la cabeza. Después, se volvió entero. El cadáver panzudo del caballo se dibujaba en la distancia, en mitad del camino, pequeñito y redondo como una hormiga, como un pobre escarabajo cruzando la llanura. El hombre se detuvo. Quedó inmóvil junto al muchacho.

—Ahí se pudrirá. Son cosas de la vida.

Siguieron caminando hacia la casa. Se acercaban a ella. A ambos lados del camino se abrían campos amplios. La piel de la tierra se mostraba vieja, arrugada, mezquina. El hombre descansó una mano sobre la espalda del muchacho.

—No te preocupes. Yo haré de caballo.

El hombre había hecho ya de todo. Había hecho de hombre, había hecho de perro cuando salía con la escopeta vieja, había hecho de muchas cosas. Sonrió al recuerdo.

—Lo único que tienes que hacer es llevar el arado.

El hombre volvió a sonreír. La vida le había enseñado a sonreír. Se secó el sudor que le caía por la frente con un gesto rápido de la mano y repitió:

—Yo seré tu caballo, hijo.

La brisa caliente seguía levantando tolvaneras. Caminaron hacia la casa sin volver ya la cabeza, despacio, poco a poco. El muchacho se secó las lágrimas. Dijo:

—Debe estar pudriéndose en mitad del camino.

—Sí, hijo, pudriéndose. Pronto reventará como una cosa mala. Hay que curarte el brazo.

El brazo aún sangraba. Avanzaron con mayor rapidez.

—Sí, el brazo. Para llevar el arado, padre.

—Claro, hombre. Mira, ya llegamos a casa.

Llegaron a la casa, cruzaron la diminuta huerta y desapare-

---

[2] *mancera*, esteva: pieza corva y trasera del arado, sobre la cual lleva la mano el que ara, para dirigir la reja y apretarla contra la tierra (DA).

cieron en su interior. La puerta parecía ofrecer aún esperanza y alegría y sombras y frescor.

Fuera, seguía cayendo el sol atormentadamente, el mundo se resquebrajaba atormentadamente, y el otro caballo comenzaba, en efecto, a pudrirse en mitad del camino.

Rafael Sánchez Ferlosio*

El escudo de Jotán

Demasiado conocedor de los humores y las señales del imperio, de las quietudes y las agitaciones de los pueblos de la
ruta de la seda, de los aterradores torbellinos de polvo, de ven-
tisca o de soldados del Kansú[1] era el caravanero que traía tan
alarmantes nuevas como para arriesgarse a no hacer caso a sus
palabras cuando daba por seguro que aquella vez los alardes y
los preparativos del emperador con sus ejércitos iban· de verdad. Por la experiencia de los tiempos se sabía que los empera-
dores respetaban a los pueblos y ciudades que tenían reyes o
kanes[2] o Gobiernos completos capaces de rendirles cumplido
vasallaje, que no es la simple entrega de los cuerpos, sino el
ofrecimiento de los nombres, pero que destruían a las despre-
ciables gentes que se dejaban vivir únicamente según las tradiciones, sin títulos de fundación y con poca o ninguna gerencia
establecida. Y la ciudad de Jotán[3] se decía: «Es nuestra perdición, que apenas si tenemos una cámara de comercio, una ad-

* «El Escudo de Jotán», Madrid, *El País*, 18/V/1980; *Industrias y Andanzas
de Alfanhuí*, 1961 (incluye «Dientes, pólvora, febrero» y «Y el corazón caliente»); *El huésped de las nieves*, 1963; *El escudo de Jotán*, 1983.
[1] *Kansú:* provincia del noroeste de China. Altiplanicie de loes o loess al nores-
te; montañas ricas en minerales al sur y al oeste; 414.200 km². La capital es
Lanchou.
[2] *kan* o *can:* príncipe o jefe, entre los tártaros (DA).
[3] Ciudad pequeña del Turquestán Oriental (noroeste de China), al norte de
las montañas del Kuen-Lun, junto al desierto de Gobi.

ministración de azotes y mutilaciones y una inspección de sanidad de caravanas.» Pero un fabricante de máscaras halló la solución: «Si no tenemos kan, lo fingiremos; si no tenemos justicia, la simularemos; si no tenemos soldados, yo enjaezaré cien caballos con sus caballeros y disfrazaré a quinientos jóvenes como de infantería, y con tal arte que únicamente la batalla que nunca habrán de combatir podría llegar a comprobar si sus armas son de hierro o de madera y sus yelmos y broqueles[4] de bronce o de cartón.»

Dicho y hecho. Toda Jotán se puso en movimiento. Y para la esperanza de salir adelante con su empeño no sólo contaban con la lentitud que es connatural a todo imperio, sino también con la consideración de que cualquier campaña de gran envergadura en el corredor de Kansú y en la Kasgaria[5] que no quisiese abocarse a la catástrofe tenía que saber medir muy bien sus tiempos y calcular cuántos hombres o millares de hombres, en qué estación y debajo de qué cielos iba a tener a cada uno de los pasos del plan preestablecido. Así pudo Jotán disponer de tantos meses para armar su engaño que cuando al cabo empezó la primavera y las noticias de las vanguardias del ejército imperial comenzaron a hacerse cada vez menos remotas, los jotanenses se habían embebido hasta tal punto en los preparativos, y a tal extremo se habían compenetrado con la idea del espectáculo, que, temerariamente, parecían tener casi olvidada la índole ominosa y nada voluntaria ni nada placentera de la motivación original. En lugar de sentirse cada vez más temerosos, como quien ve venir el día de una terrible prueba, se demostraban cada día más excitados y llenos de impaciencia como el que cuenta las horas que le faltan para la gran fiesta y no querría otra cosa que apresurar su fuga. Una y otra vez, los más sensatos tenían que recordar a los demás que aquellas rigurosas paradas militares, aquellas aparatosas y fantásticas ce-

---

[4] *yelmos y broqueles:* Yelmo: Parte de la armadura antigua, que resguardaba la cabeza y el rostro, y se componía de morrión, visera y babera. Broquel: Escudo pequeño de madera o corcho, cubierto de piel o tela encerada, o de otro material, con guarnición de hierro a canto y una cazoleta en medio, para que la mano pueda empuñar el asa o manija que tiene por la parte de adentro (DA).

[5] *Kasgaria* o Kashgaria: Oasis de la cuenca del Tarín, en Kashgar, centro comercial del Turquestán chino.

remonias ciudadanas, aquellas enguirnaldadas, hieráticas y re-
verenciales procesiones de doncellas, cien veces ensayadas
ante un emperador de trapos viejos embutidos de heno o de
borra de camello[6], no eran cosa de burlas ni de broma. Pero
las risas de nácar de las mujeres de Jotán restallaban cada vez
más incontenibles contra el cielo de seda azul y blanca del
Kuen-Lun.

La selección del que había de hacer de kan se hizo bastante
trabajosa, pues nada hay más vanidoso en este mundo que un
turco cincuentón, y fue ardua tarea conseguir la renuncia a papel tan prestigioso de una veintena larga de ricos prestamistas
y tenderos, todos los cuales pretendían tener «una noble cabeza de mongol»[7]. Por el contrario, no hubo vacilación alguna
para dar el papel de ajusticiado —pues me falta indicar que a
fin de persuadir al emperador de la solidez de las instituciones
de justicia de Jotán se había considerado indispensable incluir en el programa de las ceremonias una ejecución capital—, y como hombre de apariencia más abyecta fue al punto
señalado un corasmio[8] afincado en el oasis de Jotán y que tenía los dientes separados y, según juicio unánime, una sonrisa
repugnante. Pero como era servicial y bondadoso, algunos que
tenían un severo sentido de la dignidad le decían: «Tú, no», re-
prochándole que aceptase aquel papel, por juzgarlo merecedor
de otro más honroso; a lo que él se reía, con sus horribles
dientes, y decía: «No importa, que tendré una cabeza de reserva para el emperador y salvaré la mía al tiempo que las vuestras.» Y es que el truco arbitrado para la ejecución era una cabeza falsa, copiando sus facciones a llevar bajo el holgado sayo
de los ajusticiados, para soltarla, al tiempo de caer el hacha es-
condiendo la propia como una tortuga, y con una vejiga de
sangre de ternero, que reventaría en aquel instante salpicando
el tablado y un poco en derredor.

---

[6] *borra de camello:* pelo de camello.

[7] Entre los mongoles o mogoles había una tradición de grandes caudillos:
Gengis Kan, Kublai, Batu, Hulagu, Tamerlán, Barber, Akbar... Es lógico que el
kan de imitación quisiera tener «una noble cabeza de mongol».

[8] *corasmio:* natural de la antigua Corasmia de los griegos, que estaba al otro
lado (noroeste) de la Meseta de Pamir, junto al mar de Aral, en la desemboca-
dura del Amou Daria.

Llegó el emperador, con su corte militar, su guardia y un ejército. Le salió el falso kan con sus fingidas huestes, a una jornada y día[9] de Jotán, a darle la bienvenida y ofrecérsele por vasallo con toda la ciudad. En una vasta pradera que había sobre los barrios altos, a la parte contraria del oasis, fue plantada la inmensa tienda de campaña, de seda azul celeste, del emperador, y en derredor las tiendas rojas de los eunucos y las amarillas y negras de los mandarines[10], y, luego, el campamento de la guardia en sucesivas circunferencias concéntricas, hasta cubrir un área cuatro veces mayor que la ciudad. Sobre un radio de este círculo, desde la puerta alta de Jotán hasta el suntuoso dosel que daba entrada a la tienda del emperador, se formó una avenida de mil doscientos pasos, alfombrada en toda su longitud y permanentemente flanqueada por dos filas de lanceros inmóviles. A un lado de esta avenida, cerca de la ciudad, los carpinteros de Jotán tenían ya armado, dos semanas atrás, el cadalso para la ejecución, así como una gran tribuna con un palco cubierto para el emperador y un amplio graderío para los demás espectadores. Del centro de la tarima del cadalso arrancaba un mástil altísimo con un sistema de cuerdas para izar rápidamente hasta la misma punta la cabeza del decapitado, antes que nadie pudiese verla desde cerca y descubriese la ficción.

Pero la ejecución, al alba del día siguiente, salió perfecta en todo. El emperador sonrió benignamente al ver rodar aquella única cabeza y agradeció la ceremonia, expresándole al kan, por intermedio de un eunuco, que la función no había desmerecido de las ejecuciones del imperio sino en la cantidad, pues allí las cabezas se cortaban sólo de mil en mil. Y todo siguió perfecto de ahí en adelante, salvo que conforme el día fue avanzando a través de la ininterrumpida sucesión de agasajos y de ceremonias, los jotanenses hubieron de verse cada vez más sometidos al asalto del más reiterativo y pertinaz de los ejércitos: el de la risa. Oleadas que iban y venían en acometidas contagiosas, que recorrían la extensión de la apretada y vasta mul-

---

[9] *a una jornada y día*, o sea treinta y seis horas.

[10] *mandarín*: alto funcionario chino con diversos grados de autoridad, que pertenece a la clase de los letrados.

titud como las ondas del viento por las mieses, conatos que subían y bajaban en recurrencias cada vez más agudas e insisten-
tes y más dificultosamente reprimidas, risas, en fin, unánimes,
constantes, que si al principio podían ser interpretadas como
expresión de una alegría sincera, aunque un tanto bobalicona y
pegajosa, de los jotanenses por darse como vasallos al emperador, a la tarde empezaban a hacerse ya un poco desusadas, sus-
citando miradas de extrañeza, despertando cada vez más la
suspicacia de los soldados y oficiales del imperio destinados a
compartir durante todo el día la presencia del pueblo de Jotán.
Así que, cuando a la tarde, ya cerca de ponerse el sol, casi toda
Jotán se desplazó hasta el campamento, y una gran parte de
ella fue a engrosar hasta un punto escandaloso el ya nutrido
número de los notables que acudían a la propia tienda del emperador para la recepción que éste les ofrecía como nuevo señor a sus nuevos vasallos, ya era casi imposible justificar las risas, más imposible aún disimularlas, y no digamos siquiera
contenerlas.

Otro género muy distinto de extrañeza fue el que, entre tanto, acometió a unos lanceros de la guardia al observar el inusi-
tado comportamiento de los cuervos con la cabeza del decapitado izada todavía en lo más alto de su mástil; uno tras otro,
en efecto, acudían a ella los cuervos volando desde lejos, pero
no bien llegaban a pocos palmos de ella quebraban de pronto
el vuelo, con un graznido entre de rabia y burla, y se volvían
en el aire, alejándose aprisa, como enojados del insolente cimbel[11]. Ansioso de averiguar aquel misterio, un oficial mandó al
fin que se arriase la cabeza y al punto fue desvelado el simulacro. Varias escuadras de soldados fueron lanzadas a la busca y
captura del reo prevaricador, que, estando desprevenido de
cualquier persecución, fue habido fácilmente y apresado por el
cuello en un pesado cepo de madera, que lo forzaba a ir en pos
de los soldados como un perro llevado del collar para ser conducido ante los mandarines o tal vez ante el propio emperador.

Tal muchedumbre había llegado a concentrarse, en este me-

---

[11] *cimbel:* cordel que se ata a la punta del cimillo en que se pone el ave que
sirve de señuelo para cazar otras (DA). Aquí no hay ave, sino la falsa cabeza del
«ajusticiado», aunque sí cimillo o vara (mástil) y cordel.

dio tiempo, como más que abusivo acompañamiento de los notables de Jotán, bajo la dilatada hospitalidad de los techos de seda del emperador, que la risa no precisó ya de las vías de la vista y el oído para correrse, extenderse y agigantarse, cabalgando la ola del contagio, puesto que ahora, aún antes de verse ni oírse unos a otros, aún sin reconocerlo como efecto de risa u otra cosa, ya el estremecimiento más leve y contenido recorría la multitud, directamente transmitido de uno en otro por el simple contacto de los cuerpos, casi en la forma pasiva e inevitable en que las cosas inertes y sin vida se comunican la pura vibración. Quedando así finalmente burlado por los ciegos resortes corporales todo freno capaz de sujetarla, la risa de los jotanenses se hizo abierta, total e incontenible. La risa se alzaba, pues, por vencedora, y el simulacro no podía ya desmentirse, aun a falta de toda precisión sobre su alcance, ni el entredicho podía ya ser soslayado. Eunucos, mandarines y oficiales, que, como dignatarios del imperio, estaban haciendo los honores de la corte en la multitudinaria recepción imperial, viéndose ahora cada vez más embarazados y en suspenso, fueron quedando en silencio uno tras otro y volviendo, expectantes, la mirada hacia el emperador, que, inmóvil en su trono, inmóviles la mirada y la expresión, a la vez parecía no ver nada y estarlo viendo todo.

Como el abrirse de una flor, así de lento y suave fue el ir floreciendo la sonrisa entre los labios del emperador, que rompió luego en risa, vuelto hacia el falso kan y los falsos notables jotanenses, que se encontraban cerca de su trono, como invitándolos a volver a reír ahora con él. Y fue en el instante en que la risa estaba ya estallando en carcajada, cuando se vio abrirse paso entre la muchedumbre al oficial de guardia que, acompañado de una escuadra, traía al ajusticiado y su cabeza a la presencia del emperador. Se les dejó llegar hasta su trono y la imperial mirada pasó dos o tres veces de la cabeza viva que asomaba por encima del cepo de madera a su gemela muerta, que el oficial le presentaba sosteniéndola en alto por la cabellera; y el emperador volvió a reír, y siempre por intermedio de un eunuco, mandó soltar al reo. Éste, no bien se vio libre del cepo, se abrió un pequeño círculo ante el trono y, rescatando de manos del oficial su cabeza simulada, improvisó, manejando aquella cabeza en mil posturas, con mil muecas, mil burlas, mil desplantes y mil reverencias, la danza o pantomima del bicéfalo, que llevó al punto más alto la hilaridad y el júbilo de la multitudinaria concurrencia. En esto empezó a oírse de pronto un chirriar de poleas y los enormes lienzos de la carpa corrieron por sus cuerdas, como un velamen que se arría, al tiempo que los telones que hacían de paredes y tabiques fueron cayendo al suelo uno tras otro; y arriba sólo se vieron ya palos y cuerdas contra el cielo estrellado y la lejana sombra blanca de Kuen Lun[12], mientras abajo, en medio, entre lienzos arriados o abatidos, los intensos faroles de la fiesta seguían alumbrando fuertemente a la apretada multitud de los jotanenses, ya mudos y demudados de estupor. Y por primera vez se oyó la voz del propio emperador, que dijo: «¡Arqueros!», y una rueda cerrada de arqueros apareció en la sombra todo en derredor, que dispararon sus arcos una y otra vez y vaciaron sus aljabas hasta que dejó de verse todo movimiento de vida entre los de Jotán. Ya levantándose y separándose del trono, miró el emperador por un momento la explanada cubierta de cadáveres, y dijo: «¡Qué lástima! Eran, sin duda, unos magníficos actores. Pero yo soy mejor.»

Los demás jotanenses fueron muertos donde fueron hallados, en el campamento, en la ciudad, en el oasis, huyendo hacia el desierto, hacia el camino de Pamir[13], a lanza, a sable, a daga, sin que importase el cómo. Sólo al ajusticiado mandó el emperador que lo sacasen del asaetamiento, para que le fuese dada aquella misma muerte que había hecho simulación de recibir. Y por eso el escudo que el emperador les concedió a los gobernadores chinos de Jotán representa una vara vertical de cuya punta cuelgan dos cabezas de idénticas facciones, anudadas por la cabellera, y con un cuervo posado en una de ellas comiéndole los ojos a la otra.

---

[12] *la lejana sombra blanca del Kuen-Lun:* la cordillera nevada del Kuen-Lun.
[13] *Meseta de Pamir:* al noroeste de Jotán. Conocida como «el techo del Mundo», 3.500-7.500 m., 120.000 km², con unos 600.000 habitantes, la mayoría nómadas.

JUAN BENET*

Obiter dictum[1]

«Vamos a seguir a partir del punto donde nos quedamos ayer. De esta forma, poco a poco, tendrá usted tiempo de hacer memoria. Podríamos empezar de nuevo, pero creo que no vale la pena, hay todavía mucho que decir para tratar de aclarar por el momento los puntos que han quedado oscuros. Vamos a ver, usted afirma que llegó el día 20 de febrero y que ese mismo día alquiló una habitación doble en el Hotel Levante, para una sola noche. Sin embargo, nos consta que desde el día 17 al 19 hizo usted noche en el Hostal Ramos de Sanponce, a quince kilómetros de aquí. ¿Puede usted explicarlo?»

«Lo cierto es que llegué el día 17 a Sanponce y me alojé por tres noches en el Hostal Ramos. Si dije otra cosa es porque no creía que tuviera importancia lo que hice durante esos días.»

«Comprenderá usted que es de suma importancia para todos, y en primer lugar para usted, saber lo que usted hizo en estos días. Le ruego que en lo sucesivo no trate de ocultar o desvirtuar unos hechos que pueden ser tan fácilmente comprobados. No crea que proceder así le va a servir de algo; por el contrario, sólo obrará en detrimento suyo. Le ruego, por consiguiente, que se limite a la exposición de los hechos concer-

---

* Sub-rosa, Barcelona, La Gaya Ciencia, 1973; Nunca llegarás a nada, 1961; Una tumba, 1971; 5 narraciones y 2 fábulas, 1972; Cuentos Completos, 1977; Trece fábulas y media, 1981.

[1] Obiter dictum. Latín. Yo lo traduciría, aquí, por «sentencia sobre la marcha».

nientes al señor Baretto, tal como ocurrieron, a fin de no incurrir en mayores responsabilidades.»

«Llegué a Sanponce el día 17 procedente de Valencia, por carretera. Ese día y los dos siguientes estuve alojado en el Hostal Ramos. El día 20 me trasladé aquí al Hotel Levante.»

«¿Qué hizo usted durante esos días?»

«Estuve recorriendo la ciudad y la costa, sin gran cosa que hacer.»

«¿Sin mucho que hacer?»

«Apenas conocía esto. No había estado en veinte años. Me dediqué a pasear.»

«¿Sin nada que hacer? ¿No hizo usted más que pasear?»

«Prácticamente nada más que pasear y ver algunos apartamentos. Venía buscando uno para el mes de agosto.»

«¿No se dirigió usted a una agencia?»

«No me gustan las agencias. Puedo encontrar un apartamento en cualquier lugar del mundo, sin necesidad de recurrir a una agencia.»

«¿No vio usted a nadie? ¿No habló con nadie en todo ese tiempo?»

«Algunos porteros y propietarios. Le daré las señas si quiere comprobarlo. El personal del hotel.»

«¿No conocía usted a nadie aquí?»

«A nadie; absolutamente a nadie.»

«¿Qué le trajo entonces por aquí? ¿Solamente el deseo de pasear y alquilar un apartamento para el verano?»

«Poco más o menos.»

«Y, por supuesto, en más de una ocasión pasó usted por la calle Ribes.»

«Es posible.»

«No, no se trata de que sea posible. Se trata de saber con exactitud si en esos tres días pasó usted, y probablemente más de una vez, por la calle Ribes, y concretamente frente al inmueble número 16. ¿Comprende usted?»

«Lo comprendo perfectamente, pero no lo recuerdo.»

«¿No recuerda usted la casa de la calle Ribes, número 16?»

«Se lo dije ayer claramente. Recuerdo la casa, pero no la calle. Ahora mismo no sabría encontrarla. Así que no recuerdo tampoco si pasé por allí antes de ver a Baretto.»

241

«Sin embargo, dijo usted que no tenía conocimientos aquí aun cuando conocía a Baretto desde hace años. ¿Qué tiene que decir a eso?»

«Conocía a Baretto, pero ignoraba que se encontrase aquí.»

«Sin embargo, sabía usted que vivía en la calle Ribes.»

«No lo sabía. Lo supe. Ya se lo dije: lo encontré casualmente.»

«¿Cómo fue ese encuentro exactamente?»

«Fue al tercer día de mi llegada, el día 19 si no recuerdo mal. Yo estaba sentado en una terraza tomando una cerveza, cuando le vi pasar por la calle.»

«¿Se acercó usted y le abordó?

«Sí... eso es.»

«Parece vacilar usted en sus contestaciones. ¿Está usted seguro o, mejor dicho, afirma usted que tras haber visto casualmente en la calle a Baretto, le abordó para saludarle?»

«Lo afirmo categóricamente.»

«O, por el contrario, ¿le siguió a distancia para ver hacia dónde se dirigía?»

«En absoluto. Le alcancé en la calle, en una esquina de la calle Creu Alta[2], creo que así se llama —esa que no tiene tráfico—, y hablamos un rato. Me dijo que vivía aquí desde hacía un par de meses, charlamos un buen rato, le invité a un café y me rogó que le fuera a visitar antes de marcharme.»

«¿No le dijo nada acerca de sus actividades? ¿A qué se dedicaba?»

«No me dijo nada de eso. Hablamos solamente de tiempos pasados.»

«¿Cuándo fue eso?»

«Ya le he dicho que fue el domingo 19, al mediodía.»

«¿No se sorprendió él al verle?»

«Ni se sorprendió ni dejó de sorprenderse. Éramos viejos camaradas, pero nunca habíamos tenido gran amistad.»

«¿Dónde se conocieron ustedes?»

«En Francia, en el 46.»

«¿Estuvieron juntos en Indochina?»

---

[2] *Creu:* cruz en catalán.

«Los dos estuvimos en Indochina, pero en puntos separados. Apenas coincidimos.»

«¿Estuvo usted en Dien?»[3].

«Yo no, él sí. Yo estaba de baja por enfermedad.»

«¿En qué unidad estaba usted?»

«En el cuarto Regimiento, compañía tercera. A las órdenes del capitán Dartigny.»

«¿Coincidieron también en Argelia?»[4].

«También coincidimos circunstancialmente.»

«¿Cuándo volvió usted a Francia?»

«En el 56, después de Sakiet.»

«¿Cuándo le vio usted por penúltima vez, quiero decir, antes del pasado lunes?»

«No sé si en Marsella, en el 58. Tal vez en Montlaur, en Córcega, hacia el 60. No lo recuerdo demasiado bien porque ese detalle no tiene importancia para mí. Insisto en que sólo éramos conocidos.»

«¿Y afirma usted que ignoraba totalmente cuáles eran sus actividades actuales?»

«Totalmente. No tengo la más remota idea acerca de sus actividades actuales.»

«De nuestras informaciones concernientes a Baretto se desprende que muy bien podía haber gente, aquí, en Francia y en Marruecos, interesada en su desaparición. Por no hablar de algún ajuste de cuentas. ¿Puede usted decirnos algo acerca de eso?»

«Nada. Repito que ignoro a qué se dedicaba, pero es posible que se hubiera hecho con algunos enemigos; a mí esas historias acerca de antiguos ajustes de cuentas me parecen siempre un tanto fantásticas. A un hombre sólo se le liquida por interés, nada más que por interés. El resto es romanticismo. No me extraña que se metiera en algo sucio.»

---

[3] En la guerra de Francia por mantener su soberanía en Indochina, *Dièn* Bièn Phu tuvo importancia a partir de 1953, cuando el general Navarre sustituyó a Salan y creó en esa plaza una poderosa fortaleza que, al caer en manos de las tropas de Giap y Hô Chi Minh, el año 1954, representó la derrota francesa y el fin de la guerra.

[4] En la guerra de Argelia por su independencia de los franceses: 1954-1962.

«Cambiemos de tema. Dígame, señor Gavilán, ¿acostumbra usted a llevar armas, no es así?»

«Casi siempre llevo conmigo mi pistola. Tengo licencia.»

«Lo sé. No necesita usted insistir sobre lo que ya sabemos; resulta una pérdida de tiempo. Pero, dígame, ¿qué pistola o pistolas acostumbra usted a llevar encima?»

«Le contesto con sus propias palabras. No creo que haga falta insistir sobre lo que usted conoce muy bien, una Walther PPK que poseo desde hace veinte años.»

«¿Se considera usted un buen tirador?»

«Un aceptable tirador, diría yo. No soy un experto.»

«Pero sin duda capaz de acertar a un hombre en el pecho a seis metros de distancia.»

«Sin duda alguna; usted también supongo yo.»

«Más aún si está tendido en la cama, ¿no?»

«¿Qué quiere insinuar con ello?»

«Tan sólo quiero decir que si es usted capaz de acertar a un hombre en el pecho, a seis metros de distancia, tanto más fácil será hacerlo a cuatro metros sobre un hombre tendido en la cama.»

«¿En la posición en que encontraron muerto a Baretto? Supongo que sí, nunca he hecho la prueba.»

«No se trata de un sarcasmo, señor Gavilán. ¿Incluso en la cabeza?»

«¿En qué cabeza? ¿De qué me está usted hablando?»

«Acertar en la cabeza a un hombre tendido en la cama. Y a cuatro metros.»

«Usted sabe que eso ya es más difícil. En el ejército enseñan a no apuntar a la cabeza. Yo, al menos, no lo he hecho nunca.»

«Repito que no se trata de hacer conjeturas, tan sólo. No ignora usted que Baretto murió en la cama, de un tiro en la sien.»

«¿Cómo lo podía ignorar? Como no ignoro que todo apunta hacia el suicidio.»

«Sí, es lo más probable.»

«Entonces, señor comisario, ¿qué estoy haciendo yo aquí? ¿No son ustedes, o el juez, capaces de dictaminar un suicidio sin necesidad de todas estas molestias?»

«Créame que estas molestias no las causamos ni por capricho ni por una excesiva escrupulosidad. He dicho que lo más probable es que sea un suicidio, no lo más seguro.»

«Esa seguridad no la tendrá usted nunca.»

«Lo sé.»

«En virtud de eso no tienen ustedes derecho...»

«Eso se lo dice usted al juez, señor Gavilán. Por otra parte no se trata tanto de alcanzar esa seguridad cuanto de descartar la posibilidad de lo menos verosímil.»

«Por ejemplo, que un hombre acierte en la sien, a cuatro metros de distancia, a un hombre dormido.»

«Dormido, despierto o muerto. A seis, a cuatro o a dos metros de distancia.»

«Me limito a repetir lo que usted ha insinuado. Yo no he inventado los cuatro metros.»

«Señor Gavilán, antes de encontrar el cadáver, ¿visitó usted al señor Baretto en su casa tras la entrevista de la calle?»

«No, de ninguna manera. Tan sólo le vi en la calle Creu Alta y en su casa, cuando descubrí el cadáver.»

«¿Insiste usted en que la puerta del piso estaba abierta?»

«Así es, abierta con el resbaladero apoyado en el marco.»

«Según la declaración de ayer, usted descubrió el cadáver a eso de las dos y media del mediodía del lunes día 20. ¿No es así?»

«Así es.»

«Y, sin embargo, usted ya se había trasladado de Sanponce al Hotel Levante de aquí, esa misma mañana, lo que demuestra que tenía usted intención de seguir en la ciudad. ¿Cómo se concilia eso con el hecho de que había usted quedado en visitar a Baretto antes de marcharse?»

«Pensaba irme el día 21 por la mañana o el siguiente a lo más tardar, a la vista de que no había encontrado nada que me gustara. A media mañana tenía todo el día por delante y pensé invitarle a comer. Eso es todo.»

«¿Iba usted armado?»

«Como siempre, ya lo dije al hacer la primera declaración.»

«¿No hizo usted uso del arma en casa de Baretto?»

«En absoluto. ¿Con qué objeto iba yo a hacer uso de mi pistola?»

«Debo advertirle, señor Gavilán, que hemos encontrado en

el suelo señales de bala que pueden corresponder al calibre de su Walther PPK.»

«No digo que no, pero me parece que por ahí no va usted a ninguna parte. Esas señales, ¿son recientes? Y, en definitiva, la bala causante de la muerte ¿no la han encontrado ustedes?»

«Se ve que está usted perfectamente preparado para estas circunstancias. Y eso es precisamente lo que más me sorprende, señor Gavilán, esa familiaridad con los datos más sólidos que abonan la hipótesis del suicidio. En efecto, la bala causante de la muerte no corresponde a su pistola, sino a la del difunto, una Parabellum calibre 38.»

«¿Entonces?»

«Entonces ¿por qué no pudo usted disparar con la pistola del difunto, aprovechando que dormía?»

«Un hombre que duerme con la puerta abierta y con su pistola al alcance del primero que entre para meterle un tiro en la sien. ¿Es eso verosímil, señor comisario?»

«De eso se trata precisamente; ya se lo dije antes, tenemos que investigar la posibilidad de lo inverosímil. ¿Recuerda usted cuándo disparó por última vez con su pistola?»

«Lo recuerdo muy bien, fue la semana pasada, cerca de San Pedro de la Rápita. Paseando por la playa, detrás del puerto, me entretuve en disparar sobre unas gaviotas. Me entretengo a veces en cosas parecidas y me hago la ilusión de que no pierdo facultades.»

«¿Hizo usted blanco alguna vez?»

«No, creo que no.»

«¿Se ha preguntado usted en estos dos días por qué lo retenemos aquí?»

«Nada más lógico, y no lo digo por hacer un cumplido, que retener a la persona que descubrió el cadáver. Por otra parte, viajo con mis papeles en orden y dejo mi nombre correctamente escrito en las fichas de los hoteles.»

«Eso es cierto, y no crea que no deja de sorprenderme. No le puedo ocultar que he pensado que estoy tratando con un hombre más astuto y avezado de lo normal. En resumen, con un profesional. Porque reconocerá usted que no deja de ser extraño que un día antes del asesinato o suicidio de Baretto caiga por aquí un antiguo compañero de armas, después de veinte

246

años sin aparecer, y que le visite en su domicilio aproximadamente a la hora después de producirse la muerte. ¿No le parece a usted extraño? ¿No son demasiadas coincidencias como para no pensar en lo más inverosímil?»

«No lo sé. Con ser extrañas, resultan más verosímiles que todo lo que ha insinuado. Además, se diría que me invita usted a participar en el trabajo que corresponde sólo a usted y que, a lo que entiendo, apunta a una inculpación a mi persona. Comprenda que no me preste a ello: eso sí sería lo más inverosímil, ¿no le parece?»

«No, quizá no.»

«No alcanzo a ver a dónde se dirige usted ahora.»

«Nada más que esto, señor Gavilán: la colaboración de usted para esclarecer un buen número de coincidencias y puntos oscuros podría aligerar la magnitud del delito del que puede ser en su día acusado.»

«Sencillamente, no alcanzo a ver por dónde va usted.»

«Es sin embargo bastante simple: la presencia de usted aquí, sus relaciones con el difunto y su visita en el mismo día y casi a la misma hora de su muerte pueden ser explicadas de una manera mucho más satisfactoria que la que usted pretende, y que usted, por el momento, se niega a hacer sin duda porque hay algo que ocultar en todo ello. Se han producido dos cadenas de hechos que tal vez sean independientes, pero que muy posiblemente tienen una relación directa de causa a efecto: una es su presencia aquí y su relación con el difunto y la otra es su muerte; por lo mismo que la segunda ha puesto de manifiesto la primera, de no ser ésta satisfactoriamente esclarecida puede verse imputada con la responsabilidad de esa muerte. Porque dígame, aun cuando Baretto se suicidara, ¿quién nos dice que no vino usted a inducirle u obligarle a ello? ¿Que su presencia aquí no le dejara otra salida que pegarse un tiro en la sien?»

«¿Tiene usted alguna prueba del poder que podía tener yo para llegar a eso?»

«Esa investigación formaría parte en su día del sumario. Repito, eso es cosa del juez. Nuestro cometido se reduce por ahora a decidir si el sumario ha de ir por ahí o por otro camino completamente distinto. Así que dígame, señor Gavilán, ¿qué vino usted a hacer aquí?»

247

«Vine a estudiar la posibilidad de alquilar un apartamento para el verano.»

«No se sienta usted demasiado seguro con ese pretexto. Pero volvamos a lo de antes; ya que no le sorprende a usted que le retengamos aquí ¿no se le ha ocurrido pensar que hubiera por medio una delación?»

«¿Una delación? No se me ocurre de qué se me puede delatar ni quién podría hacerlo.»

«¿Y si vino usted aquí a cuenta de un tercero? ¿Y si ese tercero le jugó a usted una mala pasada, una vez cumplida, digámoslo así, su misión?»

«Vine aquí por mi cuenta y riesgo, sólo por mi cuenta y riesgo, y no existe nadie ni nada que abone esa posibilidad. Por mi parte puede usted seguir con ese juego cuanto quiera, no tengo prisa. Pero no le conduce a ningún sitio, se lo advierto, aunque sólo sea para economizar su tiempo, señor comisario. Pierde usted el tiempo con tales fintas.»

«Está bien, si es así, ¿quién queda entonces?»

«Eso es, ¿quién queda entonces?»

«Efectivamente, en tal caso no queda nadie más que el propio difunto.»

«No lo sé, no estoy en situación de discutirlo. Es muy posible que el difunto dejara algún papel comprometedor; dígame sin rodeos de qué se trata y trataré de aclarárselo con mi mejor voluntad. Como puede usted comprender, me va algo en ello.»

«¿Ha oído usted hablar del reflejo de corrección por el error?»

«No tengo la menor idea de qué puede ser eso.»

«Haría usted bien en saber algo de psicología de la conducta. O conducta de la conducta, como dicen algunos sabios. Es un curioso efecto que se produce en algunas actividades sujetas a la mecánica de los reflejos encadenados. El profesional educado a realizar una serie de actos, unos seguidos de otros, cuando se produce el fallo tiende, por costumbre, a ejecutarlos en el mismo orden, pero a partir del momento en que surge la alarma, involuntariamente comete algún error. Y ese error es el que con frecuencia le salva.»

«Reconozco que me he perdido totalmente.»

«Con todo, resulta bastante sencillo.»

«Será sencillo para usted.»

«Salta a la vista.»

«A la mía no, desde luego.»

«Usted disparó sobre Baretto, a cuatro metros de distancia, cuando estaba tendido en la cama.»

«Y le acerté en la sien.»

«No le acertó en la sien ni en ninguna otra parte del cuerpo. Dio usted en el suelo. A cuatro metros de distancia, sobre un cuerpo inmóvil, dio usted en el suelo cuando decidido a disparar sobre él se dio cuenta, sin poder detener el dedo sobre el gatillo, de que se trataba de un cuerpo inmóvil y abatido.»

«¿Ha tenido usted, señor comisario, que hacer todo un curso de psicología para venirme con ese cuento?»

«Es posible. Le diré que tan sólo he hecho uso de antiguos conocimientos para tratar de conciliar tres series de hechos que no casan entre sí.»

«A saber.»

«A saber: primero, su presencia aquí y su demasiado casual relación con el difunto el mismo día de su muerte; segundo, el suicidio de Baretto demostrado sin lugar a dudas por todos los expertos y todas las pruebas.»

«¿Y tercero?»

«Tercero: la carta de Baretto.»

«¿Qué carta es ésa?»

«El domingo 19, con toda probabilidad, Baretto escribió una carta dirigida al Jefe de Policía que depositó en mano el lunes 20 y en la que aseguraba que usted había venido aquí para acabar con él. Acompañaba una descripción bastante detallada de su persona y cuantos datos consideró necesarios para aprehenderlo. A eso me refería cuando le hablaba de una delación.»

«Usted dijo ayer que Bareto andaba últimamente bastante trastornado. Es posible que después de nuestro encuentro del domingo se le ocurriera semejante disparate. Pero ¿qué clase de autoridad es ésta que da crédito al testimonio de un hombre fuera de su juicio? Quién sabe si mi encuentro en la calle despertó en él una inesperada reacción de la que el último responsable soy yo. Repito que no nos habíamos visto en diez años. Dígame, ¿cuál puede ser el móvil de semejante atentado?»

«Cosa del sumario, una vez más. Lo que a mí concierne es lo que ocurrió a Baretto desde el día de su llegada. Le voy a decir cómo ocurrieron las cosas, tal como yo las veo. Usted llegó aquí el sábado 18 o tal vez antes, siguiendo la pista de Baretto y dispuesto a acabar con él. Las razones que le pudieran mover a ello no hacen ahora al caso. Probablemente llevaba usted bastante tiempo decidido a ello; conocía sus pasos y a distancia no había dejado un sólo día de acosarle. La trayectoria de Baretto desde que entró en el país indica sin lugar a dudas que huía siempre de algo, jamás permaneció en el mismo lugar más de dos meses. Usted debía conocer bastante bien sus costumbres, su incapacidad para dormir por las noches, sus frecuentes recaídas en la droga y los tranquilizantes. Supongo que una vez lo hubo usted localizado se dedicó a espiarle durante dos días, para comprobar sus hábitos y horarios. Lo más probable es que no hubiera tal encuentro en la calle Creu Alta; en cambio lo que no podía usted sospechar es que Baretto no sólo le descubriera, sino que demostrara la presencia de ánimo necesaria para observar cómo, a última hora de la tarde del domingo (cuando usted creía haberle dejado en un cine), usted se introducía en su domicilio de la calle Ribes para inspeccionarlo y familiarizarse con él. Usted sabía que nunca se acostaba antes de las ocho de la mañana, tras adjudicarse una fuerte dosis de somníferos; pero él sabía que usted lo sabía y, por tanto, esperaba «su visita» para el mediodía, entre una y dos, cuando el personal de la imprenta del primer piso deja el trabajo y la casa queda sola. Entonces, y precisamente entonces, se pegó el tiro, metido en la cama. Estaba harto de vivir acosado, sabía demasiado bien que no tenía salida y no quiso marcharse de esta vida sin darle a usted su merecido. Le diré una cosa, podía haberlo hecho adjudicándose una fuerte dosis de barbitúricos y entonces usted, tomándolo por dormido, no habría fallado el disparo. Pero desconfiaba de los barbitúricos, ya los había ensayado dos veces en el último trimestre, sin lograr el resultado apetecido. Por eso optó por el disparo, tomando todas las precauciones posibles, incluso la oscuridad de la habitación y el corte de la corriente; se disparó en la sien, a través de la almohada, metido en la cama. Además, tenía prisa y, desconfiando de los específicos, nada debía horrorizarle tanto como la idea de que usted acabara con él. A toda costa debía querer seguir siendo dueño de la iniciativa. ¿Me entiende, señor Gavilán, me explico?»

«Sí, se explica usted bien, pero no convence; deja usted tantos puntos oscuros como los que pretende aclarar.»

«Pero no pudo evitar que medio cuerpo se desplomara hacia el suelo. Incluso debajo de la almohada dobló una toalla de felpa para evitar una mancha de sangre demasiado ostensible. ¿Para qué todas esas precauciones? Porque debía conocer sus métodos y tenía que saber que usted dispararía, a la luz de la puerta. No, no se equivocó gran cosa, el viejo Baretto; me pregunto si usted no lo ha subestimado porque se diría que siguió obedientemente sus instrucciones, hasta el menor detalle, sólo que dio en el piso en lugar de haber acertado en el cuerpo, casi todo él fuera de la cama con la cabeza a ras de suelo. Pero, en fin, tuvo usted la serenidad de inspeccionar el cadáver y reconocer la situación; incluso buscó la bala en el suelo y la huella del disparo y hasta tuvo tiempo de limar las astillas y disimular la muesca con un poco de barro. En cambio, no reparó usted en el impacto de rebote en la pared, debajo de la cama. Usted había liquidado la cuenta del hotel de Sanponce, dispuesto a huir y pasar la frontera —como usted sabe hacerlo— ese mismo día. Pero ante la nueva situación recapacitó; mucho más seguro y convincente que la huida era su presencia aquí, sin nada que ocultar. Así que decidió tomar una habitación en el Hotel Levante; hizo desaparecer la bala, limpió cuidadosamente la pistola (demasiado cuidadosamente para un hombre que de tarde en tarde acostumbra a hacer ejercicios de tiro sobre los pájaros) y se personó de nuevo, a eso de las dos y media, en la casa de la calle Ribes para descubrir el cadáver con toda inocencia. Y por si fuera poco se presentó aquí a denunciar el hallazgo. Sin embargo, le diré que no logró usted hacer desaparecer del todo esos residuos de pólvora imperfectamente quemada, tan característica de un único y primer disparo con un arma que lleva algún tiempo sin ser utilizada. No parece tampoco demasiado verosímil —he dicho verosímil— que un hombre que se entretiene tirando a las gaviotas, sin hacer blanco, realice tan sólo un disparo. En fin, que el viejo Baretto se la jugó a usted bien. Yo creo que debía usted haberlo tenido en más consideración. No se tenía usted que haber conformado con dejarle a la puerta del cine; la salida da a otra calle. El viejo Baretto; por lo menos ha conseguido que quede usted a disposición de la autoridad judicial. Son dos cosas distintas: inducción al delito u homicidio frustrado. ¿Lo prefiere usted así, señor Gavilán?»

«¿Homicidio? ¿Homicidio frustrado? ¿Qué fantasías son ésas? Yo vine aquí en busca de un apartamento para el verano.»

«Ah, si usted lo prefiere así, señor Gavilán...»

Juan García Hortelano*

El último amor

Que haya acabado marchándose, ahora que, por fin, se ha ido y quiero confiar, con toda mi alma, que jamás volverá, ¿arregla mucho las cosas? Aunque ya me he encargado yo de que no olvidase ni uno de sus pañuelos, parece al mismo tiempo como si no hubiese desaparecido completamente. Y es que, al recuperar todo su normalidad, nada va a ser igual que antes, la normalidad nos la ha dejado infectada, apestando a terror, la casa plagada de semillas de malos sueños. Ganas me vienen de arrancar los cables del teléfono, del timbre, hasta de abandonar la casa, incluso la ciudad, por si vuelve. Ellos, desde luego, ya conocen mi propósito de salir volando escaleras abajo, en bata, con los rulos en la cabeza, desnuda si regresa estando yo en el baño, dispuesta a no ceder así me hinchen a bofetadas, me amenace con el divorcio o me encierren en un asilo de viejas. No es un capricho, ni siquiera una opinión; es el miedo, que no me permitiría ni echarme un abrigo por los hombros, antes de escapar disparada. Benedetto sabe, además, que sería la definitiva[1] entre él y yo.

Pero se ha marchado. Después de fregar, barrer, restregar, lavar, pulir, hasta purgar diría yo, con tanto ahínco como repugnancia, voy a dejar abierta la ventana de su habitación dos

---

* *Apólogos y Milesios,* Barcelona, Lumen, 1975; *Gente de Madrid,* 1967; *Cuentos completos,* 1979; *Preparativos de boda,* 1986; *Mucho cuento,* 1987.

[1] *sería la definitiva:* Sería la ruptura, o separación, definitiva.

días y dos noches. Benedetto se reía hace un rato, mirando cómo me afanaba, resudada, a la velocidad del vértigo, rabiosa, y luego ha repetido, aliviado él también, que nunca, nunca, que jamás le tendremos otra vez de huésped. Y entonces he pegado el estallido.

—Mira, escucha, ¡escúchame bien! —le he gritado, tirando el mango de la aspiradora y yéndome hacia su sonrisa—, que no se te salga de los sesos. Ahora me tendrías que comprar la máquina de coser, un aparador nuevo, una batería entera de cocina, tres vestidos, me tendrías que llevar dos semanas a la playa, al teatro todas las noches, y, que se te quede bien metido en los sesos, y no me pagarías ni un céntimo por todo lo que he padecido. ¡Así me estés regalando trastos durante diez años y haciéndome pamemas[2], maldita sea yo!

—Cálmate —me ha dicho, tranquilo, pero sin reír ya y, antes de irse, ha repetido que no sucederá más—. No prepares cena, que esta noche te llevo a cenar a una buena taberna y luego buscamos un cine.

—¡Ahórrate el cine y la taberna! Lo que yo quiero es volver a ser una persona.

Me besó la frente, temblones los labios, porque, sea fingida o no su calma, avergonzado está, no hay duda; le ha ido brotando la vergüenza en los últimos días conforme crecía mi miedo, que yo comprendo que, al final, debía resultar tan insoportable aguantarme que se atrevió a pensar que alguna consideración merecía su propia mujer. Esta mañana, cuando aparecí en el cuarto de estar y vi la maleta y el estuche del violín, cerrados, junto al balcón, en el momento preciso en que, como un empujón de felicidad, tuve la intuición de que se marchaba, lo primero que se me ocurrió es que Benedetto, por fin afectado por mi desazón, había hablado con los de arriba y que los jefes habían decidido que me lo quitaban de casa. Y no.

No, no, se ha marchado por lo que sea, pero, en cualquier caso, porque él lo ha decidido libremente. Mientras me voy calmando, estoy más convencida de que ni Benedetto tuvo valor para hablar con nadie, ni que él habría aceptado, de no

---

[2] *pamema:* Hecho o dicho fútil y de poca entidad, a que se ha querido dar importancia (DA).

convenirle, que los de arriba le ordenasen la mudanza. Pero si él no considera a nadie por encima... ¿A quién va a respetar como superior un tipo que se sabe temido por toda la organización? ¿A quién, mirando el asunto desde otro sitio, le podía influir, sin excluir a Benedetto, la desesperación de una mujer que ni siquiera es hermana, sino la esposa de un miserable y viejo hermano? Insignificante mujer, pensarían, bien cogida estás, sírvele de patrona y no gruñas demasiado.

Alegre nunca me sentí, ni al principio, cuando aún ignoraba todo. El piso admite una persona más —ese hijo que no hemos tenido—, el trabajo no me asusta y que él resultó ordenado, de poco comer y nada melindroso. Pero desde que pasó la puerta de la calle, me sentí incómoda. No más incómoda que con cualquier otro de los cientos, extranjeros o del país, que Benedetto habrá traído en nuestros veinte años de matrimonio, pero sí molesta, porque ni tengo veinte años yo y me interesa lo que una basura esa montaña de cenizas de la organización. La vida me hizo para ser la mujer de un hombre como Benedetto, nunca le he pedido más a la vida, salvo que Benedetto —algo en contra había de tener, como se suele decir— sigue siendo hermano y se morirá siéndolo, aunque no quede otro a quien llamárselo, por mucho que la realidad le demuestre su error, el fracaso, ese olor a polvo, a rancio, que desprenden todos ellos. Menos él.

Él pasó la puerta, atravesó el recibidor, en el cuarto de estar se detuvo junto al balcón, siguió un rato con la maleta y el estuche en cada mano y ya, a la luz, se veía que era distinto, aunque tuviese el pelo cortado a cepillo como los hermanos antiguos, a pesar de sus manazas de trabajador que hace años que no trabaja.

—¿Cómo te llamas? —me preguntó.

—Stefania —respondió, por mí, Benedetto.

—Yo saldré poco, de manera que me tendrás todo el día rodando por las habitaciones.

—A ella no le importa —se apresuró a decir Benedetto, como si las palabras del otro y el tono en que las pronunció hubiesen significado una disculpa, un deseo de no molestar o una simple muestra de buena educación.

Las dos primeras semanas no pisó la calle. Leía periódicos,

dibujaba edificios de fachadas con mucho adorno, que después rompía en pedacitos iguales, miraba por el balcón; durante la cena y la sobremesa charlaba con Benedetto, no dejaba él de charlar, a borbotones, a tal velocidad y tan sin escoger las palabras que pasaba a hablar el idioma de su tierra sin apercibirse, ni tampoco Benedetto, prueba de lo alelado que le dejaban los discursos del otro. Recuerdos de la guerra y de la de España, de huidas, de enfrentamientos, de explosivos y remedios y estratagemas. Apenas les oía —le oía— y, acabando de secar la vajilla, me acostaba y en la oscuridad de la alcoba esperaba a que terminase el runrún de su voz, a que Benedetto entrase, risueño y fatigado, alucinado por las historias del hermano. No le quería preguntar, pero eran ya muchos días, ninguno de los anteriores había durado tanto.

—Él por ahora no está de paso, ¿entiendes?

—No, no entiendo. Puede que ni tú mismo lo entiendas, pero averigua cuándo se va. Sólo eso.

—Entre nosotros no se usan marrullerías —dijo, y se dio vuelta en la cama.

Una mañana, después de esas dos semanas o dos semanas y media, al entrar con la bandeja del desayuno, le encontré con la gabardina puesta. Me dijo que no desayunaba, que quizá luego, cuando volviese. A la hora más o menos estaba de regreso y desayunó entonces, con apetito, hablador sobre todo. A mí, porque le habrían advertido o simplemente porque soy mujer, nunca me mencionaba la organización, en realidad casi no me hablaba. Pero aquella mañana no dejó de parlotear de las calles, del sol, de las gentes, como si fuese yo la enclaustrada y tuviese que descubrirme el mundo. No me fijé en más.

Y, cada tanto tiempo, a capricho se podría decir, alguna mañana aplazaba el desayuno, salía con la gabardina puesta —y mal abrochada—, regresaba en un par de horas todo lo más y desayunaba. Yo, sintiéndole excitado, con necesidad de compañía, no le hacía apenas caso. Algunos de aquellos días, en vez de fachadas extrañas, dibujaba rostros, unos rostros que por lo general gritaban y que también desmenuzaba poquito a poco, con una saña paciente, llenando el cenicero grande de papelillos. Aquel botón de la gabardina me despertó la primera sospecha.

Tampoco creo que se ocultase de mí. Guardaba una reserva natural, una costumbre de silencio, de silencio profesional, claro está, pero nada le importaba que yo supiese y, no siendo tonto, esperaría que tarde o temprano yo, que le arreglaba el dormitorio, que me pasaba el día con él a solas en la casa, tenía que terminar por descubrirlo, aun siendo tonta como soy. ¿Por qué abrochaba uno de los botones de la gabardina en un ojal que no le correspondía, de tal manera que le quedaba raro, aunque no escandalosamente? ¿Por qué, cuando esa equivocación le obligaba a llevar siempre la mano izquierda en el bolsillo, pero no como si sujetase algo bajo la gabardina?

Además de no ocultarse, más tarde lo comprendí, estaba a la espera de que yo supiese, seguramente pensó que yo era tarda de entendimiento, que necesitaba mucho tiempo y evidencias a puñados, no cabe duda que alguna vez debió de sentirse impaciente. Mi cabeza funcionó a su modo, un poco de claridad, penumbra otra vez o tinieblas, incluso ciega a plena luz. El día que supe también él supo que yo había acabado de adivinar. Hasta tuvo un detalle zafio, algo no para ratificar o comprobar que yo conocía ya su secreto —le bastó mantenerme la mirada—, sino como intentando precipitar los acontecimientos.

—Deja de guisar y ven —le seguí al cuarto de estar—. Toma, lee —me ordenó, tendiéndome el periódico sobre la mesa.

—Yo misma lo he comprado.

—Lo ponen ya en primera página, ¿te fijaste? —preguntó, en parte burlándose de su bravuconería, en parte por establecer una complicidad, que yo entonces no supe medir.

—No cante victoria. Cualquier mañana sale también en la primera página su fotografía.

Se carcajeó[3], ondeando el diario, contento, pero como misterioso. Por eso, ahora, mientras se ventila la peste que ha dejado en el dormitorio pequeño, estoy segura de que aquella zafiedad fue un escape de su impaciencia, de su ansia por que yo me enterase. Con Benedetto fingía ignorancia y seguí fingién-

---

[3] *se carcajeó:* carcajearse tiene más el sentido de reírse para sí, burlarse, que el de dar carcajadas.

dola, cuando una noche ya no resistí más y, tras esperar a que él cerrase la puerta de su habitación, procuré decírselo sosegadamente, sin ponerme gritona, ni llorosa.

—Pero ¿no te has dormido todavía?

—No. Tienes que saber —hablar quedo me facilitaba la serenidad— que yo ya lo sé.

—Olvida, Stefania. Son cosas que no te atañen.

—Sí me atañen. Nos atañen a los dos.

—Te aseguro que no hay peligro.

—Mentira, Benedetto. No consiento que, además, me mientas. Y óyeme atentamente. Hoy, cuando ha salido sin desayunar, porque también he comprendido que ha de ser mejor, en caso de que te lo agujereen, que te agujereen vacío el estómago, registré su dormitorio. He visto el estuche del arma, los compartimentos forrados para las piezas, los racimos de balas, los botes de grasa, los paños con los que la limpia, esas bolsas de papel, en el armario, rebosantes de billetes.

—Aquí nunca le han detenido, apenas le conocen. Te aseguro, Stefania, que el riesgo es mínimo.

—Mentira, Benedetto. Tú y yo somos su tapadera. Lo diría, si le cogen...

—No.

—... vivo.

—Nosotros, los desposeídos, sólo nos tenemos a nosotros.

—Ni por vuestra causa, que jamás fue la mía, ni por ninguna causa, quiero levantarme temblando por si me rechaza el desayuno, por si saldrá o se quedará, y yo sin saber si quedarme o ir al mercado, sin atreverme a asomar la jeta a la escalera, ni a hablar con las vecinas, hasta preocupada por verle regresar, porque sería peor que no volviese. No lo sufro, entérate.

—Sí —dijo, y ya no pudo dormir esa noche, incapaz de oponer una palabra a las mías.

Algo conseguí, pues Benedetto acortó las sobremesas; alegaba, en cuando yo terminaba en la cocina, que debía madrugar para el trabajo. Nos metíamos en nuestro dormitorio y le dejaba con las ganas de seguir conversando, de que un papanatas, le escuchase sus machadas, sus teorías, su verborrea de preso solitario. Yo quería creer, en medio de tanta impotencia y tanta amargura, que de aquella manera le acorralaba, le obligaba a irse. Claro que era sólo una sensación y muy fugaz.

Me agarraba a cualquier eventualidad, a fantasías, que él ni sospechaba, empecé a pasar las tardes en la cocina o en nuestra alcoba, a no contestar sus preguntas, a rehuir hasta su saludo. Sobre todo, a escapar a la calle las mañanas en que él ayunaba. Nada más cerrarse la puerta, casi tras sus pasos —y, medio loca, incluso pensé seguirle para verle actuar— escapaba a ninguna parte, a quedarme en un parque, delante de un escaparate, en una iglesia, asfixiada de miedo, enferma, mientras liquidaba la fechoría en uno u otro barrio, toda la ciudad era buena para él, hasta que volvía a casa y me lo encontraba sentado ante el desayuno, que con sus propias manos había recalentado. Malgasté horas maquinando que le echaba raticida a su comida y, al atardecer de esos días, escapaba a comprar los periódicos, con la insensata ilusión de que traerían en primera página la imagen de su cuerpo sobre una acera. Luego, me quedaba agotada, entristecida, incapaz de explicarme por qué le odiaba, como si me estuviese acostumbrando.

¿Qué podían afectarle mis silencios, mi displicencia, los alimentos mal condimentados, la ropa sucia, esas pequeñas venganzas, la mayoría de las veces sólo imaginadas? No, él no necesitaba un ama de casa, una sirvienta hacendosa, o prescindía sin subrayarlo de las comodidades. Pero, al mismo tiempo, ¿cómo podía yo haber supuesto, con mis años a cuestas, con mi rostro que ha recogido y conservado los surcos de las privaciones, con este cuerpo de largos huesos que ha descarnado la rutina? Y no habría sido difícil suponerlo, a poco que hubiese reflexionado en que él no salía sino para asaltar y para huir.

Bueno, pues ni la más mínima suspicacia, ni siquiera esa mínima precaución de asegurar el pestillo del cuarto de baño. Abrió como si hubiese derribado la puerta. Naturalmente, en un segundo comprendí. Y, aunque estaba ya derrotada, le esquivé, huí por el pasillo, chorreante, facilitándoselo, y también luché, hasta que él quiso usar su fuerza. Mucho después regresé al cuarto de baño, a donde le había oído ir desde la alcoba; la alimaña de él ni había cerrado el grifo de la ducha, que seguía lloviendo igual que cuando había entrado a asaltarme a mí también.

Benedetto es un hombre sencillo, un simple obrero, y logré no contárselo, porque a la humillación de saber habría unido la cobardía de consentirlo sin expulsarlo de casa. Es más, a partir de aquel día, después de recoger la cocina, volví a retirarme en silencio, dejándole repetir incansablemente, testarudamente, frases que a Benedetto le sonaban siempre nuevas. Lo intentó en otras ocasiones, no ha dejado de perseguirme para decirlo con claridad, incluso una tarde consiguió sujetar mis muñecas y rasgarme la blusa; otras veces me obligaba a que le escuchase unos discursos razonadores, sensatos, lo más hiriente y corrompido que nunca escuché. Llegaba, tratando de prostituirme o debilitarme, a decir verdad. Sin embargo, de poco le podía valer, porque en mi interior yo ni siquiera me escuchaba a mí misma, dentro de mí no se trataba de aceptar o rechazar, yo era sólo una enorme fuerza que decía no, sin decir nada, un muro de piedra mojada para sus manos, una náusea.

Se ha marchado. Pero ése ha marchado? Sé que ni el aire ni el tiempo limpiarán esta casa por completo. Me despertaré sobresaltada cualquier noche; a la sola idea de que a la mañana siguiente él tendrá la gabardina mal abrochada, mi piel se llenará de sudor; temblaré al entrar en una habitación vacía, rehuyendo un acoso, que embrujó el camino de mi cansado cuerpo hacia la vejez. Quizá —ahora es razonable la ilusión— un día, al desplegar el periódico, llegue a ver la foto de su cadáver.

Alfonso Martínez-Mena*

Apenas nada

Apenas nada. Una suave cortina de agua se desploma sobre los adoquines. Luego corre calle abajo mezclada con la tierra, con el polvo que no se acaba nunca. Paraguas sostenidos. Uno rojo, otro negro, otro a rayas azules y amarillas quizá... Están sobre la acera las mujeres, las chiquillas, las jóvenes minifalderas. Con sus botas altas, con sus zapatos enlodados. Las casas son bajas. Hay una de tres plantas con balcón corrido —terraza— donde cuelgan la ropa si no llueve. Hoy llueve. Esperan. Se miran las unas a las otras. Alguna muchacha se siente incómoda, es la edad. Ella es espigada. Sus senos han dejado de ser incipientes. Tiene un brillo melancólico en los ojos todavía: el muchacho que puede pasar por allí, el recuerdo del baile del domingo, el anticipo de lo que sucederá dentro de tres días. Un deseo febril de escapada. Mira con timidez a su alrededor. Sabe todo lo que hay. ¿Quién la piropeará? ¿Más razones para sentirse incómoda? ¡Todas! Las lleva en lo ancestral, en el deseo de huida, en el instinto... y en el sexo. Se acerca un perro. Hay varios perros. Uno de ellos insiste. Le ahuyenta la muchacha con un gesto. Le ahuyenta la muchacha con el pie, no muy convencida, casi temerosa. Los perros están impávidos bajo la fina lluvia. Están impávidos al sol. Impá-

* *Antifiguraciones*, Madrid, Magisterio Español, col. Novelas y Cuentos, 1977; *El espejo de Narciso*, 1962; *El extraño*, 1967; *Hombres con toro dentro*, 1984; *Incidentario*, 1986; *Otrosí*, 1988.

261

vidos a la noche. Son viejos perros por más que alguno tenga pocos años. (¿Quiénes son esos perros? ¿Lo explico? ¡Para qué!) Perros hechos a la calle, a la conformidad, a la mugre. A veces un muchacho oprime el botón del grifo de la fuentecilla y un perro pesadote y sucio, con cara triste y noble (los hay) bebe agua del mismo chorro (mientras caiga). Pero hoy llueve. El agua corre por la calle y las mujeres esperan. Es el juego diario de esquinas y aceras. Un poco como preparación para ser el primero —la primera. Los perros y los cubos de basura. Cubos de basura de plástico, de varios colores, como los paraguas. Insiste el perro. Consigue sacar del cubo un trozo de papel que envuelve algo. ¿Cuándo llegará?

En verano apesta todo a cochiqueras. Las casucas tienen corralizas, tinglados de chapa rizada extendida que fueron cilíndricos barriles, montones de basura donde pululan moscas y mosquitos. Cuando sopla la brisa, un nauseabundo olor invade, penetrante, los últimos rincones. Es inútil que se rocíen las puertas. En el único grifo de la zona enchufan una manguera de plástico verde. La sujetan con alambres, y también un trozo de madera que oprime el botón del grifo para que salga agua. El agua recorre la manguera hasta las casas. Los chiquillos pisan la manga. El agua se detiene. Hay que vigilarla. En las casas se llenan recipientes con el entubado líquido de fuerte sabor a cloro. También se transporta a cubos. Pero ahora, digo, está lloviendo. Las basuras no huelen tanto como en el verano. Las moscas han desaparecido en parte. La furgoneta del taller mecánico está al borde de la manguera. Muchas veces la pisa. Muchas veces entorpece el paso de los camiones que ruedan por la calle... Un chiquillo, que apenas asoma la cabeza por la ventanilla de la cabina, se aplica en la marcha atrás del viejo camión cargado con residuos de las calefacciones. Las ruedas traseras se apoyan en la acera y ruge el motor mientras patina el embrague. Conseguirá meterlo. Lo ha hecho otras veces. Si le da un rasponazo con la esquina no se notará. Es un viejo camión desconchado y con abolladuras en todo su perímetro. Cuando no llueve los carboneros de segundo fuego[1] respiran

---

[1] *los carboneros de segundo fuego:* los que aprovechan los restos de carbón ya quemado.

la negra nube de polvo que levantan al pasar las escorias por un amplio cedazo. Los trozos menos pequeños los venden. Las mujeres que ahora están en la calle esperando bajo la lluvia acuden con los mismos cubos, u otros, a cambiar monedas por escorias para encender la lumbre. Todavía más barato que el butano. El esfuerzo no cuenta. Ellas están para hacer esfuerzos por todo. Remiendan pantalones, cuecen papas[2], de vez en cuando adquieren carne de tercera... y se consuelan con el televisor. Se escuchan los televisores desde la calle, a través de las cortinas de arpillera[3], a través de las telas metálicas de las ventanas por donde sale, siempre a la misma hora, un olor a guisado con especias que domina, que vence al de las cochiqueras.

Las mujeres siguen esperando. La lluvia es menuda. El perro se traga su presa. El aire está cargado. El locutor del Telediario, con voz firme, da cifras del Plan de Desarrollo[4]. Proyectos. Los pantanos andan mal de agua. Una tal Jacqueline, casada más o menos ortodoxamente con cierto anciano millonario, parece que se va a divorciar según comentan los informadores del género. Se prevé alguna hazaña rusa para conmemorar el cincuentenario de la Revolución. Kissinger continúa sus viajes y componendas. Está a punto de inaugurarse el curso en la Facultad de Medicina. Declaraciones de Costa e Gomes. Se prepara un trasplante de corazón. Nixon ha sido operado de flebitis. Alguna vaga noticia de Biafra. Johnson tomará medidas para acabar con los bombardeos del Vietnam. Tragedia en Le Mans. Otras veces es que viene la reina Victoria Eugenia, que Constantino pasa sus forzadas vacaciones en Roma y hay una nueva víctima en el Muro de Berlín. Que Orantes está en baja forma. Que el Real Madrid continúa ganando sus partidos o va a salir una nueva revista independiente. Los MIR en conflicto. Curas que se amotinan. Sequía en Murcia. Inundaciones en cualquier país sudamericano...[5]. Si

---

[2] *papa* (quichua). Estos pobres desplazados del campo, que asediaban el pan de la ciudad en los suburbios, dirían, seguramente, como en Jaén, papas y no patatas.

[3] *arpillera:* tejido por lo común de estopa muy basta, con que se cubren varias cosas para defenderlas del polvo y del agua (DA).

[4] El Plan de Desarrollo fue aprobado por las Cortes Españolas el 27 de diciembre de 1963.

[5] *Una tal Jacqueline...* Jacqueline Kennedy, del naviero griego Aristóteles

no hay Telediario se sacan de la manga un malabarista que fabrica palomas de la nada. O un programa de modas —desfile de modelos. O te explican cómo se puede hacer un safari en Tanganika —prohibidas las ruletas y los fumaderos de opio. Las viviendas huelen a guiso o a basura. Los ojos de las gentes están en el televisor o en las lágrimas. Las manos rebuscan escorias o zurcen. Los hombres trabajan en el tajo o manejan naipes grasientos en la taberna de la esquina. Salario mínimo. Puntos. Seguridad Social[6]. Los periódicos se han abierto a la palabra huelga. Palabras nunca faltan. Palabras tristes cargadas de desencanto. Palabras sonoras cargadas de información internacional. Mentes distraídas o mentes añorantes. La anciana enlutada, sarmentosa, soporta estoicamente la mosca que le acosa (que la acosa —dice—, que la ataca, que la pica, que la molesta...). Los chiquillos arrastran el trasero por los rugosos suelos de las casas, porque todavía no tienen un par de años. Lloran. Sorben mocos. Se los restregan con el antebrazo muy de tarde en tarde. Juegan en los solares cuando se pueden te-

Onassis. / El *cincuentenario de la Revolución* soviética se celebró en noviembre de 1967. / Henry Alfred *Kissinger* (1923), americano nacido en Alemania. Secretario de Estado (1973-77), negoció la retirada de tropas americanas del Vietnam y finalizó la guerra árabe-israelí (1973), con la retirada israelita del territorio árabe. Premio Nobel de la Paz (1973). / *Costa e Gomes:* Militar y político portugués. General en Jefe de las fuerzas en Mozambique (1965-68) y Angola (1970-72). Formó parte de la Junta de Salvación Nacional y fue Presidente de Portugal (1974-76). / El primer *trasplante de corazón* fue realizado por el sudafricano Christian Barnard. / Richard *Nixon,* presidente de los EE.UU. de América (1969-1974). Dimitió. / *Biafra,* república al SE. de Nigeria, en guerra de secesión de 1967 a 1970. / Lyndon Baines *Johnson,* Presidente de los EE.UU. de América (1963-1969). / *Tragedia* (1955?) *en* el circuito automovilístico de *Le Mans,* capital del Departamento Occidental del Sarthe, Francia. / *Victoria Eugenia* de Battemberg (1887-1969), princesa inglesa; reina de España (1906) por su matrimonio con Alfonso XIII. / *Constantino* II, rey de Grecia (1964-1967). fracasó en su intento de derribar una Junta Militar, abandonó el país y fue despojado de su título de monarca (1973). De ahí, «sus forzadas vacaciones». / *Muro de Berlín,* levantado por Rusia (1961). El Este de Berlín es la capital de Alemania del Este. / Manuel *Orantes,* tenista español de fama internacional. Fue campeón de España de individuales (1970). / *Real Madrid,* equipo español de fútbol de fama internacional. Sucesor del Madrid Fútbol Club (1902). Cinco veces consecutivas campeón de Europa. / *Los MIR,* Médicos Internos Residentes.

[6] *Salario mínimo:* 60 pesetas diarias en 1963. *Puntos:* subsidio por matrimonio, número de hijos, etc. *Seguridad Social:* el proyecto de la Ley de Bases de la Seguridad Social fue aprobado el 28 de diciembre de 1963.

ner en pie, y poco después se enganchan de peones en algún edificio fabuloso de la Diagonal o la Avenida del Generalísimo. Pero ahora llueve. Ahora las mujeres están en las aceras esperando.

Mari me hace un bocadillo de tortilla. Los monos azules[7] de una imprenta se toman su cerveza o manejan la máquina tragaperras. Tras los sucios cristales del bar-taberna único contemplo a las mujeres, a las niñas, a los perros que esperan. ¿Qué podría hacer para no sentir asco? Asco del bocadillo (las manos del tabernero que se acercan al pan. Los dedos como tacos de madera astillada, ennegrecidos. La ceniza del cigarro caído entre los labios. El cálculo mental analfabético de pesetas y duros. Legañas en los ojos. No hay mimo de albañil amasador de yesos en el rudimentario gesto, torpe y burdo, del maduro hombretón tirando a viejo dueño del bar y padre de la Mari. Quisiera ver a Mari vestida de domingo. Mari no necesita —menuda, desgreñada, zapatillas de paño rotas por los costados— sentirse incómoda. Tiene un futuro claro, una prenda valiosa en el mármol rajado del mostrador del bar: una especie de dote principesca). Asco de los cubos de basura. Asco de la calle enlodada y del agua que ya parece sucia antes de llegar al suelo de adoquines y tierra, o de tierra tan sólo en muchos tramos. ¿Qué podría hacer para no sentir asco? —¿Me lo vuelvo a preguntar o está claro?— ¿Simplemente irme? ¿Y qué? Ellos se quedarían allí, ante los televisores, haciendo cola para comprar escorias de carbón, arrastrando sus culos por los suelos, pensando en la quiniela del domingo y en lo que cuesta la acometida del agua para tenerla en casa y dejar el trasiego de los cubos, o el enchufar la manga que suele pisar la furgoneta del taller.

Llueve fino (el cielo, inconcebible, no es gris amenazante y pavoroso; no es la plancha de plomo que no ampara y aplasta). Un simple diluvio nos arrasaría. A mí también. A todos. Yo iría con todos. Con los hombres del tajo y las mujeres, y las niñas, y las mocitas minifalderas que esperan incómodas bajo tristes paraguas por más que algunos de ellos sean de colores

---

[7] *los monos azules:* metonimia para designar a los obreros que usan este traje de faena.

fuertes creados para alegres. Suena la bocina. Se escucha el ronroneo del motor. Asciende el enorme camión de la basura. En el estribo de atrás, los basureros con impermeable y gorra. Se va a acabar la espera. Se va a acabar la espera hasta mañana. El camión se llevará las porquerías. Debería llegar un camión más grande que nos llevara a todos. Un camión inmenso que cargara barriadas y barriadas, sin preguntar. Sin avisar. Sin tregua. Las muchachas, las mujeres, las niñas, se aprestan a entregar sus cubos. Los basureros los vuelcan con un giro rápido y oficioso. Los golpean en el borde, de pasada. Nunca cae todo. Algo queda adherido a las paredes de plástico moderno. También el camión es muy moderno. Yo estoy a punto de arrojar mi bocadillo de tortilla (mi pobre bocadillo cotidiano. Hábito de ermitaño voluntario, cobarde, avergonzado...). Y eso que ahora llueve, no hay muchas moscas, no huele el aire a cochiqueras porque la cortina de agua (de un cielo todavía con las fauces cerradas, pero próximo a abrirlas) arropa los hedores de la calle, de las casas, del camión de la basura y casi de las miradas de la gente. Peor es durante el verano, con sol y con polvo. Ha terminado la espera; esta espera, hasta mañana, hasta que venga el camión gigante.

MANUEL SAN MARTÍN*

Salud y otros misterios

Sobre el tapete verde de la mesa camilla, las piezas del rompecabezas eran ovejas bajo mi custodia; ovejas que había que encerrar porque llovía; ovejas que había que contar y meter bajo techado para pasar la noche tan a gusto mientras fuera llovía.

—¿Ya has resuelto el rompecabezas? —me decían al verme guardar meticulosamente las piezas en la caja.

Yo decía que sí para desentenderme y seguía encerrando mis ovejas una por una, llamándolas por sus nombres, tratando de dominar con mi voz el tumulto de los cencerros de los machos, los balidos de los corderos recién nacidos, percibiendo ese olor inconfundible de rebaños mojados.

En realidad las piezas del rompecabezas despedían ese olor característico de las cosas guardadas en los compartimientos bajos de las librerías de los médicos rurales. Ese vago olor a eucalipto y a tintura de yodo. La baraja, los prismáticos, el *Tartarín de Tarascón*[1], el estereoscopio con vistas de Barcelona y de los Alpes, las novelas del padre Coloma[2], todo olía vagamente a eucalipto y a tintura de yodo. Ese es el aroma de aquel

---

* *El Insolente,* Barcelona, Rocas, col. Leopoldo Alas, 1962; *La noticia,* 1959.

[1] *Tartarín de Tarascón:* Primera (1872), y quizá la mejor, de una tetralogía de novelas famosas de Alphonse Daudet (1840-1897).

[2] *Padre Luis Coloma* (1851-1915). Jesuita español. Sus novelas alcanzaron gran fama, especialmente *Pequeñeces* (1891), sátira de la aristocracia en la época de la Restauración alfonsina; pero también *Boy, Jeromín* y *Fray Francisco.*

tiempo, interrumpido una vez al año por el olor a cuero y a monte de mi padre.

Mi padre venía a oficiar en la matanza del cebón[3]. En una alforja traía sus atributos: los zahones[4], el tremendo cuchillo, la piedra de afilar. En la otra, regalos para su hermano y para mí: una liebre cazada exprofeso[5] la tarde anterior, olorosos membrillos, bellotas avellanadas[6], algún tarro de miel.

Al llegar, nos besaba, pedía un vaso de vino y no tardaba en sentarse y en dibujarme un toro bravo de magnífica lámina[7]. Yo aprovechaba las venidas de mi padre para abastecerme de toros. El Teso[8] no era tierra de toros y mi tío sólo sabía pintarlos mansos. Los dibujaba bien, pero sin casta. Yo no me atrevía a pedirle directamente que me pintase un toro bravo, pero una vez me pintó uno espontáneamente y me lo pintó capón.

—Eso no es un toro —le dije—. Eso es un buey.

Mi tío se mordió el bigote y planteó a mi tía la necesidad de vigilar mis amistades.

A mi tía sí que le pedí más de una vez que me pintase un toro, y ella, encantada, la mujer; pero acabé por renunciar; me los pintaba con trazo leve y discontinuo y con cuernos de cabra, ojos de muñeca y patas de ave. A mi tía se le daban bien las flores. Era lo único que sabía pintar.

De aquí mi habitual penuria de toros y mi codicia en proveerme de ellos cuando venía mi padre cada año a oficiar en la matanza del cebón.

El misterio sangriento se celebraba al alba. Se escogía un amanecer cristalino del tiempo de los hielos[9]. Había el olor a

---

[3] *cebón:* Puerco bien cebado que, después de muerto (la matanza), proveerá a sus dueños de jamón, lomo, embutidos, tocino, grasas, etc., gran parte del año.

[4] *zahón:* Especie de calzón de cuero o paño, con perniles abiertos que llegan a media pierna y se atan a los muslos, el cual llevan los cazadores y gente del campo para resguardar el traje (DA).

[5] *Ex profeso:* Adverbio latino: De propósito, con particular intención (DA).

[6] *bellotas avellanadas:* No creo que avellanado signifique aquí arrugado y enjuto; serán bellotas del color de la avellana, acarameladas, como suele ser el fruto de la encina cuando está bien maduro.

[7] *de magnífica lámina:* de buena estampa, de magnífico aspecto.

[8] Será el salmantino *Teso* de San Cristóbal, en la raya de Portugal, cerca de donde había nacido la madre de Manuel San Martín: Ciudad Rodrigo.

[9] La matanza suele hacerse en noviembre.

hierro de la escarcha y el olor a aguardiente de los hombres que echaban humo por la boca mientras forcejeaban con la víctima. Cuando al fin lograban sujetarla e inmovilizarla en el tajón[10], mi padre desenfundaba su cuchillo, tanteaba con la punta hasta encontrar el sitio que él sabía, se santiguaba y descargaba el golpe. Del cuello del animal brotaba un géiser de sangre que una mujer tenía que recoger en un recipiente de barro. A veces salía un chorro tan brusco y tan potente que cogía desprevenida a la mujer y la ensangrentaba toda de pies a cabeza.

—Así se mata, sí señor —decían los hombres.

La mujer encargada de la sangre solía ser joven y, si posible, hermosa. En casa de mi tío era Salud, la moza garrida y jocunda con la que yo dormía angelicalmente cada noche.

Los hombres seguían aferrados a las patas del bicho moribundo hasta que mi padre sacaba la petaca y decía:

—Ya lo podéis soltar.

—Ese ya no se va —corroboraba mi tío. Y gritaba—: ¡Leonor! ¡Leonor! ¡Ya puedes venir!

Mi tía venía con dulces y licores y los hombres bebían a su salud. Enseguida los olores reinantes eran los de las retamas quemadas y el de la piel chamuscada del cerdo. Yo solía reclamar el privilegio de encender la hoguera. Me parecía increíble poder encender una hoguera tan hermosa sin tener enseguida que huir.

Al salir el sol, el animal purificado por el fuego estaba en disposición de ser abierto y descuartizado. Aquí se manifestaba mi tío. Era lo suyo. Ponía en juego todo su amor propio profesional. Pero su instrumento no era un bisturí, sino un enorme cuchillo de hoja ancha que manejaba con gran soltura y precisión.

—¿Cuántos ha abierto usted, don Gonzalo? —le decían los hombres.

—Unos pocos. No es el primero, no señores.

Si alguien se aventuraba a hacerle alguna sugerencia, mi tío se limitaba a decir:

---

[10] *tajón:* tajo: pedazo de madera grueso, por lo regular afirmado sobre tres pies, el cual sirve en las cocinas para partir y picar la carne (DA).

—¿Ah, sí? ¡Vaya, hombre!

Y sonreía con benevolencia. A veces el imponente filo del cuchillo parecía rozarle los dedos de la mano izquierda.

—Cuidado, Gonzalo —le decía mi tía.

—¿Ah, sí? ¡Vaya, mujer!

De las entrañas abiertas del cebón salía humo como de una lumbre. Una mujer con un barreño recogía las tripas. Otra, las vísceras aprovechables. Yo ponía todo mi empeño en conseguir la vejiga[11].

—¿Mira, ves? —me decía mi tío—. Estos son los pulmones, vulgo bofes[12]. Observa la tráquea que es este tubo cartilaginoso que parte de la laringe y se bifurca en estas dos ramas que llamamos bronquios.

Yo aguantaba con vistas a la vejiga.

—Y eso es el hígado, ¿verdad tío?

—Esto es el hígado, sí señor; ni más ni menos. Esto es efectivamente el hígado y esta es la vesícula biliar, vulgo hiel, que como ves me apresuro a extirpar y a tirar a la basura para evitar que se rompa y nos amargue la fiesta.

—¿Y la vejiga? ¿Dónde está la vejiga?

Mi tío me indicaba la situación del órgano apetecido, me explicaba sumariamente sus funciones, y en premio de mi aplicación, lo cortaba y me lo regalaba.

Yo escapaba feliz con mi trofeo. Nada me ilusionaba tanto como una vejiga. Después de bien lavada, la llenaba de aire, la ataba un palo y la sacaba en procesión. Iba presumiendo de vejiga por las calles del pueblo. Cada vez que me mandaban a un recado enarbolaba la vejiga y obedecía cantando gorigoris[13].

—El médico ha matado —decían, al verme, las comadres sentadas al sol.

Otras me preguntaban si quería ser cura.

---

[11] *vejiga:* órgano muscular y membranoso, a manera de bolsa, que tienen muchos vertebrados y en el cual va depositándose la orina segregada por los riñones. La vejiga de cerdo, vaca y otros animales se seca para guardar en ella manteca, o para llenarla de aire y golpear con ella en bromas como las de Carnaval (DA).

[12] *vulgo bofes:* vulgarmente conocidos (o nombrados) como bofes. Lo mismo más abajo: *vulgo hiel.*

[13] *gorigori: Vid.* nota 23, pág. 78.

Gozaba de prestigio en las solanas[14]. Me consideraban una especie de monstruo porque sabía leer.

Había una vieja que me llamaba cada día para que le leyese la hoja del calendario.

—¡Verás tú qué muchacho! —decían las comadres—. ¡Verás tú!

Casi siempre me mandaban leer sin necesidad, por puro pasatiempo. Yo me prestaba a la exhibición. Hacía mi número y disfrutaba de sus aspavientos. Pero de vez en cuando alguna vieja me llamaba y me decía:

—Anda, galán, léeme esta carta del Gene, que está en África.

Yo arriaba la vejiga, me colocaba el serillo del pan entre las piernas, y leía: «Querida madre, malegraré...» y demás. Y al acabar con aquello de, «muchos besos deste que lo es...»[15] la vieja me besaba como a su propio Gene.

—Ven acá, prenda —me decía otra comadre—. ¿Verdad que anoche fueron a buscar a tu tío?

—Sí, señora.

—¿Para dónde, majito, para dónde?

—Para casa del señor Juan Sahagún.

—¿Quién fue a llamarlo?

—La señora Petra. Dijo que hiciera el favor de ir enseguida, que su marido tenía muchos dolores.

—¿Que el señor Juan Sahagún tenía dolores?

—Sí, señora.

—¿Y qué dijo tu tío?

—Pues nada. Fue enseguida.

—¿Y verdad que tardó mucho en venir?

—Tardó poco. Pero volvió a marcharse.

—Entonces, ¿a qué vino?

—A buscar la blusa.

---

[14] *solana:* corredor o pieza destinada en la casa para tomar el sol (DA). Donde las comadres se sentaban.

[15] *malegraré/deste:* fonética popular: *me* y *de,* átonas, tienden a perder la vocal ante otra vocal, especialmente si ésta es tónica. Lo correcto sería: me alegraré / de éste. *De éste que lo es* es expresión tópica de despedida en cartas de gente medio analfabeta: De éste que es (Gene) / de éste que es (tu hijo), etc.

—¡Oye, Enriqueta! Vino a buscar la blusa. ¿Qué le dijo a tu tía?

—Dijo que había mandado preparar la olla.

—¿Que había mandado preparar la olla? ¡Enriqueta! ¿No oyes? ¡Dijo que había mandado preparar la olla!

—¡Ave María Purísima!

—¿Y qué dijo tu tía, encanto, qué dijo tu tía?

—Me parece que dijo: Ay, esta juventud.

—¿Lo estáis oyendo? Doña Leonor dijo: «¡Ay esta juventud!»

—Y mi tío dijo que no lo esperase, que no sabía lo que podía tardar.

—¿Y se llevó la blusa, verdad, rey?

—Sí, señora; la blusa y el fórceps.

—¡La blusa y el fórceps! ¡Enriqueta! ¡No te digo más! ¡La blusa y el fórceps! Espera, guapito[16], que te voy a dar una rosquilla.

Así fue cómo el mundo supo la deshonra de la hija soltera del señor Juan Sahagún.

Si después de la rosquilla me apetecía una copita de anís, no tenía más que acercarme a pasear la vejiga por los alrededores de la taberna. Siempre había algún mozo que me veía pasar y decía señalándome:

—Ahí tenéis al granuja que se acuesta con la mejor moza del pueblo. Ven acá, granuja, ven acá.

Las comadres se interesaban en las llamadas nocturnas de mi tío. Los mozos en los muslos de Salud.

Yo procuraba complacer a todo el mundo, y como los mozos ganaban mis informes con anís no era raro verme volver a casa al toque de oración[17] con paso inseguro, arrastrando la vejiga.

Una vez acompañé a Salud a llevar la capillita de la Sagrada Familia a casa del cofrade de turno[18]. Al pasar enfrente de la

---

[16] Es divertido ver la astucia de la comadre sacando la historia al niño a fuerza de halagarle con piropos: galán, prenda, majito, encanto, rey, guapito.

[17] *al toque de oración:* punto del día cuando va a anochecer, porque en aquel tiempo se toca en las iglesias la campana para que recen los fieles el avemaría (DA).

[18] *la capillita de la Sagrada Familia a casa del cofrade de turno:* se trata de un ora-

272

taberna me encaré con ella y le levanté bruscamente la falda. Los mozos, que me habían sobornado, berrearon salaces a la vista de lo que les descubrí. Salud no podía servirse de las manos para defender su pudor, pues se las ocupaba la Sagrada Familia. Tenía que escoger entre su pudor y la Sagrada Familia. Prevalecieron sus sentimientos religiosos para bien de todos; los mozos tuvieron su revelación, la belleza de Salud ganó en fulgor y cumplió el requisito de la mirada ajena, yo tuve mi anís y mi gloria, y la Sagrada Familia llegó indemne a su punto de destino.

Por la noche Salud me sometió a tortura hasta arrancarme los nombres de mis inductores. Entre ellos figuraba un tal Leoncio, que era mi principal consumidor de Salud. Yo lo alimentaba de Salud como a otros, pero él nunca estaba satisfecho, se negaba a compartir su alimento con los demás, lo quería todo para él. Me cogía aparte, me acaparaba, me estrujaba, me amenazaba, me mimaba, me compraba cucuruchos de almendra, me levantaba en vilo, me besaba las manos. Mi inocencia me daba entrada cada noche a los misterios de su diosa.

Las gentes acudían a mí con sus fervores, sus ruegos y sus dádivas. Leoncio una vez me cogió a solas y me encargó que tocase a Salud íntimamente pronunciando su nombre. Cuando al día siguiente le dije con qué mano había cumplido su encargo me cogió, se la llevó a la boca y estuvo a punto de devorármela.

* * *

Con todo, nunca logré que Salud fuese propicia a Leoncio ni a ningún mozo del pueblo.

Su elegido fue un joven forastero, un arrogante infiel[19] de la ciudad, que llegó al pueblo en una moto, con motivo de no sé qué fiesta.

A partir de aquella fiesta, el forastero vino a ver a Salud asi-

---

torio portátil, en este caso de la Sagrada Familia, que se lleva y se deja, por turno, en diferentes casas, donde son cofrades o, simplemente, devotos, de esa imagen o imágenes, para que la veneren durante un día o dos.

[19] *infiel* tiene aquí el sentido de forastero, desconocido.

duamente. Cada domingo la llevaba al monte o al cine o a algún rincón oscuro.

Por la noche Salud venía oliendo a tomillo y a tabaco y a hombre. Empecé a avergonzarme de ella como de una diosa fácil y usada.

Hasta que el forastero nos la ganó del todo y se la llevó para siempre, sentada a la grupa de la moto.

Aquel año mi padre mató mal. La sangre salió escasa y sin fuerza. Y cuando le pedí que me pintara un toro, me dijo que más tarde. Pero yo no insistí.

Sobre el tapete verde de la mesa camilla, las piezas del rompecabezas dejaron de ser ovejas bajo mi custodia, y fueron piezas de un rompecabezas que tenía que resolver yo solo, sin ayuda de nadie.

Era de suponer que se tratase de algún cuadro famoso, de algún cuadro de guerra, a juzgar por los fragmentos de lanzas, caballos y armaduras que se discernían en el desbarajuste de las piezas. Tal fue mi primer barrunto: un tema bélico.

Enseguida tuve un caballo con tres patas montado por un jinete sin cabeza. Buscando la cabeza del jinete y la cuarta pata del caballo, encontré la cogulla de un fraile, el velamen de un barco, un seno de mujer al descubierto, el triángulo con el ojo de Dios, un racimo de uvas, un castillo lejano, un capitel corintio y varias piezas enteramente azules que auguraban la presencia del mar.

Después de un tiempo de estudio comprendí que era un rompecabezas recargado, compuesto; que era una mezcla de rompecabezas. Descubrí que había mezcladas piezas de varios juegos y elementos de varios cuadros famosos.

Sin duda en mis tiempos patriarcales había juntado ovejas de diferentes hierros en una misma corraliza y había obtenido un rebaño inmenso y envidiable, un solo rebaño bajo un solo pastor. Intenté separar los diferentes temas confundidos y observé que además estaban incompletos. Ovejas extraviadas en sabe Dios qué riscos al cabo de tanto trashumar, o piezas camufladas, piezas únicas adaptables a diversos asuntos, piezas polivalentes, piezas invisibles.

A la hora de la verdad faltaban piezas.

La mujer desnuda tenía un vasto agujero en el vientre. Probé de rellenarlo con el ojo de Dios al que no encontraba destino en otro sitio. No encajaba. Tampoco encajaba el capitel corintio —que por cierto carecía de columna— ni ninguna de las piezas azules que auguraban la presencia del mar.

Yo ya estaba dispuesto a sacrificar un pedazo del mar en perspectiva para llenar el hueco de la mujer desnuda, pero al fin tuve que resignarme a dejar a la mujer con su vacío y a realizar aparte un mar lo más completo posible.

Logré un pequeño mar, pero no sin su isla y no sin su tremendo desengaño: en aquel mar no había acomodo para el barco de vela. El barco de vela pertenecía a otro mar. Pero no había más piezas azules. Y el barco no tenía trazas de estar varado; parecía navegar ufano, viento en popa.

Entonces descubrí otra pieza azul con la luna en cuarto menguante. La pieza encajaba en la supuesta isla del pretendido mar que no era mar, sino cielo nocturno.

FERNANDO QUIÑONES*

El armario

Me puse negra. Descompuesta. Porque eso es lo mejor que hay allí en mi casa; fue de mis abuelos y yo qué sé la de años que tiene, pero está nuevo. Nada más que uno de los cajoncitos de abajo, que se atranca un poco al cerrarlo, pero nuevo-nuevo. Le di con cera antes de venirnos y cada vez que vamos le doy. Y en ese armario cabe cualquier cosa, ojalá tuviéramos ahora otro igual; claro que traérselo, quién se lo trae aquí a Alemania: iba a salir más caro el collar que el perro. Ni quiero yo que vayan a darle golpes o a estropeármelo con una mudanza; los adornos rizaítos de arriba seguro que se los cargaban. Y que tampoco cabe aquí, cómo va a caber eso en esto tan chico. Pero de pocas cosas me acuerdo yo más y echo yo más de menos que esa prenda de mueble, y por eso me encampané cuando mi madre me habló de venderlo, que por poco me entra algo a mí. Para que le hubieran dado cuatro pesetas, dejar sin eso la alcoba grande. Me dice:

—¿Y qué hace ya aquí este chisme tan grandísimo y casi vacío, con nosotros en el campo, tú y tu marido fuera, y con tu hermana Loli casada en San Fernando y Ramoncito trabajando en Huelva? Además, que es del año'la nana[1].

---

* *Nos han dejado solos*, Barcelona, Planeta, 1980; *Cinco historias del vino*, 1960; *La gran temporada*, 1960; *La guerra, el mar y otros excesos*, 1966; *Historias de La Argentina*, 1966; *Sexteto de amor ibérico*, 1972; *El viejo país*, 1978; *La bonita historia de La Legionaria, la Conchi Galán y el chulo Málaga*, 1986; *Viento Sur*, 1987; *Doce relatos andaluces*, 1989; *Legionaria y otros relatos*, 1992.

[1] *San Fernando*: Ciudad a 12 kilómetros al sureste de Cádiz, en la isla de León.

Me puse negra, Aurori, y si no llego a darle el corte que le di, se sale con la suya y lo vende, que yo conozco a mi madre.

Le dije:

—Eso sí que no, ¡eso lo dejas tú ahí y no te las des ahora de más nueva que yo, que estás tú mu vieja! Si el armario es antiguo, mejor.

Me puse que no veas; tuvo que meterse Julián y todo... Me acordé hasta cuando era chica y nos escondíamos jugando dentro l'armario con mi hermana Loli, imagínate lo que cabe allí. Y eso no lo pierdo ni lo vendo yo mientras viva, porque aquí tampoco vamos a estar siempre. Ahora entérate bien de lo que te estoy diciendo, que te hace falta oírlo: aquí no vamos a vivir siempre, ¿sabes tú?, aquí estaremos como los demás españoles y como los italianos y todo el mundo, comiendo y ahorrando y ya está. Aunque también eso de irse-irse, también hay que pensarlo... Porque luego... A ti ahora al principio te pesa esto, te pesa mucho; aunque no me lo hubieras dicho, no hay más que verte, Aurori. Y es natural, se estraña todo, desde este ambiente y el tiempo malo hasta que allí es más temprano o parece que lo es: yo creo que allí casi están desayunando ahora los que se levantan más tarde y, mira, aquí acabamos de almorzar, porque es que esta gente también come muy pronto por la noche. Ahora tiene que estrañarte todo, ya te estoy diciendo... Pero luego se va un día con otro y, cuando vienes a darte cuenta, ya estás cogiendo el tren para irte allí las vacaciones, y el que quiere y puede no volverse pues no se vuelve, así que alegra esa cara, no seas tonta. Yo estaba como tú cuando vinimos, lo mismito; además, él trabajaba entonces en otra fábrica y nos mandaron a unos barracones. Con agua caliente y persianas y todo pero barracones, y las camas no eran camas sino medio literas, que teníamos yo y Julián que hacer nuestras cosas pagando un cuarto por ahí y alguna vez hasta en casa de unos amigos. Pero aquí no, aquí se está bastante bien, y el sitio también está muy bien a pesar de los trenes. Porque el río, molestar no molesta, y lo que es humedá a ver dónde no la hay, si hasta las calles del centro están aquí cho-

---

Cabeza del departamento marítimo de Cádiz, escuela naval, arsenal (La Carraca) y observatorio. Los apóstrofos y apócopes acercan al lector a las elipsis del habla coloquial andaluza, la de Juani, la protagonista del cuento.

rreando casi to el año. Los trenes por la parte de atrás, sí, ese ruido no es cualquier cosa, aunque también te acabas acostumbrando. Pero el río es bonito y me gusta verlo por la ventana porque, aunque pasa mucho barco y mucho trajín, del río no llegan ruidos y no está ni sucio. Antes sí, hace dos o tres años, cuando dejaban que tiraran al agua toda la porquería de las fábricas y todo. Pero, desde que no dejan tirarla, se ve algunos días hasta pescao y los cogen, unos así y otros chiquititos como las bogas del Barbate[2]. Mucho más soso el pescao de aquí, y éste del río ni sé si se come. Pero gusta verlo. Y cuando está más claro (una de esas veces que está más claro porque, si no, no se ve con la corriente tan ancha y la niebla), lo que más me gusta es un campito verde que hay por la otra banda, como un prado con unos árboles muy altos... Bueno: a ver si viene esa gente con el coche, que ya hace un buen rato que se fueron por él... El río sí... Un día fue precioso, un domingo por la tarde: se colocó la niebla por allí atrás y casi no se veían las chimeneas ni las fábricas, nada más que el campito y los árboles y unas pocas de gaviotas en la hierba, a la vera del agua.

En la revuelta de la calle de La Cuesta, junto al sol en la cal, el macho perdiz bate el pico y aletea contra los mimbres de su jaula, colgada a la puerta de la zapatería. Por el callejón trasero, los cascos de un caballo o un mulo bordean despacio la tapia de Las Monjas, y un niño chico chilla y llora en la esquina, sentado en las piedras de la acera delante de un avión de plástico. En la casa cerrada, alguna rendija del balcón deja pasar hasta el armario una lámina de luz que saca de la sombra, y devuelve a la sombra, los ligeros corpúsculos del polvo. Más abajo de la calle, en el añejo bar del Troni con carteles de fútbol regional y fotos enmarcadas de toreros, el chirriar de la sartén y el humillo a la plazoleta, difunden la preparación de las primeras tapas de cocina para el sábado y el domingo[3].

A mí la comida de esta gente tampoco me gusta. Alguna sí, pero das con ella mu poquitas veces o es de lata. ¿El caviar lo

<hr>

[2] *Barbate:* Río de pesca en la provincia de Cádiz, que forma uno de los nueve y más importantes distritos pesqueros de la zona, con pesquería de atún (almadrabas).

[3] El pueblo descrito en cursiva, con denominaciones reales y otras inventadas, es Alcalá de los Gazules, en las estribaciones de la sierra de Cádiz.

has comido?: uy, a mi eso nada, hggg. En cambio hay unos arenques de lata, con unas salsas distintas, que están buenos, un poco sosos, pero buenos. Y el salmón, buenísimo está. Riquísimo. El fresco. Ahora: cualquiera lo compra... Eso, una vez al año y... Hay una cosa que también va a gustarte cuando la pruebes, Aurori, el saucráu, que es como un cocido de berza: claro, sin garbanzos ni nuestros avíos, pero está bueno, lleva coles cortadas finitas, así como aciditas, salchichas y cerdo[4]. Las salchichas las vas a ver aquí por todas partes, yo creo que las ponen hasta en los postres. El vino tampoco me hace gracia, y menos cuando a Julián se le atraviesa, uh. Lo que es que procuramos hacernos nuestras comidas, como tú misma harás. Ahora con el coche voy a traerme comida para toda la temporada, porque de pronto te se antoja cualquier cosa de las nuestras y aquí no la encuentras. De pan de campo, la última vez nos trajimos qué sé yo, medio saco. Del de la Venta La Pará, que está lejos del pueblo, de esas teleras grandes[5]. Y un garrafón de aceite del verdecito, del molino mismo, que yo no sé cómo se las apañó Julián para pasar todo eso. Mientras duraron el pan y el aceite, como aquí encuentras tomates frescos aunque estén caros, ea, gazpacho caliente una noche sí y otra no, y él feliz. Otra vez me estoy acordando del armario, que hubo un tiempo en que me dio por meter el pan en uno de los cajones de arriba, para quitarlo de las mosquitas y del polvo. Como cabe lo'que sea... Y cada vez que se comía, venga: del comedor al cuarto grande por el pan. Claro que en tu pueblo (¿cuál me dijiste que era?: eso, Marchena)[6] también tiene que haber pan de campo y todo tiene que ser más o menos como en el nuestro, porque es igual, es Andalucía. Oye, ¿y sois muchos?... Sí, sí, bastantes. Siete. Nosotros, na más que cinco, mi padre, mi madre, yo, mi hermana y mi hermano Ramoncito que es el más chico. Ramón me dice:

—Juani, a ti es a quien te ha tocao la china de irte fuera.

---

[4] *el saucráu:* Sauerkraut, plato típico alemán de col cortada fina y encurtida en salmuera.

[5] *telera:* Pan grande, moreno amarillento (bazo), que suelen comer en el campo los trabajadores.

[6] *Marchena:* Ciudad a 50 kilómetros de Sevilla. Fuentes minerales, cereales y olivos.

Porque él estuvo aquí cuatro meses, ¿sabes?, y al primer viaje, en cuanto buscó y encontró lo de Huelva, ya no volvió, él no podía con esto. Encontró trabajo en Huelva con los camiones del marisco y se quedó allí. Bueno: yo no estoy mal aquí, qué va. Que de cuando en cuando eche de menos a mi hijo y a aquello, como todo el mundo, bueno, todas las cosas no pueden ser al gusto de una. Y como aquí no vamos a estarnos siempre... Pero a ver qué hacía allí Julián sin trabajo. A ver qué hacía. Y aunque hubiera encontrao un trabajo, tener allí lo que tenemos ahora, ¿de dónde y de cuándo, qué dices? Ni loca. Nada más que lo que gano yo aquí en casa, juntando y empaquetando estos tornillos, es lo que gana en mi pueblo un padre de familia. O menos. Y ahora ponle el sueldo de él. Y con el niño allí en San Fernando con mi hermana Loli, con su colegio la mar de bien, que los primitos lo quieren mucho y el niño a ellos, y viéndolo nosotros dos veces al año, quién va a pedir más; y eso es que, como Julián dice que él se vino a la trágala[7], no quiso que el niño se criara aquí. Aparte de eso, no es porque sea mi marido, pero Julián tiene unas manos y una cabeza para el trabajo que se lo rifan aquí los alemanes. Y el tuyo también me ha dicho Julián que vale mucho y que es mu habilidoso, mujer: le cayó Agustín la mar de bien y por eso ha querido que echarais hoy el día aquí en casa, que Agustín lo acompañe a recoger el coche y luego nos vamos por ahí a comernos con ustedes alguna cosita típica de aquí. Así que déjate de cosas y p'arriba esa cara, tonta, ya verás tú cómo se va un día con otro y te encuentras con ropa buena, tu dinerito ahorrao, tus transistores, la cocina y la lavadora automática, esa plancha, todo: como que si es para estar de otra manera, hay que pensarlo muy bien, ya te lo he dicho. Aunque a Julián cualquiera se lo dice... Y ahora el coche, verás qué bonito es, un vorbaguen[8] quise que fuera, que están muy bien y dicen que son muy fuertes. De segunda mano, pero nuevo y, con la maña que se da Julián, si se estropea él lo arregla sin taller y sin pagar reparaciones ni na. Lo mismo que ha aprendido a conducir en menos de un mes, un ratito todos los días: ¡en menos de un mes!... Tienen

---

[7] *a la trágala:* A la fuerza, sin querer.
[8] *un vorbaguen:* Un Volkswagen.

que estar al llegar... Es que aquí, cuando vienes a darte cuenta, ya está medio oscuro, míralo.

En las calles moras y desiertas, apretadas en blanco sobre el cerro, se ven las distancias camperas como ahogadas en la luz, los praderíos y los pagos de olivar, las dehesas y las serrezuelas, las tierras de pan llevar y los huertos junto al cauce sequerón del Barbate, tórtolas al vaivén, y todo reverbera ofuscadamente, entre una neblina de sol. Al fondo, lejos, la sierra también enturbia a través de ese velo engañoso, del que emerge La Pila'La Reina. De algún balcón con la persiana echada, llega una canción de Pink Floyd en una radio con el volumen casi a cero[9]. La casa cerrada a piedra y lodo, recibe y devuelve el fulgor de la hora de la siesta. El avión de plástico está ruedas arriba en la acera, junto al escalón de la casa del niño. En el cielo callado, altísimo, el paso de un reactor invisible evapora despacio, encima del pueblo, dos hilachas blancas casi verticales.

Pero de esto del coche sí me da un poco de miedo, ¿ves tú? De esto, sí. Porque Julián es el más bueno del mundo, pero tiene sus cosas y, cuando se toma dos copas, muchas veces le caen mal. Muchas veces. Pierde la cabeza y, si no le da nada más que llorona, bueno. Pero si ya no es llorona, adiós: se embala, se pone hecho un fiera y es capaz de cualquier cosa, ¿quién no tiene su falta? Aurora, te conozco de hace tres días, pero ahora te estoy hablando como si fueras mi hermana, allí no le pasaba nunca, de novio ni de casao, y además se le iban los meses sin probarlo. Aquí llevo yo ya con eso unos pocos de malos ratos, como si se volviera loco de cuando en cuando: que veo una botella y me echo a temblá. Sobre todo cuando hay una fiesta de españoles, veo una botella y me echo a temblá, me pongo mala. Porque todo empieza mu bonito, mu bien, ¿sabes?, y él mu contento, estupendo. Hasta que se pone triste. Entonces se pone triste y se pone triste y empieza a rebujar[10] la bebida, que eso le sienta mal a cualquiera, vino, güisqui, ron, lo que sea. Y yo:

---

[9] *Pink Floyd:* Grupo psicodélico inglés, formado inicialmente (1966) por dos alumnos de la *Cambridge High School for Boys.* Sus mejores LP's son de los años 70: *The dark side of the moon (El lado oscuro de la luna)* y *The Wall (El muro).* Su canción más famosa fue *Another brick in the wall (Otro ladrillo en el muro).* Suele calificarse su música de «intelectual» y «difícil».

[10] *rebujar:* Aquí, revolver, mezclar.

—Julián, hijo, déjalo.

Pero qué va. Hasta que, con la tristeza, se le monta la rabia en lo alto. En la última fiesta de antes de Nochebuena, cuando vinieron los artistas de «Navidá para el Emigrante», fue una cosa, hubo que sacarlo en volandas y si no lo sacan a empujones, casi a golpes, los mismos compañeros suyos, lo enchiquera la policía y a lo mejor hasta lo echan del trabajo. Por poco no acaba con el espectáculo y mira que estaba bonito aquello, yo no me quiero ni acordar. En el momento de perder ya él la cabeza, se acababa de ir del escenario uno contando chistes que estaba sembrao y una muchacha vestida de gitana había empezao a cantar *Lo que yo quiero a mi España,* antes de que saliera Paquita Rico[11]. Fíjate lo que me entró a mí cuando veo a Julián que se pone en pie y que se caga a voces en los muertos de la muchacha y de todos los que habían organizao aquello y del consu d'España que estaba allí con la señora... ya te digo que menos mal que pudieren llevárselo, ay. Cómo chillaba, Dios mío:

—¡Mentira! ¡Es mentira! ¡Y los que estamos aquí somos unos borregos y unos mamones, yo el primero! ¡Por lo menos que traigan a alguien que se queje por nosotros! ¡Cobardes! ¡Mamones!

Yo ni lo conocía. De pronto, en medio de los empellones y los insultos, le daba por lo de la aceituna y el bar de allí de la plazoleta de mi calle, que algunos hasta con el apuro que estaban pasando con él, con to y con eso se reían.

—¡Una aceituna verde gorda! ¡Una sola, pero en el bar del Troni y con un disco de Menese![12]

Mira... Llorando él y todo. Y yo detrás:

—¡Julián, ya!

Y es que él así, es mu sentío. Se aguanta y se aguanta y se calla hasta que se toma seis y revienta. Ya a mí me da apuro hasta

---

11 *Paquita Rico:* Actriz y cantante andaluza que ha cultivado con éxito el género folclórico en teatro (*Pasodoble,* 1947, de Quintero, León y Quiroga) y cine: *Luna de sangre* (1951), *¿Dónde vas, Alfonso XII?* (1959), etc.

12 José *Menese* Scott: *Cantaor* de La Puebla de Cazalla (Sevilla), mantenedor de la pureza clásica e intérprete de letras de crítica social que le valieron percances durante el franquismo. En la versión teatral de *El armario, El grito,* actuó en las representaciones del Teatro Español, de Madrid, con los actores Vicky Lagos e Ismael Merlo.

cuando ponemos la Radio Nacioná de España, que radian muchas cosas para los que están fuera y se escucha la mar de bien, y ponen el «Mundo Flamenco», que lo hace ese de Cadi con la Blanquita Gala[13]. Yo le digo a Julián:

—Pero bueno, ¿un cuarto d'hora que dura y se pone esto como la Feria'Sevilla?

Porque él se trae siempre vino y cuatro o cinco amigo de allí pa escuchar juntos el «Mundo Flamenco» que no es más que un cuarto de hora, fíjate. Y menos mal que no es más largo, que no da tiempo a que se le atraviese... Oye, ¿no se está tardando ya mucho esa gente?... Pero no, hija, no seas tonta... No seas tonta. No vayas tú tampoco ahora a preocuparte por lo que te he dicho de Julián y del coche, ni porque dijera él que antes de venir iban a festejarlo lo del coche y a tomarse algo en la Peña Española. ¡Ya vendrán, mujer!

El sol acaba de echarse y el atardecer dispara un bullerío de alas y silbos por el aire quieto. Don Manuel el médico, solo como siempre, vaga por los minúsculos jardines de lo que, sin sombra de arenas ni de agua, llama el pueblo «La Playa». La juventud va y viene en el paseo y vuelven del campo, por las tres carreteras y todos los caminos, motocarros, tractores, caballerías y hombres a pie. Se insinúa, corto y febril, un punto de viento de Levante. El señor gobernador aplazó su visita. Mañana se abre la veda. La luz del ocaso embadurna de bermellones la calle de La Cuesta y la casa cerrada.

No, no es que te pase a ti, no te creas, eso le pasa a to el mundo: que al principio se está mucho peor. Por el habla no, eso no. Y bueno, eso del habla que se te quite a ti de la cabeza que tú vas a entender y a hablar el alemán; yo por lo menos, no hay manera. Imposible. Ni falta que nos hace: si esto está lleno de españoles, sobre todo esta parte... Que te veas en un apuro y que tú tengas que decir o que saber algo sin dar con ningún españó, eso es muy difícil. Los hombres, los nuestros, ya eso es otra cosa, ellos tienen que tratar y que hablar más con los alemanes. Pero nosotras no. Con decir *«lla»* y *«nai»*[14], que sí y que no, estamos de la

_____

   [13] *Ese de Cadi con la Blanquita Gala:* Blanquita Gala, cordobesa, es primera locutora en Radio 2 Clásica, de Radio Nacional de España en Madrid. *Ese de Cadi(z)* es el autor del cuento, Fernando Quiñones, que preparó y presentó con ella un

parte'afuera. ¿No ves que aquí hay hasta una tienda española? Por el centro. Y los del Turismo. Y muchas cosas. Hasta misas, lejillos, pero de las nuestras, que él no va nunca, pero yo he ido dos o tres veces. Es que acabas de llegar, claro, no llevas más que cuatro días y no te hallas. Hoy no porque es muy tarde y ya estarán al llegar Julián y tu marido. Pero mañana mismo salimos las dos y te ambiento un poquito. De lo que es comprar, lo tengo todo a cuatro pasos, todo... Mira: yo no voy al centro más que cuando voy con él, que sabe ir a todas partes, a la Peña Española, a donde sea. Porque yo tengo las cosas aquí a mano, la comida y las dos o tres tiendas que me hacen falta; en el supermercao mismo de la esquina ya hay lo que sea, y eso que no es como los del centro. Hasta un cine hay aquí cerquita; no voy porque no entiendo lo que hablan. Como la tele y la radio, menos la Radio Naciona. Yo también creí que con el tiempo iba a entendé el habla de esta gente, ya te dije. Pero qué va. Una tarde, si, me fui al cine. Estaba ya harta de tornillitos, y, como esto es un dedal de casa aunque la tengamos bien puesta, oye, que me se echaron encima las cuatro paredes y los tornillitos y esos trenes y to, que me encontré yo rara, me ahogaba aquí adentro y no era hora de que él viniera, así que me fui al cine. Pero como no me enteré ni cuando decían papá y mamá, me salí al cabo de un rato y me vine hasta peor y no he vuelto. Ahora: una comodidá es que él trabaje ahí enfrente, en la Rhein[15], que esto también es de la Rhein, estas casas. Con irse andando un cuarto de hora antes, llega a tiempo de sobra y, a la vuelta, todavía están pitando las sirenas cuando ya lo tengo aquí... ¿Pero bueno, qué hora es ya, qué hora tienes tú?... ¡Si son las nueve y veinte, que se nos ha ido el tiempo charlando!... Y esa gente sin venir. Pues ya... ¿A ver si les habrá pasao algo?... No, no, si les hubiera pasao algo, lo sabríamos: poco pronto que se entera una de lo malo. Aquí y en todas partes...

Lo que voy a hacer es arreglarme. Le dije que iba a arreglarme cuando volviera, pero como él siga en la idea de irnos los cuatro

---

programa flamenco para emigrantes en Radio Exterior de España, también de Radio Nacional.

14 «lla» y «nai»: *ja* y *nein*.

15 *la Rhein:* Compañía inexistente.

a comer por ahí, y yo no me prepare y no me vista ya, ¿a qué hora íbamos a salir? Esa es otra cosa que pasa aquí, Aurori: que en cuanto te descantillas[16] con el tiempo, te coge el toro. Allí no, allí hay tiempo para lo que sea y un día te cunde como si fuera una semana y aquí es diferente: los días se hacen largos, pero sin embargo, no te cunden, eso también lo vas a notar. Me acuerdo en mi casa, antes de que Loli se casara, los ratos que echábamos la familia por la noche después de la comida, cada loco con su tema y mi madre que se preocupa y se asusta con to, ay esto ay lo otro, siempre descontenta: ésa es su manera de ser y no hay quien se la quite. Si no me llego a poner como me puse con lo del armario, seguro que va y lo vende. Fíjate que yo no sé lo que me pasa a mí con ese mueble, mujer; si yo tuviera que escoger entre el armario y el televisó en coló o lo que sea, ni lo pensaba, con todo lo antiguo que es. Y digo: *«Pero si yo, que soy moderna, tenía que pensar en esto como mi madre, de venderlo o tirarlo.»* Pues no, oye. Será que me acuerdo de cosas, de cuando era chica, yo qué sé. En el cajón de arriba de aquella parte, me dio por meter en medio'la ropa los manojitos de romero y algunas veces yerbabuena, siempre iba y los ponía, así que la última vez que estuvimos, después de recoger al niño en San Fernando y abrí ese cajón y lo olí, hmmm ¡mira!, un oló a romero que no veas, como si estuviera ya dentro de la madera. Con la de años que hacía que no abría yo aquella parte del armario... Pero qué tarde es, oye...

¿Qué, que si yo dejaría el armario por el coche?... Eso ya tendría que pensarlo un poquito, ¿no, Aurori?... Ya eso... ¡Mira que lo que se te ocurre!

Desde una cornisa del abandonado Ayuntamiento Viejo, en la plaza de San Jorge, el mochuelo derrama cuestas abajo, sobre todo el pueblo, su grave flauta antigua. El monte del Lario, con las nuevas casas municipales al pie, se ve casi como de día, dulcificadas por la luna llena sus foscas arboledas continuas. Abajo, junto a la parada de los autobuses, la terraza del Restaurante Padilla cobija aún, ya sin servicio, a dos mesas de muchachos en charla. «Eso se cae cualquier día», levanta uno de ellos la cabeza hacia un muñón del

---

[16] *descantillarse:* Aquí, desajustarse.

castillo árabe en ruinas, un muñón negro y alto sobre San Jorge. En la pana-
dería de Cristóbal, donde hornearán hoy molletes[17] *como todos los fines de se-*
mana, comienza la briega[18] *familiar de la noche. Ha refrescado un poco y,*
dentro de la casa cerrada, el armario en la sombra cruje un instante en leve
desperezo.

No, no: tienen que estar al llegar, tienen que estar al llegar, no
tiene más remedio, y ya verás como vamos a pasarlo bien, tú verás, a ver si él sabe un sitio baratito que esté abierto todavía y
pongan el saucráu. Porque además tengo un hambre ya.... ¿Y tú?
Yo lo único que quiero es que no se hayan liao en la Peña Española, que aquello se pone los sábados así de gente y están allí los
andaluces y to el mundo, y enseguida salen las copas a relucir,
eso volando. Esa Peña... Y mira que me gusta, ya iremos: está
casi en el centro. Entras por un callejón feo, soso, pero ya de lejos ves la luz del anuncio con un toro embistiendo y una guita-
rra, que ese anuncio lo paga una marca de cerveza de aquí que
viene en letras grandes, y debajo: *Peña Española*. Llegas y entras
ya al salón mismo, con sus mesitas y el mostradó al fondo con el
bar, todo ni grande ni chico, monísimo, y es como si estuvieras
allí de pronto, con los carteles de toros y los del Turismo Españó y fotos de cantaores y de artistas, y hasta una reja con macetas, con las flores de plástico, bueno, todo-todo. Pero esa Peña...
Y tan lejos... Lo del coche me preocupa nada más que por eso,
porque yo se que Julián tenía una ilusión de llevarlo primero allí
y... como se pone él con las copitas y allí en la Peña con cualquier cosa, se entusiasma, y luego el bajón de golpe o mareao-
ciego que tienen que traérselo... Pero no te preocupes ni te asustes, hija, ya vendrán... que él es así, mu sentío, demasiao, Aurori, y que tiene ese genio. La madre creo que era igual, ¡un genio!...
Pero fíjate: cuando volvemos de allí yo me doy cuenta de que
él está siempre bien quince días o un mes, puede tomarse lo que
sea y no pasa nada. Nada. Y cuando nos vamos a ir p'allá, lo
mismo, nada. Ahora: si es antes o después de irnos, siempre a
pique de descomponerse, que se pone como si fuera otro hom-

---

17 *mollete:* Panecillo ovalado, esponjado y de poca masa (cochura).
18 *briega:* En Andalucía, brega.

bre. Cuando está él en ambiente y hay trinqui[19]; si no, no, cosa que allí tampoco le pasaba. Aunque bebiera. ¡Si él es tranquilo y bueno! Pero pierde la cabeza: si te lo digo tal como lo siento, por eso es por lo único que yo me iría de aquí. Por lo de la bebida y él, es por lo uniquito que yo me iría, que yo aquí estoy bien, a qué voy a decirte otra cosa, ni me preocupan las mujeres como les preocupan a muchas, porque es que tú no sabes lo marranas y lo vivas que son estas alemanas, que se acuestan con el primero que ven.

Otra noche, que tampoco quiero ni acordarme y que estuvieron aquí dos del pueblo, se liaron con güisqui y Julián terminó saliéndose a la calle y cagándose otra vez a voces en los muertos de Alemania y que se iba a ir a poner una bomba en la Rhein y que, como no la tenía, con una botella de gasolina, y un cerillo había de sobra. Cuando cayó en la cama tenía las lágrimas fuera y no quería ni que lo tocara:

—¡Déjame, coño, que tú eres igual que ellos, que te vendes por veinte duros y tres cacharros! Mi hijo, mi cuarto, ¿eso qué, qué? ¡El dinero hijoputa!

Y gracias a Dios que estamos aquí, Aurori. Si seguimos allí, seguro que se mete en política y hace lo que sea y acaba preso o cualquier cosa, ya te hablaré de un primo nuestro de Jeré, cómo acabó en el Norte. Y yo digo lo que dice mi padre, ¿sabes tú?: que por mucho baile que haya, a la música no hay quien la cambie, ¡a ver si se le mete un día en la cabeza a él!: los ricos son los ricos y los pobres son los pobres, y ellos tendrán otras penas y otras cosas, y nosotros las que nos tocan y nos han tocao siempre, así que, si ahora estamos bien, también hay que pensarlo lo de irse y no quererlo todo, ¿es verdá o es mentira? ¡Pero cuando aparezcamos por allí con el coche, ya verás la cara que ponen en el pueblo más de cuatro...! Aunque a Julián eso tampoco le gusta. Ni que lo diga ni que lo piense... Y lo del coche, porque yo he estado encima, y es una cosa bonita y un valor que tienes con los viajes y pa lo que sea... Te estaré poniendo la cabeza loca, ¿no, Aurori? Mucho hablar. Mucho hablar y es que estoy ya queriendo distraerme, hija, disimulando y queriendo distraerme desde

---

[19] *trinqui:* De *trincar,* beber vino o licor.

hace un rato grande, y es peor... Es peor... Ahora sí que no me gusta esto.

¿Qué horas son, pero cómo?... Dios mío... Mira: voy a ver si salgo y llamo a la Peña por el teléfono de la esquina, que apunté el teléfono de la Peña y tengo que tener por aquí el papelito, ¡tengo que tenerlo por aquí, si lo tenía el otro día en la mano!... ¿Me acompañas a llamar? Es ahí mismo... Ay... Acompáñame, Aurori.

Aunque el alba tarda todavía, un gallo canta bruscamente en el corral situado entre la casa cerrada y otra en la que viven, solos, dos hermanos viejos. Como algunas noches, por la parte de la sierra se encapotó un poco el cielo y el nuevo sol se encargará de despejarlo. Una moto tose y traquetea alejándose del pueblo por las cuestas de La Longaniza; el haz de su faro centellea o desaparece entre las curvas. Es la moto del párroco. El hombre lleva de paquete al muchacho que ha corrido a despertarlo porque, en un caserío próximo, uno de sus feligreses está en las últimas.

JESÚS LÓPEZ PACHECO*

El analfabeto y la bola de billar

Le marea mirar tantos colores, puntos, líneas cruzándose.

—¡Venga, hombre! ¿Cómo no vas a saber eso?

Ni siquiera comprende la pregunta que le ha hecho el capitán. De pie frente al mapa y de espaldas a la clase, se siente muy desgraciado, sólo tiene ganas de llorar. No sabe por qué no llora. Nota detrás de él el pequeño rumor que produce la presencia de sus compañeros. Se apoya con la mano derecha en el borde de uno de los bancos donde están sentados los soldados. Él quisiera saberlo, quisiera contestar a la pregunta del capitán, incluso le parece haber oído algo una vez, no sabe dónde, que tenía relación con esto.

—¡Pero levanta la cabeza, hombre! ¡Saca ese pecho!

La voz del capitán es enérgica, con una falsa amabilidad. Sebastián tiene miedo de oírla, sólo de oírla.

Otra vez delante de sus ojos aquellos signos raros, las líneas, los colores. Sebastián deja la mirada en una masa de color verde claro, la pasea por ella deteniéndose en puntos negros, en líneas, en signos que no entiende. Ni una idea, ni una explicación de lo que ve nace en su cerebro. Sólo ve la superficie pintada de un cartón. Se rasca la cabeza y traga saliva. Se le está haciendo insoportable la situación, acabará llorando como el día anterior en medio de las risas de sus compañeros. No comprende nada, sólo tiene la seguridad de que está haciendo algo

---

* *Lucha por la respiración y otros ejercicios narrativos*, Barcelona, Destino, 1980; *Lucha contra el murciélago y otros cuentos*, 1989.

289

mal, de que está mereciéndose un castigo, el desprecio del capitán, la risa de los otros soldados, la compasión final que le hará feliz y desgraciado a la vez.

—¡Pero vamos a ver, Sebastián! ¿Dónde has pasado los veintiún años que tienes?

Sebastián le mira, desorbitados los ojos quizá de miedo. Recuerda su infancia, los gritos de su abuela cuando hacía algo mal. Un rostro oscuro, con pómulos como colinas de tierra endurecida, aradas. Tiene delante, otra vez, aquella nariz grande, llena de poros abiertos y negros, y aquella mano hecha sólo de huesos que avanza —otra vez— hasta chocar contra su cara: «¡No vuelvas a casa hasta que encuentres la cabra...!» Sebastián llora.

—En mi pueblo.

—¿Y qué hacías? ¿Qué hacías en tu pueblo? ¡Pero no llores, hombre!

Detrás de Sebastián nace la risa.

—¡Silencio! —grita el capitán.

—Nada —dice él.

El capitán se levanta y desciende de la tarima. Las miradas de todos los soldados le acompañan hasta donde está Sebastián. Por la ventana se ve el mar, la alta silueta de una grúa del puerto. Un barco pasa. Con la mano en el hombro del soldado, el capitán le mira primero a los ojos, se agacha para observarle desde otro punto y, por fin, le examina luego de perfil, desde un lado, desde el otro. Lo hace todo con una mímica exagerada, manejando al recluta como si fuera un objeto que hubiera despertado su curiosidad. Toda la clase ríe. Sebastián llora.

—Miradle, como una damisela. Otra vez llorando —dice el capitán levantándole la barbilla con la mano. Sebastián tiene una mirada grande y azul, una bondad sin límites bajo la única ceja[1]. La risa de los soldados va decreciendo.

—¿Veintiún años sin hacer nada? ¡Vaya suerte!

La risa aumenta de nuevo. Sebastián continúa llorando. Sorbe ruidosamente por la nariz y hace esfuerzos para evitar que su llanto suene demasiado.

---

[1] *la única ceja:* las dos cejas, espesas, se juntan y prolongan en el entrecejo formando una sola.

Los campos verdes, las colinas redondas, el ruido del rebaño paciendo: los ojos claros de Sebastián ven ahora el paisaje de su pueblo, se ve a sí mismo sentado en una piedra, con el cayado entre las manos y el zurrón a los pies. Hubo muchos días enteros de este silencio sólo roto por las esquilas y los dientecillos, con su ruido pequeño y hueco, días de nubes lentas y lejanas que arrastraban sus sombras por los campos de trigo, sobre los árboles y las colinas. Sus ojos llegaban al horizonte, y allí quedaban, quietos, agrandándose según se iba haciendo más escasa la luz. Ahora, el soldado Sebastián está mirando un mapa y llora.

—¡Silencio! —grita el capitán.

Los soldados cortan la risa.

—Tú no sabes leer, claro.

—No.

—¿Y comer?

Explota la risa de nuevo.

—¡Silencio! ¡Venga, a callarse! Mira, Sebastián, el Ejército te va a hacer un hombre. Vas a aprender a leer. En tu pueblo no había escuela, claro.

Sebastián le mira fijamente sin dejar de llorar. Tampoco comprende. No sabe bien lo que es saber leer. Pero está convencido de que a él le ocurre algo terrible, algo muy malo, quizá una enfermedad de la que debería curarse. Ignora qué es, se va sintiendo cada vez más desgraciado, más solo, en aquella aula pequeña con dos ventanas por las que se ve el mar, entre sus compañeros, que siempre, desde que llegaron al cuartel, se han reído de cómo hace la instrucción, de su forma de hablar, de cualquier acto suyo. Sebastián ve la mirada del capitán cerca de su cara.

—No —dice Sebastián conteniendo el llanto.

—Bueno, bueno. Vamos a ver, Sebastián —el capitán estira su cuerpo pequeño—. Fíjate en lo que te pregunto: ¿qué hacías en tu pueblo? ¿Trabajabas en el campo, cuidabas el ganado, trabajabas en un taller o... qué coño hacías, si puede saberse?

Otra vez las risas de los soldados, la risa exacta que el capitán ordena con ciertas palabras, con ciertos chistes vulgares, hasta que él mismo la corta con la palabra que ya casi es una orden militar: «¡Silencio!» Queda sólo, entonces, el sollozo de

Sebastián, el ruido de la grúa, que ahora está funcionando, un cacareo de gallinas en el patio del cuartel, el motor de un coche que pasa o la voz del capitán volviendo a preguntar en un crescendo que llega a grito al decir su nombre:

—¡Dímelo ya, Sebastiáaan!

—Trabajaba el campo con padre[2], y antes, pues, al pastoreo.

El capitán enciende un cigarrillo y vuelve a su sitio detrás de la mesa. Algunos soldados, cansados de la clase teórica, le miran tratando de descubrir en él un gesto que les autorice a fumar también. El capitán echa una bocanada redondeando los labios. El humo asciende despacio, forma figuras extrañas hasta diluirse con una corriente de aire que se lo lleva hacia la ventana. El sol entra ahora por ella e ilumina las cabezas con la misma cantidad de pelo[3], los monos caqui, los bancos todos iguales.

—Vamos a ver, Sebastián —dice el capitán—. Vamos a ver si ahora me lo dices de una pijotera vez[4]. No vayas a echarte a llorar, ¡eh! Tranquilízate, que ya tienes veintiún años. Vamos a ver, ¿dónde has nacido tú?

—En Barrosa.

No llora ya.

—Eso, ¿por dónde cae? Por Badajoz o por ahí, ¿no?

El capitán le mira pendiente de sus palabras, estirando de ellas con su expresión y su actitud.

—¡La tierra de los alcornoques![5] —dice un soldado.

Las carcajadas estallan libremente. El capitán ordena silencio dos veces, y al fin su orden, aunque a regañadientes, es cumplida. Esta vez está enfadado de verdad, alguno puede perder el poco pelo que tiene[6]. O pasarse unos días en el calabo-

---

[2] *con (mi) padre:* dentro de una misma familia, expresión corriente en medios rurales.

[3] *con la misma cantidad de pelo:* al entrar en el Ejército, les cortaron el pelo al mismo tiempo y ahora les ha crecido a todos más o menos lo mismo: son de la misma quinta.

[4] *de una pijotera vez: pijotera* refuerza *vez. Pijotero, ra:* Se dice despectivamente de lo que produce hastío, cansancio u otras cosas, según el sustantivo a que se aplica (DA).

[5] Esta frase tiene un doble sentido irónico que alude a la abundancia en esa tierra de esos árboles y a la de hombres ignorantes y zafios.

[6] *perder el poco pelo que tiene:* uno de los castigos en el Ejército consiste en cortar el pelo totalmente, «al cero», al recluta o soldado.

zo, sin colchoneta, con pulgas, con el olor denso del retrete atrancado.

—¿Quién ha sido? —su voz es dura.

Nadie contesta. Sebastián mira a sus compañeros en silencio, asustado, temiendo por ellos.

—Por-úl-ti-ma-vez, ¿quién ha sido?

El capitán permanece inmóvil, sentado, tras su mesa.

—Sargento —dice. El sargento, que se ha mantenido hasta ahora de pie junto a la mesa, avanza hacia él—. A las dos primeras filas...

—¡He sido yo, mi capitán! —dice un soldado pequeño levantándose.

—Que le corten el pelo ahora mismo, sargento —ordena.

Mientras el sargento envía al mismo soldado a buscar al barbero, el capitán continúa la teórica.

—¡Sebastián, Sebastián, Sebastián de mi vida, dime cómo se llama tu patria de una vez!

Sebastián ha cerrado varias veces los ojos, asustándose progresivamente con los gritos crecientes del capitán.

—No sé.

—¡Pero, hombre! —se incorpora un poco y se deja caer sobre la mesa con los brazos extendidos, en cómica actitud de desesperación—. ¡Llevamos ya media hora larga para que nos digas cómo se llama tu patriaaa, Sebastiáaaaan!

«Mi patria. Mi patria. Mi patria...» Una vez —Sebastián era niño y tenía ya las manos callosas y la mirada asustadiza, desacostumbrada a los hombres, de haber sido pastor durante años, durmiendo en el campo con frecuencia, pasándose días y semanas sin hablar con nadie—, una vez, desde la piedra en que estaba sentado vigilando el rebaño, vio pasar a muchos hombres, vestidos de caqui y con fusil al hombro, moviendo los pies todos al mismo tiempo. Cantaban una canción todos a la vez y al cantarla repetían la palabra «patria». Lo ha recordado mientras le gritaba el capitán, ha vuelto a su cerebro aquella música que luego tarareó durante mucho tiempo mientras cuidaba el ganado.

Aparece en la puerta el barbero con su víctima.

—¿Da su premiso[7], mi capitán?

_____

[7] *premiso:* metátesis popular de anticipación: permiso. *¿Da su permiso?* es ex-

—Pasa, anda, y déjale a ese la cabeza como una bola de billar.

El soldado pequeño se sienta en un banco, de espaldas a sus compañeros. Ve a Sebastián delante del mapa de Europa. El barbero, soldado también, le rodea el cuello con un trapo blanco, sucio por el borde superior.

—No me la afeitarás, ¿eh? —murmura sin mover la cabeza.

—Lo que diga el capitán —le susurra el barbero—. Ya sabes.

—¡Tu patria se llama España, España, España! —grita el capitán—. Señálamela en ese mapa, ¡venga!

Sebastián no llora, está demasiado asustado. «Me cortarán el pelo también», piensa. Mira el mapa.

—Señala con el dedo —oye la voz del capitán.

Sebastián pone el dedo sobre Sicilia. Los soldados se ríen al ver el gesto del capitán.

—¡Frío, frío![8] —oye.

Aumentan las risas hasta dominar el ruido de las tijeras. El soldado pequeño, la cabeza agachada, trata de ver la escena. Sebastián no mueve el dedo. Le tiembla.

—¡A la izquierda! —oye detrás.

Nuevas risas, cada vez más fuertes. Pero él no ve más que colores, signos, líneas, puntos. Sebastián va a llorar otra vez. Mueve un poco el dedo y lo coloca sobre Córcega.

—¡Templado, templado! —oye—. A ver si encuentras tu pueblo en esa isla. ¡Silencio!

Más risas.

Ahora, la orden de silencio significa lo contrario. Los soldados saben que el capitán desea que se rían. Él también se ríe: cierra sus ojos pequeños, levanta los hombros y, con los labios apretados, deja escapar la voz y la risa entrecortadamente, para no reventar.

Sebastián llora. Hace un esfuerzo y se vuelve. Ha tomado

---

presión habitual en el Ejército, antes de entrar en cualquier despacho o dependencia.

[8] *¡Frío, frío!;* más abajo *¡Templado, templado!* Juego de niños universal. Uno esconde una cosa y otro u otros la buscan y, según se alejen o acerquen al objeto escondido, aquél les orientará repitiendo *frío* o *templado* o *caliente.*

una decisión. El soldado pequeño va notando la cabeza con menos pelo. Suena implacable la tijera. Sebastián quiere hablar, vuelto hacia el capitán, pero los sollozos le ahogan. No recuerda haber sido nunca tan desgraciado.

—No sé —dice por fin.

Su decisión es llorar, dejarse llorar. Llora vaciándose, ruidosamente, con lamentos casi infantiles. Los demás soldados, el capitán y el sargento ríen inconteniblemente hasta que el capitán, con lágrimas en los ojos, ordena silencio. Todos le obedecen. Vuelve a oírse el ruido de las tijeras.

—¡Pero, hombre, Sebastián! —todavía una breve carcajada involuntaria le hace detenerse—. ¡Con lo bonito que es saber dónde está la patria de uno! Tranquilízate, anda.

Está de pie, frente a todos, llorando todavía. El soldado pequeño, haciendo un esfuerzo, ve la cabeza de Sebastián, con la frente estrecha y su ceja única, recortada contra el mapa de Europa, cubriendo toda España. Nota él, sobre la suya, el frío de la maquinilla que le va dejando la cabeza como una bola de billar.

Daniel Sueiro*

El día en que subió y subió la marea

La marea sube paulatina, casi imperceptiblemente, como todos los días, sólo que un poco más tarde cada vez; cuarenta y
cinco minutos, para ser exactos. Las olas llegan suavemente a
lo largo de toda la playa, mojan unos centímetros más de arena, se retiran, dejan tras sí una y otra vez la sonora cadencia de
su viejo ritmo inalterable.

Multitud de cuerpos casi desnudos, tostados o a medio co-
cer, se abandonan inmóviles e iguales unos a otros sobre el
enorme lecho amarillo, entre vivos colores, entre brumas. Una
ligera brisa agita apenas el lienzo verde de la bandera izada
cerca del malecón[1] por los bañeros, que tienen también a su
cargo la lancha de salvamento. De vez en cuando, alguna ola
irregular avanza más de lo previsto y moja las piernas y las toallas de los que toman el sol justo al borde del mar, que se retiran de un salto entre chillidos de alegría, gritos de sorpresa, o
lo hacen lentamente, irritados y arrastrando con ellos sillas
plegables y hojas de periódico arrugadas y húmedas.

Sube la marea y en algunos puntos cercanos a la costa el
mar se riza y blanquea en crestas horizontales, alargadas. Poco

---

* *Servicio de navaja*, Madrid, Sedmay, 1977; *La rebusca y otras desgracias*, 1958;
Los conspiradores, 1964; *Toda la semana*, 1965; *Solo de moto*, 1967; *El cuidado de las
manos*, 1974; *Cuentos Completos*, 1988.
[1] *malecón:* murallón o terraplén que se hace para defensa de los daños que
puedan causar las aguas (DA).

a poco la gente va retrocediento hacia el resguardo de la arena caliente y los agrestes cubos de piedra próximos al paseo marítimo. El verano toca a su fin y son cada vez menos las personas que acuden a la playa, pero ahora que el avance de las olas las empuja a todas hacia la estrecha franja de arena a la que nunca llegan las aguas, por vivas que sean las mareas, forman un denso enjambre sudoroso apenas clareado por los huecos que dejan los que prefieren meterse en el agua y nadar o luchar con las olas, entre risas y sustos.

Conforme la marea crece y se aviva, las olas empiezan a ser mayores y más sonoras. Aun tumbado con los ojos cerrados sobre la arena, se las oye venir de lejos levantando su rumor todo a lo largo de la extensa playa, de una punta a otra, venir poco a poco y creciendo para abrirse en el último momento y aplastarse finalmente sobre la costra de la tierra con ese retumbar profundo, lento, continuado que no parece poder terminar nunca. Se oye retirarse a una ola, desvanecerse en espuma susurrante y fresca sobre la arena, y empieza a volver a oírse ya a lo lejos el avance impetuoso, solemne de otra nueva ola que se acerca creciendo hasta hacerse mayor que la anterior y más ruidosa al morir.

De vez en cuando el sonido del mar se amortigua, casi se apaga, y el nivel de subida de la marea parece detenerse, pero una ola aún mayor que todas las anteriores llega de pronto y casi sumerge a los que permanecían tumbados al borde del agua.

Todos retrocedieron entonces un poco más y se concentraron en una zona cada vez más estrecha.

—Son muy vivas estas mareas de final del verano —comentó distraído un hombre, levantando la vista del periódico.

El cielo estaba limpio, transparente aquel día, traspasado muy cerca del sol por el círculo blanquecino y opaco de la luna llena.

El hombre del periódico consultó su reloj.

—Las doce y media —dijo—, la hora de la pleamar[2]. Hoy ya no va a subir más.

---

[2] *pleamar:* fin o término de la creciente del mar (DA). Lo contrario es *bajamar.*

Entonces debió ser cuando la gente se arremolinó en el otro extremo de la playa y empezó a oírse lo del ahogado, o de alguien que había estado a punto de ahogarse. Todos permanecieron de pie durante un buen rato, contemplando el mar y ocultando, por lo tanto, lo que en él ocurría a los que estaban detrás. Y en vista de que seguía el oleaje, pusieron la bandera amarilla.

Si al principio había tornado a verde el azul de las aguas, su color se había ido enturbiando poco a poco. Terroso en una gran franja al borde de la playa, como amarillo, lechoso, más allá, ennegrecía al fondo del horizonte y se encrespaba.

Eran pocos los que permanecían dentro del agua o se lanzaban a ella de cabeza tratando de horadar alegremente la sucesiva avalancha de olas; la mayoría de las personas prefería esperar tomando el sol a que el mar se calmara, lo que debía empezar a ocurrir al comienzo de la bajamar.

—Se deben haber equivocado hoy en el periódico con el horario de las mareas —dijo el hombre, al ver que la última ola avanzaba inesperadamente uno o dos metros más que la anterior.

Era una de las mareas más vivas que se recordaba, desde luego. Mucha gente lo comentaba, echándose un poco más hacia atrás con todos sus bártulos[3], acercándose unos a otros para dejar sitio al agua.

Se deslizaban las grandes olas en silencio avanzando desde la lejanía, avanzaban a la vez que se distendían sus oscuros vientres y se llenaban de cuantiosas masas de agua turbia; crecían y se alzaban hacia el cielo a medida que se acercaban, agitados y sueltos al viento los desgarrones centelleantes de sus crestas, todo a lo largo del océano, y al romper con un solo golpe y abatirse sobre la última franja de arena, resonaban al unísono miles y miles de duros tambores subterráneos, y su eco se expandía a un lado y otro de la costa, sordo, rotundo.

Mojados y con las toallas y otras prendas inútiles mojadas, los bañistas se apartaron aún más, y algunos empezaron a ocupar las inclinadas piedras del malecón. No quedó casi nadie en

---

[3] *bártulos:* enseres que se manejan (DA). Llamado así por los estudiantes de Derecho cuando se referían al libro de texto de Bartolo de Sassoferrato.

el agua cuando la bandera roja subió por el mástil y se agitó sobre las cabezas de la muchedumbre apiñada. Se oían aquí y allá las primeras advertencias y las llamadas a los niños, que por lo demás se habían cansado de luchar por ganar la orilla, cuando veían que las olas trataban de arrastrarlos mar adentro en sus periódicas retiradas.

Era un fenómeno inesperado y extraño, un tanto divertido. Y turbador. Tumbados boca arriba o medio enderezados en la arena, aprovechando el sol de los últimos días de las vacaciones, muchos veraneantes contemplaban con oscuro placer la repentina agresividad del océano y hacían comentarios y cálculos sobre cuál sería la última ola de aquella formidable pleamar.

—Se está poniendo feo el mar —comentó uno—, y bastante peligroso para el baño.

—Pronto empezará a bajar —dijo algún otro, con serenidad—. Ya no puede subir más.

Pero a las dos de la tarde la marea aún seguía subiendo. En avalanchas continuas, regulares, crecientes, el mar iba penetrando más y más en la tierra, inundándola. La piel del viejo océano se abría a lo lejos en arrugas y simas, se encrespaba en inmensas jorobas, hasta que a media distancia las olas conseguían formarse en toda la extensión de las aguas y entonces se las veía acercarse pausada, silenciosamente al comienzo, alzando sus lomos espejeantes, jabonosos, creciendo y creciendo hasta ocultar el horizonte, cuando ya su clamor desatado y su furia se extendían una y otra vez por toda la playa al azotar con dureza las removidas arenas.

Era un espectáculo grandioso, sí, y admirable, a pesar de haber frustrado el baño de muchos de los que lo contemplaban, tal vez el último baño de la temporada. A menos que...

De improviso, una de aquellas olas gigantescas vino a romper sobre el mismo malecón, después de pasar por encima de cuantos permanecían aún en la última franja de arena seca. Anegados por sorpresa junto con sus toallas y cremas bronceadoras, sin respiración, las gentes trataban de emerger de los torbellinos de espuma y algas agarrándose unas o otras y sin querer soltar tampoco cualquier fútil pertenencia que en aquel momento tuvieran en las manos. Surgían y volvían a sumergirse cabezas, se agitaban piernas en el aire entre sombrillas y sillas plegables. Quebrada el asta por el repentino golpe de mar, la roja bandera indicadora de peligro, envuelta en arena, se perdía en el turbio oleaje. Y comenzaron a alzarse los chillidos de mujeres y niños y los gritos cuando al largo estampido del choque de la gran ola sucedió el rumor de su lenta y desganada retirada, en la que arrastró mar adentro revoltijos de ropas y colchones neumáticos.

Aprovechando la menor violencia de las siguientes arremetidas, los maltrechos bañistas se encaramaron apresuradamente a las rocas más próximas o alcanzaron el alto malecón, donde algunos trataron de acomodarse de nuevo, sin dejar de contemplar atónitos la bravura del mar.

Pronto las olas cubrieron las rocas de protección y subieron malignas a lamer la superficie de la muralla.

Pasaba el tiempo y no llegaba el momento en que la marea consiguiera su cenit y comenzara a decrecer; por el contrario, las enormes masas de agua seguían subiendo a batirse sobre niveles que jamás había alcanzado.

Mirándose unas a otras en silencio, las gentes empezaron a retirarse hacia sus casas, las villas veraniegas o los comedores de los hoteles. Una inquietud parecía velar las miradas de aquellos que se apresuraban tomando a los niños de la mano. Con todo, se sentaron a las mesas y se pusieron a comer.

Al empuje de una nueva ola distinta a todas, los que aún permanecían sobre el malecón se vieron arrastrados por el paseo marítimo o fueron lanzados por las aguas sobre los coches o al medio de la calzada. Los bancos fijados con cemento a las aceras no resistieron mucho ni tampoco las añosas palmeras. No se trataba de un huracán ni de una tormenta, sin embargo; apenas silbaba el viento, el cielo seguía limpio, y allá en lo alto el impávido y redondo estaño de la luna cruzada lentamente por la línea del sol, sin quemarse en él, sin rozarlo.

Durante horas interminables siguió subiendo aquella famosa marea. Cruzó las primeras calles inundando portales y zaguanes, alcanzó terrazas, cubrió las casas de dos plantas, encharcó campos de golf, sumergió grandes pinares.

Olas rojizas de más de veinte metros de altura fueron arrojando a la tierra, durante toda la tarde, montañas de oscura espuma, cementerios de plástico, masas informes de viscoso petróleo, peces de grandes ojos muertos, minas sin estallar, verdes y mohosos cadáveres de suicidas, de agarrotados miembros y cabellos de líquenes.

No cesó la marea hasta el anochecer, cuando el mar pareció quedar limpio. Sin haberse cobrado en tal ocasión una sola vida, las aguas se calmaron y fueron retirándose paulatina, calladamente.

Con la bajamar, a la madrugada, las gentes pudieron contemplar con un nudo en la garganta, su propia obra de destrucción.

RICARDO DOMÉNECH*

Postguerra

El colegial pelirrojo abandona su celda. Un largo pasillo.
Puertas —de cuarterones— abriéndose y cerrándose. Voces,
ruidos. Estrépito de adolescentes. El blancor de las paredes
multiplica la claridad que viene de ambos extremos del pasillo.
Los colegiales han quedado inmóviles, cada uno delante de su
celda. Algunos visten de traje azul marino, otros llevan jersey.
Ahora la mayoría parecen abstraídos; sólo unos pocos, aquí y
allá, cuchichean volviendo la cabeza con disimulo. El colegial
pelirrojo se fija en un colegial muy moreno, los ojos como car-
bones, que está unos puestos más adelante de su misma fila y
que murmura algo al colegial que se encuentra a su lado, el
cual parece prestarle poca atención. Se fija enseguida en el colegial que está frente a él, un muchacho de nariz aguileña y
ojos rasgados que se está mirando los pies en un gesto carente
de sentido. El colegial que se halla inmediatamente delante del
pelirrojo no lleva el traje azul marino de uniforme ni tampoco
jersey, sino una chaqueta mezclilla[1] y pantalones bombachos, en
contraste con la mayoría de sus compañeros, que usan pantalones largos. El colegial pelirrojo parece a punto de decirle
algo, pero de pronto se vuelve y se queda mirando hacia un

---

* *Figuraciones*, Santander, La Isla de los Ratones, 1977; *La rebelión humana*,
1968; *Tiempos*, 1980; *La pirámide de Kheops*, 1980; *El espacio escarlata*, 1989.

[1] *mezclilla*, mezcla: tejido hecho de hilos de diferentes clases y colores. La
mezclilla tiene menos cuerpo (DA).

extremo del pasillo, por donde viene con gran remolino negro de sotana un Padre de cejas espesas y carrillos prominentes, el cual va diciendo de cuando en cuando y sin mirar apenas a los colegiales, vamos, vamos, dando alguna palmada o levantando un brazo y haciendo señas a los colegiales que están más lejos de él. Ambas filas han iniciado su lento paso, se oye el monótono y continuado rumor de las pisadas, algunas baldosas repiten tac-tac con insistencia evidente de que allí se ha desprendido el cemento. El Padre de las cejas espesas y carrillos prominentes continúa andando en dirección opuesta a las filas. El colegial pelirrojo camina con las manos en los bolsillos. De improviso, el colegial de los pantalones bombachos se detiene con brusquedad y el pelirrojo casi tropieza con él, instintivamente trata de cogerse de algún sitio y apoya la mano izquierda en la pared. Lo ha hecho sobre un desconchado, y ahora se limpia pasándose una mano sobre la otra en un movimiento rápido. El nuevo pasillo se abre como una línea recta sin fin. Igual que el anterior, tiene puertas a ambos lados, pero del fondo viene una claridad más intensa. Esa claridad viene, en realidad, del corredor siguiente, uno de cuyos lados se asoma al patio del claustro. Precisamente el sol da sobre esa parte del Monasterio y en el suelo de baldosas de piedra y superficie desigual forma una serie de rectángulos de luz separados por la sombra de las columnas. Las columnas son de ligero fuste y capiteles con sencillos motivos vegetales. Las grandes baldosas de piedra están muy desgastadas y el colegial pelirrojo mira con cuidado antes de pisar. Desde la fila en que él se encuentra puede verse, y sin duda él lo ve ahora que ha vuelto hacia allí la cabeza, una parte del patio: las columnas tienen allí un fuste más grueso y arrancan, no de una baranda de piedra, como en el piso de arriba, sino de una basa; los capiteles son también más complejos, con figuras y motivos religiosos; se ven también árboles, plantas y césped y se oye piar a los pájaros sobre el apagado y monótono run-run de las pisadas de los colegiales. El colegial de los pantalones bombachos va dando saltitos, tratando de evitar, sin conseguirlo casi nunca, la raya que separa una baldosa de otra. El Padre de las cejas espesas y los carrillos prominentes avanza ahora muy deprisa, entre ambas filas, y cuando llega al extremo del corredor se vuelve, queda inmóvil, mira a todos lados. El colegial de los pantalones bombachos ha dejado de dar saltitos. En algún lugar muy delante del colegial pelirrojo ha habido una momentánea interrupción de la marcha, de forma que los colegiales caminan ahora con cierta rapidez tratando de recuperar la regularidad de esta fila. Enseguida han vuelto al ritmo normal. Los colegiales a la altura del pelirrojo están abandonando ahora el corredor del claustro y tras cruzar un pequeño distribuidor bajan por una escalera, el rumor de las pisadas se hace más fuerte e irregular, suena alguna tos. No se trata de la escalera principal, sino de una de las muchas escaleras secundarias que hay en el Monasterio. Tiene forma de caracol, los peldaños son de ladrillo y el pasamanos, de madera sobre sencillos barrotes de hierro. La forma de la escalera hace que las filas vayan más despacio. El Padre de las cejas espesas y los carrillos prominentes baja por el centro, levantándose un poco la sotana —en la otra mano lleva un rosario y un misal— y más despacio que los colegiales, mirando con mucho cuidado los escalones. El colegial de los pantalones bombachos bajaba apoyándose en la barandilla, pero de pronto ha retirado de allí la mano y observándola con expresión de asco ha dicho guarros, mientras con la otra mano, la izquierda, ha sacado el pañuelo del bolsillo y se ha limpiado la mano derecha sin dejar de murmurar guarros; después ha continuado bajando sin apoyarse ya en la barandilla. De nuevo han salido al claustro, ahora en la planta baja. El Padre de las cejas espesas y los carrillos prominentes ha quedado una vez más inmóvil, contemplando el lento avance de las filas de colegiales, todos en silencio y arrastrando mucho los pies; después se pone a andar nuevamente, a grandes zancadas. Desde este corredor se percibe con más intensidad el olor verde del jardín, el fuste de las columnas parece más alto y grueso. Como en el piso de arriba, el suelo es de grandes baldosas de piedra, y hay menos puertas y de mayor tamaño. El colegial de los pantalones bombachos camina sin hacer nada especial, y es el colegial pelirrojo quien lo hace ahora dando saltitos para evitar las rayas de las baldosas, hasta que pronto abandona esa distracción y camina indiferente.

Para llegar a la capilla, adonde se dirigían los colegiales, el movimiento normal habría consistido en abandonar este corredor y penetrar en un pasillo muy corto y oscuro, al fondo del cual está la capilla (no la iglesia del Monasterio, reservada para la misa mayor de los domingos y otros actos solemnes). No era necesario dar una vuelta casi completa al claustro, y, sin embargo, esto es lo que han hecho. Nada más bajar, el sol daba sobre el corredor por el que caminaban y ahora da sobre el corredor de enfrente. El colegial pelirrojo lo comenta con el de los pantalones bombachos, y éste, anda, es verdad, mirando con extrañeza. La voz de uno de ellos: ¿dónde vamos?, alguna risa aislada. El Padre de las cejas espesas y carrillos prominentes ha mudado de expresión. ¿Qué pasa aquí?, pregunta en un tono muy alto, enfadado. El colegial de los bombachos se vuelve al pelirrojo y en silencio repite con su mirada la misma pregunta. El pelirrojo se vuelve al colegial que está tras él y repite qué pasa, otros muchos colegiales de esta y de la otra fila se miran asombrados o inquietos y preguntan qué pasa; algunos levantan expresivamente los hombros: no lo saben; otros insisten: qué pasa, y crecen los murmullos, de nuevo alguna risa, no han dejado de andar. El Padre de las cejas espesas va y viene, qué pasa aquí, repite, se puede saber qué pasa aquí. Su rostro ha enrojecido de rabia, de malhumor, mira con ojos amenazadores, inquisitivos. Los colegiales se miran entre sí con mayor extrañeza, los murmullos aumentan y el Padre, en el centro del corredor, ¡silencio! ¡Silencio y quieto todo el mundo! ¡Que no se mueva nadie! Las filas se detienen. Con voz más segura, el rostro menos congestionado, ordena: muy bien, ahora espérense, que no se mueva nadie, y avanza a grandes zancadas, sombra oscura, corredor adelante. Los colegiales le miran en silencio; viéndole, se tiene la impresión equívoca de que esa dirección que lleva igual puede encaminarle a la cabeza que a la cola de las filas. Como sea, los colegiales han quedado inmóviles y esperan, cuchichean entre sí. El nerviosismo se ha adueñado de miradas y rostros, y es una pelota de baloncesto la pregunta insistentemente repetida: qué pasa, qué pasa, qué pasa... No lo sé, dice el pelirrojo al de los bombachos. Murmullos, risas, guirigay... Callaros, hombre, dice algún colegial formalito, pero sin éxito. Súbitamente se hace de nuevo el silencio; por el fondo del corredor viene un Padre de ojos saltones y frente despejada. En su rostro se adivina una fuerte preocupación. Atraviesa todo el corredor, sin fijarse en nadie y sin decir nada, muy de prisa. Por fin, se detiene en el extremo, da unas palmadas y, al oírle, inmediatamente los colegiales reanudan la marcha. Cualquiera sabe lo que habrá pasado, dice el de los bombachos. Las filas se mueven con regularidad y la tensión parece haber desaparecido por completo. Sólo algún murmullo, sofocado por el rumor de las pisadas... De improviso, el de los bombachos se vuelve al pelirrojo: mira, dice con estupor. Las filas no se han dirigido hacia la capilla, sino que han vuelto a la escalera de caracol y ahora están subiendo lenta y regularmente. No entiendo nada, dice el pelirrojo. El de los bombachos: yo tampoco, vaya lío, y sube sin apoyarse en la barandilla.

Antes de que el Padre de las cejas espesas y carrillos prominentes apareciese bajando desde lo más alto de la escalera y entre las dos filas de colegiales, éstos ya oían su voz: que no se mueva nadie, que no se mueva nadie. Insistiendo en esta orden, congestionado el rostro avanza en dirección al claustro mientras los colegiales se van parando. Cada vez lo entiendo menos, dice el pelirrojo. Y el colegial de la nariz aguileña y los ojos rasgados: aquí pasa algo, y todavía añade: algo muy raro. Se miran unos a otros, nuevos gestos de extrañeza, nuevos murmullos, nuevos comentarios ociosos, pero incontenibles... Reina el barullo. Y de, pronto, las filas se ponen en marcha. En la parte de la escalera donde están el pelirrojo, el de la nariz aguileña, el de los bombachos, etc., no se ha recibido ninguna orden en tal sentido: ninguno de los Padres ha pasado por allí, pero, con toda probabilidad, dice el pelirrojo, la orden ha sido dada más allá de la escalera. Desde luego, los colegiales situados en los últimos peldaños, al ponerse a andar nuevamente, lo han hecho de un modo en el que se advertía que con ello imitaban a los de más adelante y no visibles desde el lugar en que se encontraba el pelirrojo, el de los bombachos, el de la nariz aguileña... Consecuentemente, al imitar cada colegial a los que tiene delante, las filas suben en dirección al corredor del piso de arriba, cuya claridad ya empieza a divisar el pelirrojo. Sin embargo, las filas no han seguido en dirección al corredor del claustro, como parecía presumible, sino que han doblado a la izquierda, adentrándose en un pasillo que tiene celdas a un lado y otro, y que es sensiblemente igual a los que se encuentran en el ala derecha una vez que se deja atrás el corredor del claustro, si bien con una diferencia: las celdas no están numeradas, hace observar el colegial de la nariz aguileña a los que se encuentran más cerca de él. Este hecho dio idea a los colegiales de la existencia de un conjunto de pasillos, todos similares y situados en esta parte del Monasterio, a la que no habían tenido hasta entonces acceso. ¿Cuántos pasillos? ¿Tantos como el otro lado? Probablemente, suponía el de los pantalones bombachos, pero convinieron los otros colegiales en que era inútil preguntarse por esto, pues resultaba suficiente la comprobación de la amplitud de aquel conglomerado de pasillos, de largos pasillos, lo que realmente el colegial pelirrojo, así dijo, no había sospechado hasta ahora, y los otros tampoco: ellos, tampoco.

Avanzan lenta y regularmente, calmados ya los nervios por lo ocurrido antes. Todo parece resuelto: ninguno de los padres ha vuelto para decirles que se detengan y es forzoso creer que alguno de ellos ha dado la orden de que vayan en la dirección en que van, sea cual sea finalmente esa dirección. Todo parece resuelto, se dicen unos a otros con gestos más que con palabras, pues la misma movilidad de las filas ha hecho que, quizá inconscientemente, como un acto reflejo, estén otra vez callados. Al fin sólo se oye el monótono rumor de las pisadas. El colegial de los pantalones bombachos vuelve a caminar dando constantes saltitos. Cuáles han sido los motivos por los cuales han dado este rodeo —rodeo, pues nadie ha puesto en duda que, si bien por diferente camino, van a la capilla para oír la misa en este segundo día de sus ejercicios espirituales— es algo que, suponen, sólo podrían explicar los Padres y los colegiales que ocupan los primeros puestos en las filas. Ya nos enteraremos, dice el pelirrojo. La sensación de tranquilidad, de normalidad, es completa, visible en los rostros de los muchachos, en su paso regular... Hasta que, súbitamente, aparece el Padre de los ojos saltones. Viene corriendo en la misma dirección de las filas —la última vez que le vieron fue precisamente cuando les adelantó— y grita con todas sus fuerzas ¡deténganse! ¡Por el amor de Dios, deténganse! Estupefactos, asustados —quizá, más que por la orden, por la angustia de la voz—, desconocedores de lo que ocurre, pero ahora persuadidos de que es algo verdaderamente grave, los colegiales se paran en seco y el Padre de los ojos saltones continúa corriendo sin dejar de repetir angustiado deténganse, deténganse, por el amor de Dios... Ya se pierde por el fondo del pasillo, todo faldones de sotana, y ya los colegiales que están allí hacen gestos con la mano y llaman a gritos a aquellos otros que, invisibles desde el sitio en que se hallan el pelirrojo, el de los bombachos, el de la nariz aguileña, etc., deben de encontrarse ya en el pasillo siguiente, quién sabe en dirección a dónde. Otra vez el barullo, las preguntas sin respuesta, alguien ríe. Pero algunos colegiales callan ahora, y finalmente callan casi todos, sobrecogidos, asustados por el acontecimiento. ¿Quiénes están a la cabeza de las filas? Quizá ellos sepan a qué obedece todo, incluso es posible que tengan alguna responsabilidad en los hechos. El pelirrojo lo pregunta, pero el de la nariz aguileña le recuerda que no están en el colegio, sino en el Monasterio, adonde han venido para hacer los ejercicios espirituales a lo largo de toda la semana, y que por tanto no saben de memoria aún quiénes son los colegiales que ocupan las primeras celdas. De improviso, las filas se vuelven a poner en marcha. Arrastrando los pies, algunos colegiales se echan a reír; otros miran con espanto.

¡Deténganse, deténganse! Es ahora la voz del Padre de las cejas espesas. Las filas se detienen. Después, dando una palmada, el Padre ordena: rompan filas. Pero no se mueve nadie. Él repite: rompan filas, ¿no me han oído? Rompan filas. Pero nadie se mueve, los colegiales se miran entre sí. El Padre, congestionado, enfurecido, repite la orden que nadie cumple. Fuera de sí, rojo de rabia, se dirige a un colegial obeso y de cara inexpresiva, le pregunta a ver usted, por qué no rompe filas, que lo diga, y él asustado, tartamudeando, no puedo, no puedo, dice. Levantando amenazador los brazos, como si fuera a pegarle, inclinándose sobre él, grita con violencia he dicho que rompan filas, y el muchacho llorando no puedo, no puedo. Todos los demás miran expectantes. El Padre ha cogido ahora al colegial obeso de un brazo y tira de él sin conseguir arrancarlo de la fila, y el colegial grita y llora, le está haciendo daño y no puedo, no puedo, repite, mientras el Padre sigue tirando de él con todas sus fuerzas, el rostro congestionado. Ha aparecido el Padre de los ojos saltones y frente despejada, que se interpone entre los dos. Déjelo, ¿no ve que está lastimando al muchacho? Y el Padre de las cejas espesas, como volviendo en sí: lo lamento, lo siento... No hemos de perder la serenidad, dice el de los ojos saltones, y dirigiéndose ahora a los colegiales en voz alta pregunta por qué se pusieron en marcha la última vez. Los colegiales se miran entre sí, alzan los hombros, varios explican que se limitaron a seguir a los compañeros que iban delante. Como si esperara esta respuesta, quizá oída a los colegiales que iban delante, el Padre de los ojos saltones, amable y persuasivo, propone intentémoslo de nuevo, poned toda vuestra voluntad cuando yo diga rompan filas. ¡Ya: rompan filas!, dando una palmada. Los colegiales hacen un notorio esfuerzo por obedecerle, se inclinan como si aguantaran una pesada carga, jadean, pero un no visible imán les sujeta impidiéndoles abandonar la fila. Sombría la expresión el Padre de los ojos saltones les dice que lo dejen. Alguien pregunta qué pasa, padre, y él vacila antes de responder, hasta que al fin, con tono abatido, sincero, contesta no lo sabemos. El pelirrojo quiénes van a la cabeza de las filas, pregunta, y el padre de las cejas espesas tampoco lo sabemos nosotros, pues los que iban en cabeza se han confundido ya con los que iban en la cola y parecen haberlo olvidado, de modo que las filas forman un todo continuo a lo largo de los corredores y pasillos del Monasterio, dándose la circunstancia, como acababan de comprobar, de que las filas no pueden romperse y también de que, inexplicablemente, se ponen en marcha solas, al margen de las órdenes de los Padres y de la voluntad de los propios colegiales. Intercambia una mirada con el Padre de los ojos saltones, el cual desde sus ojos saltones parece reprocharle cuanto acaba de decir, y como arrepentido y en otro tono no debéis preocuparos, todo esto es algo raro y espectacular, pero no debéis preocuparos, dice, y el de los ojos saltones corrobora eso es, estas cosas pasan a veces, por decir algo, y no tiene importancia. Ya se van los dos reflujo de sotanas corredor adelante. Los colegiales quedan atónitos y asustados. Algunos intentan ahora, una vez más, salirse de la fila, doblando el cuerpo con todas sus fuerzas, incluso haciendo palanca con una pierna o con un brazo sobre la pared, sin conseguirlo. Desisten, abatidos. El pelirrojo se seca el sudor, el de los pantalones bombachos ha empezado a llorar en silencio, el gordito de antes grita qué nos pasa, se oyen lejos otros gritos desesperados de colegiales, el de la nariz aguileña a mí me gustaría estar en casa con mis papás, pero ellos me han traído al internado... Ya viene el Padre de las cejas espesas. Calma, calma, hijos míos, recomienda. Tranquilizaos, que esto pasará enseguida, pero la mayoría de los colegiales no le escuchan: siguen gritando o llorando.

Tan grande es el poder de la costumbre que unas horas más tarde los colegiales habían conseguido habituarse, hasta cierto punto, a su nueva situación. De cuando en cuando, las filas se ponían en marcha y los Padres, en un constante ir y venir ordenando que se pararan, conseguían detenerlas; esto último parecía demostrar que, por lo menos, conservaban algún control: no podían romper las filas, pero podían detenerlas en un momento dado. Desde el ángulo de pasillos y corredores, haciendo bocina con las manos, los Padres informaron también de las normas que el Padre Rector acababa de establecer para hacer frente, de un modo práctico, a las nuevas circunstancias. Insistían las normas, especialmente, en la necesidad de que no se interrumpiera el normal desarrollo de los ejercicios espirituales. Con este fin, y tal como las normas habían anunciado, los camareros, los fámulos[2], y demás gente del servicio fueron instalando una sistemática red de altavoces, a fin de que pudieran impartirse cuanto antes las pláticas y conferencias de hoy, como asimismo, y si las cosas continuaban de igual modo mañana, pudieran los colegiales oír la santa misa. Más aún: a cada colegial se le facilitó un orinal y una colchoneta, y también una bolsa de comida, de las que se usaban para las excursiones. Cuando todo estuvo dispuesto, los colegiales se sintieron tranquilos. Nadie lloraba ya. Con la colchoneta a la espalda, la bolsa de la comida en una mano y el orinal en la otra, cada colegial era un ejemplo de disciplina; y todo aquello, un ejemplo de organización práctica, eficaz y terrestre. Sólo había un problema: ¿qué iba a pasar durante la noche? ¿Podrían dormir los colegiales o seguirían poniéndose en marcha las filas de modo in-

---

2 *fámulos:* criados. En este caso, eran muchachos de familias pobres que, a cambio de estudiar en el Colegio, trabajaban en él en oficios diversos, desde servir el pan en el comedor hasta quehaceres más duros en las cocinas. No jugaban con los colegiales «de pago».

termitente y sin motivo que lo justificara? También eso se resolvió. Los Padres ordenaron a los muchachos que dejaran las colchonetas en el suelo y que se acostaran, y así lo hicieron ellos sin dificultad alguna. Durante horas y horas, los Padres recorrieron pasillos y corredores temiendo que las filas volvieran a ponerse en marcha, pero no ocurrió tal cosa: los muchachos dormían perfectamente, con un sueño tranquilo y profundo, sin duda agotados, exhaustos por las emociones del día. Tan absoluta era la normalidad que algunos Padres descuidaron su guardia y se recogieron en sus celdas para echar una cabezada, exhaustos y agotados también. ¿Está muy cansado, Padre Esteban?, preguntó el de los ojos saltones al de las cejas espesas. Sí, Padre Marcos: como usted, como todos... Pero quizá lo peor no es eso, sino que, en momentos como éste, me asaltan dudas y me pregunto con temor si de verdad cumplimos con acierto nuestra misión educadora. El Padre de los ojos saltones, quitándole importancia, está usted agotado, Padre, le conviene descansar... En nuestro oficio hace falta una vocación tremenda. Pasándose una mano por la frente, el otro corroboró es verdad: una vocación tremenda, dirigiéndose ya hacia su celda, cabizbajo.

JULIA IBARRA*

Angor pectoris

Fachenda[1], todo fachenda, abundancia y lujo de barbas, flecos de pestañas, destellos en la mirada, labios y sonrisas de cromo, acentos melifluos de mignon[2] acompasados con frases líricas, trascendentes en su brevedad, «qué magnífica puesta de sol», «qué fabulosa representación», «qué gótico tan sensacional», «qué románico tan increíble». Todo fachenda y sólo fachenda, la camisa entreabierta deja al descubierto el moreno de la piel, la soberbia musculatura, las piernas se ajustan muy ceñidas a la funda de unos pantalones de cuero o pana negros, piernas con esbeltez de mujer y el contoneo incesante del trasero, el movimiento rítmico de las caderas. Tan pronto estira, tan pronto contrae los dedos de las manos, dedos que parecen algo, que parecen de alguien importante.

Fachenda: amigos y amigas del más elevado rango social, partidas de golf, deporte de montaña, paseos en yate. Ahora regresa mohíno de la noche, del alcohol y de la aventura. Yace tendido sobre la cama, se le ha descompuesto el semblante con los vapores de la juerga, se le ha puesto vidriosa la mirada, las barbas desmadejadas y lacias, pero él, siempre señor, dueño

---

* *La melodramática vida de Carlota Leopolda*, Gijón, Noega, 1983; *La mecedora*, 1986; *Cuentos de ánima trémula*, 1989.

[1] *fachenda:* vanidad, jactancia (DA).

[2] *mignon*, palabra francesa de uso universal: mono, pulido / querido, nene. Se emplea aquí, y más adelante, despectivamente. El lector encontrará también *gigolo* y *necessaire:* neceser.

absoluto y rey del hogar, mientras se desviste da órdenes imperiosas: «Irene, apaga esa luz que me está molestando», «Irene, tráeme un vaso de leche a ver si me desintoxico», «Irene, que no se despierten los niños», «Irene, cámbiale los pañales a Rafaelito que huele que apesta» («Ella que no proteste que le regalo un hijo cada año») Cochino mignon, danzarín de yeso, piernas de saltos y de pases de un estrafalario ballet, no me toques que me pinchan tus barbas y tienen fiebre tus mejillas de cartón.

Me acuerdo del día de nuestra boda, nos casamos al amanecer porque él pretendía ser original. Al principio yo me había dejado deslumbrar por el portentoso edificio de su cuerpo de carnes bruñidas, densas y apretadas, un cuerpo elástico de supermán. «Guapo tu novio, Irene, qué figura la suya, rica, que parece aquel artista de la televisión americana de revólver en el cinto», y mi madre que me pregunta un día; «¿en qué trabaja?», y yo riendo como si me hubiese vuelto loca: «en nada, es igual que un payaso de papel, no llega a payaso de trapo, cometa de varios colores que vuela por el aire». Mi madre asombrada: «¿de qué vais a vivir?», «pués no lo sé, del papel, de los colores, déjame, madre, llevo dentro un hijo suyo, él es guapo y triunfará cualquier día en el cine o en el teatro».

Estáte quieto que llevo el quinto hijo en mis entrañas. Cuando crezcan él y los otros pronunciarán tus mismas frases almibaradas, «fabulosa representación esta de Hamlet», «increíble escenario el de la plaza de la Catedral». ¿A quién has oído tú esos términos altisonantes, bailarín de aire?, tú que no lees ni la hoja de un periódico, ni una crítica teatral, que no escribiste tres líneas seguidas en tu vida ni alcanzaste dos minutos de reflexión y soledad a lo largo de toda ella, que estás vacío como esas nubes que se retiran y dejan paso cuando el avión cruza el espacio, tú que te sostienes en la cúpula de la alta sociedad gracias a unos cuantos adjetivos admirativos, «fabuloso», «increíble», «fenomenal». Te tendría lástima, pero no lo mereces porque todo te da igual, todo te resbala por tu carne apretada, por el barniz de aceites y cremas para el sol con que untas tu piel. No te mueve estímulo alguno ni siquiera el del placer, te disuelves en fuegos artificiales y estallidos de pólvora, en cohetes de procesión de pueblo. Es tu belleza, sólo ella y tu apostura las que arrastran, me arrastraron a mí, arrastrarán a otros.

Luego le explicaré a mi madre que mi marido sigue sin colocación, que no vale para las tablas y eso que vaya cómo menea las caderas, con cuánto brío y cadencia. Lo rechazaron en el teatro, madre. Déjeme pasar, portero, que soy la esposa de don Rafael Otero de Torrevieja y le van a hacer un ensayo especial; ya lo estoy viendo en una silla, un poco pálido a pesar del moreno de la montaña, agita los brazos en el aire, pone en relieve las manos, marca grandes uves entre los espacios vacíos de los dedos, adopta la máscara trágica de Laurence Olivier[3]: el escenario se halla medio a oscuras, una penumbra piadosa difumina sus rasgos de pobre mignon y el director «recite —le dice—, empiece de nuevo. Más alto. Cambie la modulación. Esos registros, póngales mayor patetismo». Y mi macho que comienza a tambalearse, que parece que le da mal, que la silla vibra como si hubiese un duende haciendo travesuras por debajo y él que se afloja, se ablanda, resbala y se derrumba poco a poco sobre el suelo. «Cójanlo que se está cayendo, que se cae.» Bobo, Hamlet ridículo, no llores más, levántate, vámonos que para esto no sirves. Has fracasado en el intento aunque el director era amigo de mi padre y se había ofrecido para darte una oportunidad.

¿Y ahora qué hacemos? Fíjate cómo está la vida, madre. Cuatro años llevo casada con este espantapájaros de cazadora y pantalones de cuero y ya nacieron cuatro vástagos, nacerá el quinto y no habrá tregua para semejante monstruo de inconsciencia. Ya me dirás qué debo hacer. Fracasó en el teatro, te lo he contado. En el cine ocurrió algo parecido, pero más aparatoso. Déjeme pasar, portero, que soy la esposa de don Rafael Otero de Torrevieja y le van a hacer unas pruebas. Ya lo han maquillado agrandándole los ojos con rimmel y pestañas postizas, ya se convierte en el centro de todas las miradas, ya se dispone para las consabidas poses de rufián, ya se aproximan al

---

[3] *Laurence Olivier* (1907). Uno de los más grandes actores y directores ingleses, con memorables interpretaciones de Romeo, Hamlet, Enrique V, Macbeth, Yago, Otelo, César, etc. Trabajó durante años en el Old Vic, dirigió el festival teatral de Chichester y fue nombrado director del Teatro Nacional en 1964. Ha protagonizado películas en América y hecho temporadas en París, Nueva York, Australia, Nueva Zelanda, etc. También ha interpretado y dirigido comedias de humor y *romantic drama*.

futuro astro las cámaras, ya giran a su alrededor iluminándolo los enormes focos. Le colocan delante una belleza lánguida, la artista o *vedette* de turno y le ordenan mover eróticamente el cuerpo y besarla en los labios. Y este es el juicio: que no besa bien, que no sabe desempeñar el papel de chulo —¡quién lo creería!. Vaya desastre, rompe a llorar de rabia e impotencia, las lágrimas y el rimmel forman un nubarrón en el que se derriten los afeites y se destiñen arrastrando consigo las pestañas postizas. Así, con esa traza, hecho un acordeón de hipos, salió del plató, y a medida que bajábamos en el ascensor el llanto se le iba secando, y cuando llegamos a la calle estaba tan contento y tan airoso con el habitual balanceo de las nalgas. Las pestañas se le habían quedado colgadas de los pelos de la barba, quizá luego cayeron en el mármol de la portería, en las aceras o volaron por el aire pegajosas como moscas.

«Oficinas ni hablar —dijo un día—, me marean los números, se me va la cabeza con las divisiones.» «Tonto, que ahora hay máquinas calculadoras que no ocupan nada, te metes una en el bolsillo del pantalón y en paz.» Y él «que no, que no quiero, que me pongo malísimo sólo con mirar los números, que sufro unas jaquecas atroces». «Pues anda, guapo, tú verás lo que hacemos.» «Ya surgirá cualquier cosa, preciosa.»

Precioso él, la piel tostada por el sol de la montaña o de la playa y yo mientras pudriéndome en casa con los cuatro críos, todos dorados y rubios igual que el padre. Cómo baila Teresita en la punta de los pies, cómo da vueltas al son de la música de los discos que parece una peonza y qué cabriolas y contorsiones de circo. Y Luis y Sonia, tan pequeñitos y tan flexibles sus cuerpos.

Un día llegas a casa y nos encuentras muertos a los cinco de un escape de gas. Abro la llave y en unos instantes ya está. Él no escucha. «Anda, linda, que te doy un hijo por año. ¡Menudo regalo! No te quejarás. Valgo mucho, soy un tío fenomenal. Lo que pasa es que tú no me comprendes e ignoras lo que hay dentro de mi cabeza.» «No lo ignoro, marica, no lo ignoro. Dentro de tu cabeza hay papeles de color y media docena de adjetivos para ir tirando. Eres cometa de poca altura, de escaso vuelo, juguete de niños. Eres señorito de oropel, figura decorativa, figura de cartón de falla valenciana.»

En este cavilar sobre la vaciedad que me rodea, dejándome resbalar por la rampa del desengaño, queda atrás el amanecer y ya se ha desperezado la casa con los gritos y lloros de los niños. Sólo él sigue dormido aunque he subido con furia las persianas para meter ruido. Venga, levántate que no quiero perderme el espectáculo de tu despertar, de tu rostro abriéndose todavía congestionado por el sueño, de ese lujo de bellas facciones que te gastas crispándose al primer contacto de la luz del día.

Tu dormir es tan profundo que llega a absorber como un océano las contracciones de tu corazón. Estás frío, se te han helado las manos. Y esa mueca extrañísima de dolor y de asco en los labios... ¿Habrá sido la causa el olor a caca de Rafaelito? Pero ¿qué pasa? Si no respira, si no se mueve, si parece que está muerto. ¿Muerto? ¿Habrá muerto mi marido, el padre de mis hijos? Doctor, lo llama la señora de Rafael Otero de Torrevieja. Dése prisa, doctor, coja el coche enseguida. Mi marido se ha puesto malísimo... Yo creo que está muerto. Por favor, vecinos, acudan a mi casa. Ayúdenme... Mi marido... ¿Qué dice, doctor?... ¿Que no hay nada en absoluto que hacer? ¡Dios mío! ¿Cómo es posible?... Sí, le explicaré, doctor, lo que usted quiera. Yo me he pasado la noche en la cama, a su lado, sin dormir. Le parecerá una estupidez, una incoherencia en estos momentos, discurriendo, dándole vueltas a una especie de *gigolo,* de muñeco de cartón, de supermán de falla valenciana que acaba de quemarse y no oí ningún quejido. Se acostó muy cansado, ya de madrugada. Irene, apaga esa luz. Irene, tráeme un vaso de agua, Irene cambia los pañales a Rafaelito que huele que apesta, y yo cumplía todas sus órdenes. Ahora, dígame, doctor: ¿cuál ha sido la causa de su muerte? ¿Cómo?... No entiendo bien. ¿Podría repetírmelo? ¿De angina de pecho?...[4]. Es lo más absurdo que he escuchado en mi vida. No se enfade, doctor, por Dios, no se enfade, no me lo tome a mal. Si yo no dudo de su ciencia, pero me sorprende el diagnóstico. Me cuesta creer que mi marido haya muerto de lo que mueren los ejecutivos, los hombres de negocios, todos esos seres importantes que marchan en el avión de la mañana para volver en el

---

[4] título del cuento: *angor pectoris.*

de la noche del mismo día, vestidos con impecables trajes oscuros, llevando en la mano derecha un maletín *necessaire*. Él no fue nunca más que un fantoche. No se escandalice, doctor, no se escandalice, ¿por qué ocultarle la verdad? ¿No son los médicos como confesores? Se acostaba a las tantas, se levantaba casi a la hora de comer, sin ayudar en casa, sin trabajar fuera. Si lloraba, que también lloraba, se le secaban rápidamente las lágrimas.

Silencio, niños, silencio, no te pongas tú ahora a bailar, Teresita, que se ha muerto papá de angina de pecho. El día de mañana, cuando seáis mayores, podréis publicar a los cuatro vientos que vuestro padre falleció un amanecer de angina de pecho, y eso no es cualquier cosa. Es la herencia, el renombre, además de la belleza, que os ha dejado Rafael Otero de Torrevieja.

Luis Fernández Roces*

Relato de noche

No se me ocurre ahora sino hablar de la amargura de un humilde escritor que no alcanza, por más que cavila, a poner en claro las ideas, y que a la mañana siguiente (digamos, en tal supuesto, que se inicia de noche este cuento mío, ahora en que el escritor busca sin fruto un argumento para el suyo) tiene que entregar sin falta.

Quiero, para mejor entendernos, advertir que, ciertamente, no ejerzo el oficio de escritor (ministerio para el que no tengo habilidades), sino que me dedico (¿por qué no decir que en cuerpo y alma hasta hace muy poco tiempo?) a la fontanería; arte este al que me llevó la vocación, siendo ya bachiller, sin que mis compañeros (convencidos, al parecer, de mis aptitudes para los estudios mayores y de las de mi padre para los negocios del mismo grado) pudieran entenderlo. Lo que resulta, claro está, explicable en quienes no hayan tenido ocasión nunca de luchar con el agua hasta dominarla y hacerla discurrir en orden y con paz por tuberías, o contenerla en las excusadas cisternas domiciliarias y acertar con el exacto nivel de flotación de la boya y el buen ajuste de los mecanismos.

Dicho lo cual a sabiendas de que los comentarios que se refieren a la fontanería no importan en el relato, debo añadir que, aunque no oficie de escritor, sí que padezco la amargura de que hablé, pues que soy yo, por sorprendente que parezca,

* *Libro de los cuentos,* Gijón, Noega, 1983; *De algún cuento a esta parte,* 1990.

quien tiene que escribir el cuento en el plazo de una noche. Claro que, sobre tal particular, confieso que tuve tiempo suficiente, desaprovechado por causa de la pereza. Sin embargo de ello, mi resistencia a cumplir el trabajo en cuestión no es debida sino a que me siento incapaz incluso de iniciarlo, pues de otra manera no me falta —más bien al contrario— la voluntad. Todo lo cual aparte, y contra lo que pudiera creerse cuando hay abundancia de tiempo y de soledad, resulta difícil escribir si a uno lo retienen en casa causas tan lamentables.

Sé que no viene al caso (quiero escribir un cuento; hablar de nuestras cosas a nada me conduce), pero afirmo, puesto que nada mejor se me ocurre, que es injusto el encierro que Sara y yo padecemos. Ella anda como una sombra por la casa, yo sé que avergonzada aunque no hay motivos para ello, y supongo que dándole vueltas a la idea de contarlo todo. No quiero imponerle mi criterio, pero le hago ver que, al fin y al cabo, sería inútil exponer la verdad, pues de hacerlo, acaso ni siquiera llegasen a tomarnos por locos, sino por cínicos avezados; cosa que según yo supongo agravaría la cuestión.

El caso es que sigue sin ocurrírseme nada. Hace un par de días, Sara, que a veces llega a mi lado como de puntillas, sin que yo la sienta (las más de ellas da la vuelta sin decirme nada), me preguntó con su voz dulce y casi moribunda cómo estaba de humor para escribir un cuento en tales circunstancias. Le respondí que ella ya sabía que era una cuestión de honor. Y quiero aquí decir que pertenezco a una tertulia (de cuyos honestos fines doy cumplida fe) en la que se mantiene desde siempre, cada mes, un extraño desafío: escribir un relato en competencia unos con otros. Intentaré, desde luego, no faltar esta vez a la cita.

Pero busco un argumento y ni siquiera hallo una frase de las que arrastran y te hacen seguir adelante. Tal vez Sara tenga razón, y sea, lisa y llanamente, una bobería escribir —mejor dicho, intentarlo— en estas condiciones en que no hago más que recordar las escenas de nuestra detención, cuando la policía nos sacó de casa y la gente nos censuró a voz en grito según contaron al otro día los periódicos locales que convirtieron, no sé por qué, una cabal agresión en abucheo, pues si bien éste existió, aquélla, que poco esperábamos nosotros, queda certificada por mis abundantes cardenales y por los de Sara, que todo lo sufre con resignación, hasta los ataques de risa que me dan a veces al recordar algunas de las cosas sucedidas. Claro que si en este último caso la resignación es paciente, en el primero nada significa sino entrega y derrota.

Por lo que toca a mi risa, hay que decir que es casi siempre anuncio de alguna depresión, y que en mis horas bajas, al revivir los hechos, me siento muy agraviado. De manera que esta vez el relato, amén de su cometido normal, ha de llevar a efecto otro bien distinto: deshacer el agravio tomando de él entera satisfacción.

Y a todo esto, en el momento más inoportuno, puesto que las ideas eran claras como nunca (hace sólo un instante: ahora, en fin, puedo ya decir que no he sabido aprovecharlas), cogí, desde luego con inadvertencia, esta revista. Sucede que en ella se publica un informe sobre nuestro caso, y, claro, me pongo a releerlo. Pensaba no hablarle de esto a Sara, pero de pronto (concentrado yo en tan importante lectura, ni siquiera advertí su presencia hasta que no habló), me sorprende una pregunta suya, y decido que lo mejor va a ser que leamos juntos este informe que ya en las primeras líneas resulta malicioso y es muestra de cómo, sin más, se tergiversan unos hechos; después, a la larga, nunca se sabe dónde está la verdad. Así, por ejemplo, bien podría suceder que yo pasase a la historia como un tío canalla y desalmado. Por ahora, ya se tiene por cierto que sometí a malos tratos a ese pobre niño (quiero puntualizar: no sólo en mi opinión, sino que dicho también sobre seguro, él es el canalla), casi de teta aún (¡ya es ironía!) según los titulares; y de unos pocos años conforme a lo que se dice luego en el escrito, e hijo mío además. Excuso decir que a Sara se la culpa de complicidad y que es ello lo que más me duele.

No espero que nadie me crea. Diré, sin embargo, que las cosas fueron, en realidad, así: no hice más que cogerlo por la pechera y darle unos meneos. Vi sus ojos fríos y me asusté. Entonces, él, cambiando su expresión por una sonrisa que yo creí perversa, profirió graves injurias contra nosotros. Fuera de mí, eso no lo niego, quise alzarle la mano. Di varios golpes al aire, convencido de que no podría alcanzarlo. Cuando él quiso, lo toqué un poco, casi nada. Por lo demás, su abandono en ese vericueto, en contra de lo que ahora certifican los noticieros y otras lenguas, fue un suceso, verdaderamente, sin importancia. Pues, aunque parezca raro, él conocía muy bien (mejor que nosotros, desde luego) las dificultades con que podía tropezar, y hubiera llegado a casa, de haber querido, sin mayores problemas.

Sara me pregunta que cómo es posible que digan lo que dicen. Se refiere a una frase (de ninguna manera reflejo —ni siquiera medianamente fidedigno— de los hechos) en la que se nos tilda de padres descastados, tras contar (de forma no sólo disconforme con la verdad, sino muy adecuada para excitar inicuamente la compasión hacia el niño y el odio hacia nosotros) cómo abandonamos nocturna y alevosamente a nuestro hijo, los graves peligros que él hubo de correr y el lamentable estado en que lo hallaron. Hasta se habla de una profunda mordedura en un brazo, obra seguramente de algún perro vagabundo. Cualquiera podría ver que tan importante dentellada no pasa de ser huella más bien superficial. Y tanto Sara como yo sabemos, por otro lado, que no es obra de ningún chucho (en mayor peligro se hubiera hallado el animal ante el niño que éste ante toda una jauría), sino de una jovencita que se vio obligada, en defensa propia, al uso de los dientes, pero que ahora, pasado ya el susto, y por un extraño sentido del pudor, no quiere en modo alguno atestiguar lo que sabe. En cualquier caso, mi despecho no se debe tanto a dicha negativa como a la ineficacia de un tal doctor Ferrando, el cual, si como es obligación de quienes se han licenciado en medicina poseyera saberes acerca de las fórmulas dentarias y las mordidas, hubiese advertido, con sólo reparar en el número y disposición de las levísimas huellas dentales, que lo del perro no era más que un invento de ese falsario que tenemos por hijo.

La verdad es que estamos en poder de ese malvado. Ahora lo tienen recogido al parecer unas monjas. Al recordarlo se me escapa la risa, porque pienso la de cosas que en esa comunidad pueden pasar. Sara me mira, y si no es un reproche, ciertamente, lo que asoma en sus ojos, pues para ella la censura resulta una acción desconocida, sí que es un ruego para que me calle. Le explico la razón del regocijo y, después de un silencio, la tristeza de Sara se rompe, milagrosamente, en un fresco ja, ja, ja.

Pero de repente me levanto. Acabo de ver con toda claridad el argumento del relato que tengo que escribir: recuerdo haber leído hace años una historia en que se hablaba, de pasada, sobre un personaje que, acusado de infligir malos tratos al autor de sus días, se esforzaba vanamente en demostrar que el viejecito denunciante, y según las apariencias padre suyo, no era sino su propio hijo; un niño, además de mentiroso y travieso, también cruel, que envejecía diez veces más aprisa que el resto de los mortales, y que ahora, amparado por el secreto que los padres habían mantenido sobre tal asunto, se complacía en el perverso juego de llevarlos a la cárcel.

Mas como no quiero ser malentendido, me apresuro a decir que no voy a plagiar ninguna idea. Sólo que, a partir de lo expuesto, contaré el caso a la inversa. Hablaré, pues, sobre un viejo que por un proceso de regresión (frase que me brinda mi buen amigo el psiquiatra Ferrada) llega a la larga a convertirse en niño.

He dado un gran paso con la invención del personaje y me siento, de alguna manera, gozoso. Veo grandes posibilidades en la idea, y la imagen de ese viejecito que desanda los días y se va convirtiendo en niño poco a poco es en este momento fascinante.

Sara me hace una pregunta, y advierto, al oírla, que estaba hablando solo. Me dan ganas de pedirle a Sara que me deje, pues necesito la soledad para pensar. Pero la veo tan preocupada que desisto de hacerlo. Ella empieza a contarme (igual que si yo no hubiera vivido los hechos de que habla) cómo nos llevaron al calabozo. Esta es una escena que a diario se repite. Ahora, sin embargo, hay en su voz (tenue, por otra parte, como siempre) un tono distinto, que si concorde con nuestras tribulaciones no es el suyo habitual, lo que me sugiere algunas ideas que me intranquilizan.

Tardo algo en contestarle. Después de ese lapso le digo que tenemos la conciencia tranquila. Ella, por su parte, muy serena y como si comentara alguna cosa insignificante, dice que ya no podremos salir más de casa. Ignoro la razón inmediata de la actitud en que está, pero pienso —porque él es, claro, la causa inicial de todo este lío— en ese malvado niño que tenido por desamparada criatura fue puesto bajo el amparo de unas inocentes monjas; las cuales, que conocen sólo el asunto por boca ajena (sobre todo, supongo, por la de dicho desaprensivo, de cuya maledicencia tanto sabemos Sara y yo), nos tienen por grandes pecadores y hasta rezan por nosotros, según nos han comunicado.

Reparo que en un estante, apoyada contra los libros, hay una fotografía en la que ese traidor aparece disfrazado con un traje de primera comunión. Tuvimos que hacer esa comedia y vestirlo de marinero forzados por el chantaje, afanados en complacerlo en sus caprichos. Miro la fotografía y noto en el ánimo la misma sensación molesta que tenía cuando en otro tiempo alguien afirmaba que se parecía mucho a mí y que había heredado mis gestos y mi carácter. Aun cuando la primera afirmación fuese verdad, bien que las otras no pasaran de ser estupideces, no puedo de buen talante aceptar ninguna semejanza; gustosamente, en cambio, negaría con él todo parentesco.

Bien pensado, mejor hubiera sido actuar así, sin miramientos ni reparos familiares, y sin aguantar su malignidad. Pero las cosas fueron como fueron y terminaron como se sabe de la peor manera; o sea, víctimas nosotros de su difamación, de la que el único provecho que está sacando es, seguramente, el de su malsano placer.

Como quiera que sea y por mucho trabajo que me cueste, debo dejar estos comentarios sobre nuestra peregrina situación, puesto que si quiero escribir el cuento del que ya di noticia tengo que dedicarme a él en cuerpo y alma, sin distraimientos ni dejaciones, bien que sea fácil, en nuestro caso, caer en éstas por la importancia de aquéllos.

Así que llevo a Sara a su cuarto. Ha vuelto a la actitud que en ella es más normal (cuando tenga ocasión hablaré con mi amigo Ferrada sobre las conductas mudables) y que, por extraño que parezca, prefiero a esa indiferencia suya que siempre termina preocupándome. En fin, que hasta el pasillo recorre otra vez como avergonzada, convencida de que la miran todos los ojos de la vecindad (incluso en horas tan poco propicias para la observación), asombrados de ver a una madre perversa que abandonó a su inocente criatura después de maltratarla. Le digo a Sara, porque supongo lo que va pensando, que nadie puede impedir que estemos satisfechos de habernos comportado con justicia, y que si algo contrario a tal virtud hemos hecho no ha sido por quitarle nada a él, sino por ceder ante sus bajas amenazas de contarlo todo.

Bien. Estoy de nuevo solo. Sigo emocionándome si pienso en el viejecito que se vuelve niño. ¿Qué haría un cuentista con semejante ocurrencia? Confieso que temo desaprovecharla. Tengo muchas ideas y no puedo seguirlas. Veo a un viejo verde, octogenario, sorprendido de hacerse poco a poco sesentón, luego hombre maduro que entra en la mocedad sin advertirlo casi y llega a la niñez al fin, en situaciones disparatadas. Verdaderamente, las imágenes me parecen reales, pero me sugieren lo que no sé decir. ¿Cómo, por tanto, voy a contarlo? Seguro que incurrimos en culpa, por exceso, desde luego, quienes sin eficacia ni habilidades para la narración nos sentamos sin más a escribir alguna historia. De poco ha de servirnos que lo hagamos como un juego y con la mejor voluntad. Como quiera que sea, no puedo dejar este relato. ¿A qué altura de los hechos (y me parece una decisión importante) será mejor iniciarlo? Tampoco he decidido en qué boca ponerlo. Sé que no está a mi alcance la resolución más inteligente. Permítaseme no obstante discurrir sobre ella. Veamos: si un hombre nos cuenta en primera persona cómo se va poco a poco transformando (físicamente, sobre todo) hasta que llega a ser otra vez niño, tendremos una historia determinada. Sin embargo, si alguien contara los mismos hechos desde afuera, cuando ya, por ejemplo, anduviese el que antes había sido viejecito usando de nuevo chupos y pañales, la cosa (según, claro está, resulta obvio) sería bien distinta.

Me inclino a pensar que la tercera persona es la más adecuada a mis propósitos. Y convendría que quien hablara en dicha posición fuera un familiar directo que sufriese las consecuencias del sorprendente aniñamiento.

Echaré mano de pocos personajes. Digamos, por ejemplo, que de tres: marido, mujer y el protagonista de toda la cuestión. Imaginemos el asunto como real. ¿Qué pasaría? ¿Intentarían la mujer y su marido ocultar los hechos? De lo que me respondo a mí mismo mentalmente se infiere la conveniencia de que la acción se inicie en algún sitio al que los protagonistas acaban de llegar. Los veo en una ciudad cualquiera, metidos en un ascensor, contestando a los elogios que algún vecino hace del pequeño que llevan de la mano, al que, como fiestas[1], dedica gestos y sonrisas. No van a contestar, claro, nada así: «Ah, sí, muy simpático y muy listo el niño. Es el abuelito, ¿sabe?» O sea que no hay duda: tienen que ocultar el hecho.

Pero necesitan para eso la complicidad del viejo. Porque pienso que ha de ser más útil que éste, aunque niño en apariencia, conserve la memoria y los conocimientos, lo cual dará pie para inventar situaciones extravagantes y graciosas.

Hay otras preguntas que urgen a mi juicio, como qué postura, ante el caso que protagoniza, será mejor (digo, simplemente, que mejor: no me preocupa la coherencia de su comportamiento) para este personaje, o cuáles sus relaciones con los otros dos, nacidas estas últimas de aquélla, seguramente.

Puedo decir que el cuento crece y que resulta apasionante la invención de una historia, aunque a mí me va a ser muy difícil escribirla.

Decididamente, tengo que empezar. Debo escribir algo, lo que sea, por más que no me guste. Sé que después habrá que rehacerlo, pero el caso, ahora, es dar con un principio. Y no se me ocurre sino hablar de la amargura de un humilde escritor que no alcanza por más que cavila a poner en claro sus ideas. Releo esta primera frase, la completo e inicio la segunda con la advertencia de que no ejerzo el oficio de escritor. Al llegar aquí, descubro a Sara otra vez a mi lado. Está desconsolada y le tiemblan los hombros bajo el chal. De nada me culpa, sin embargo (ni siquiera —me consta— para sí lo hace, y es de agradecer), a pesar de que recuerda, sin duda, como yo, aquella tarde en que le comuniqué no ya el deseo de tío Leoncio (ese viejo zorro) de vivir con nosotros, sino mi decisión de que así fuera. Lo que, fastidios normales aparte, hacía previsibles otros líos relacionados con la querencia de mi tío (si octogenario, capaz aun de andar con la camisa abierta para enseñar el pecho) a las anatomías femeninas, cuyas virtudes solía, con ahínco y eficacia sorprendentes, examinar al tacto. Sucedieron sin em-

---

[1] *hacer fiestas*: agasajos, caricias y obsequios que se hacen para ganar la voluntad de uno, o como expresión de cariño: *El perrillo hace fiestas a su amo* (DA).

bargo después cosas tan insólitas que nadie hubiera podido sospecharlas. Al pensar en los sobresaltos que tuvimos, miro a Sara y me digo que cómo aguantó tantas desvergüenzas, pues, para ser sincero y a pesar de que en su día la reconvine porque me había ocultado los episodios más insolentes, reconozco que gracias a su tolerancia no terminó el asunto en descalabro mayor.

Pero todo esto, ahora, no hace al caso. Lo que pasa es que soy incapaz de conciliar, como se ve, aquello que discurro con la tarea que me ocupa. Así que temo perder también la última noche, pues aunque tengo muchas ocurrencias no doy con la forma de escribirlas. Supongo que debo enfrentarme de una vez por todas con la difícil figura principal. Aunque puede que no haya hecho hasta ahora sino eso y nazca de ahí mi incapacidad. Y se me ocurre que, pensadas las cosas como están, cualquier comportamiento de ese viejo descarado que un día empieza a perder años (por cierto, bastante más de prisa que los ganó) puede ser explicable. O sea, y en una palabra, que voy a dejarlo en libertad para que campe a sus anchas por el relato.

Tomada tal decisión, quedo ya casi convencido, no sé por qué arte, de las perfecciones que en mí concurren (de las que siempre hasta ahora me supe falto —no hablo de la fontanería, claro, sino de la escritura—) y que van a permitirme llevar a buen término la historia.

Vuelvo, pues, al viejo. Cierro los ojos y ahí está: escurridizo, como una aparición por los pasillos de la casa, con sombrero a la chamberga[2] y un batín, observado cuando cruza ante la ventana del patio, y observador cuando se acerca zalamero a la mujer de la casa, si no robusta sí de color sano y buenas formas; o antes, en un principio, más viejo aún, con la bacinilla clavándosele en el esqueleto de las nalgas y los cachivaches de la lavativa colgados en un perchero del más puro estilo isabelino; o ya hombre entrecano y seductor (según su propio juicio, claro, pues ni los encantos físicos eran tan visibles en su cuerpo ni las cualidades morales en sus actos como para sentir

---

[2] *sombrero a la chamberga*, sombrero chambergo o apuntado: El de ala grande, recogida por ambos lados y sujeta con una puntada por encima de la copa (DA).

aquel optimismo) que esperaba que por él se perdiera la mujer del sobrino (o hijo, no lo sé, está sin decidir), el cual sentía a veces la inquietud de la sospecha, por más que pronto se dijese a sí mismo que eran tontos aquellos celos; o más recientemente, ya niño de teta (guardado su caso como delicado secreto) que dócil chupaba el biberón, pero que pedía, cuando personas forasteras arribaban a la casa, maliciosamente, con insistencia y sin desmayo una alimentación más natural.

En fin, que ya no tengo sólo ideas. Ahora me asaltan las palabras. Voy a empezar, sin más, con la escritura, pues resulta que a pesar de lo que dije sobre releer no sé qué frase el papel sigue en blanco.

Otra vez Sara. Estaba aquí conmigo, pero la había olvidado. Ha empezado a hablar y no quiero oírla, pues tengo que seguir con el trabajo. Si ella siempre fue un ejemplo de paciencia, yo estoy a punto de perder la mía. Le voy a pedir que salga y me deje solo mientras escribo el dichoso cuento que al amanecer debe estar rematado, pues sólo entonces dispondré de la tranquilidad necesaria para escucharla y de la paz suficiente para darle el consuelo que necesita.

Pero, pues que entiendo sobradamente que dicha petición sería cuando menos injusta, le digo, en vez de eso, que tome asiento a mi lado.

Así lo hace. Y es mi parecer que está ahora menos decaída, al paso que hay en ella, por otra parte, más bondad. Me anda por la memoria, sin que yo lo quiera, claro, aquella voz asmática de viejo fumador que lucía el tío Leoncio cuando se vino, para nuestra desgracia, con nosotros; y, en contraste con la misma, la del pequeño que decía aquella tarde, una y otra vez (y no por obsesión, que nada le ofuscaba el pensamiento, sino debido tan sólo a su bellaquería) que Sara le diera el pecho. Ella azarada, le susurraba al oído no sé qué, mientras que yo lo amenazaba para que se callase (la gente, al parecer, no entendía que le hablase a un niño en aquel tono y en tales términos), pues sólo faltaba eso, y no me parecía prudente —así se lo advertí— tolerar más insolencias. Bien al contrario, si seguía en actitud tan desvergonzada, se le iba a terminar el buen vivir a nuestra costa.

Comprendo que aun aquellos más crédulos tomarán, sin falta de reflexión, por falsas muchas de las cosas aquí dichas. Es hora de afirmar bajo palabra que no sólo está libre de mentira cuanto expuse, sino que ni siquiera contradicciones hay en ello, por más que crean haberlas descubierto quienes todavía se pregunten por la edad de la aviesa criatura y otras cuestiones por el estilo.

Sigo, pues, a este respecto, con la conciencia muy tranquila, porque acaso cuando se conozcan los detalles, aunque persistan algunas dudas se hayan las más de ellas aclarado.

No acabo de concentrarme en el relato que mañana debo tener listo sin falta. Me propongo pensar sólo en él, mas lo que hago es ir y venir en nuestras desventuras, que son las que ocupan, asimismo, el ánimo de Sara, a quien afligen.

Bien es verdad que si hay razones para la pena no las hallo como para sentirnos pesarosos, pues la situación no se podía aguantar más y algo debíamos hacer. Que nadie, por lo tanto, juzgue a la ligera lo acontecido aquella desgraciada tarde (dado que nos libramos finalmente de él —pienso otra vez en las monjas y de ellas me apiado—, ¿no habría que admitir que fue, a pesar de todo, una tarde propicia?) en que el bellaco, cuyas manos en apariencia tiernas e inocentes palpaban el cuerpo de Sara, agotó mi paciencia.

Nada más corriente que un niño en el cuello de su madre buscando con las rollizas manos el alimento natural en el sitio adecuado, tarea para la que el nuestro, sobre un gran entusiasmo, mostraba desusadas habilidades. Y así fue cómo yo, no sólo indignado por aquél, sino inquieto por éstas, reaccioné como lo hice. Y digo que mi comportamiento fue normal, como lo fue también el de Sara (a despecho de que ahora digan todos lo contrario) que me apoyó con su silencio cuando al oscurecer, de regreso ya a casa, cogí al niño (juro que no sé si llegué a alzarle la mano; si así fue, que me perdone), lo empujé y lo llamé mal nacido. Después, le dije que se las arreglase él por su cuenta. Entonces, Sara y yo nos fuimos y lo dejamos allí. Eso fue todo. Nada tan grave, desde luego (por muy noche cerrada que fuese), como para que Sara se sienta culpable.

Sigo con el relato. Mejor dicho, lo intento. Porque aunque quiero ser explícito, no lo consigo. Siempre andan mis intenciones acompañadas de otros pensamientos que de buen grado desecharía si pudiese, pero que he de soportar. De ahí que vuelva a mis cavilaciones y me descuide en la obligación que tengo, por razón de mi palabra dada, de escribir un relato. Le doy vueltas al lío en que estamos metidos y entiendo que, aunque inocentes, no tenemos ninguna salida. Y no es lo peor la condena casi segura que esperamos, sino la actitud de la gente ante nosotros. Habremos, seguramente, de abandonar esta ciudad, ocultando los sucesos más nuevos, igual que hicimos con los antiguos cuando llegamos aquí. Podríamos decir toda la verdad, pero sería, a ciencia cierta, una confesión hecha en vano, pues nadie iba a creernos por mucho que nos esforzáramos en contar de forma convincente esa historia que resulta, si cabe, más inverosímil todavía que el relato que escribo. Acerca del cual diré que ya empiezo a dominar las imágenes y que conozco el tono en que debo exponerlas, lo que haré sin más y con mucha prudencia, no vaya a ser que ganado por la prisa eche a perder las ideas que ahora tengo claras. Mas no sé si se verán cumplidos mis deseos, pues acabo de saber que ya es de día.

Puesto que las cosas están así, pensaré sobre la conveniencia de sustituir el relato por el presente escrito. Entre tanto que dudo, miro a Sara que se ha quedado traspuesta y vuelvo a preguntarme si no será suya la razón cuando trata de convencerme para que contemos la verdad. Sin embargo, me respondo de nuevo que nunca seríamos creídos. E imagino los abucheos y las risas si en la vista[3] me atreviera yo a decir que aquel niño (ahora al amparo de las monjas), sobre no hallarse, contra lo que pudiera parecer, en la niñez ni tener pocos años, de ningún modo era nuestro hijo.

Hasta me río, en fin, yo de mí mismo al oírme decir cómo se llama. Y me entrego a la risa, en medio de suerte tan adversa como padecemos, cuando pienso la que puede armar el sinvergüenza de mi tío Leoncio metido entre las monjas.

---

[3] *vista:* actuación en que se relaciona ante el tribunal, con citación de las partes, un juicio o incidente, para dictar el fallo, oyendo a los defensores o interesados que en ella concurran (DA).

ANDRÉS BERLANGA*

Españoles todos

Poco importa que yo redactara el tradicional mensaje de Franco de fin de año, en 1971, aquel de «no voy a cansaros treinta y cinco años después, porque, fiel a las enseñanzas de la Patria, abomino de quienes sin fundamento pretenden tacharnos de inmovilistas». Sabido es que siempre ha habido, hay y habrá *negros* literarios. ¿Acaso Carlos Luis, *Cándido,* no lo fue de fray Justo, o Baltasar P. no le escribió a Tarradellas su proclama de vuelta a la Generalitat, o la «vacilación al ponerme a escribir mi vida, porque no soy literato ni historiador», con la que empieza su autobiografía ese famoso médico, no se la redactó un novelista, cuyo nombre también me callo ahora, que le cobró dos millones, y al contado?[1]

---

* *Recuentos,* Madrid, El Sol, 1991; *Barrunto,* 1967; *Del más acá,* 1987.

[1] *Carlos Luis Álvarez* (Oviedo, 1931), periodista brillante, que ha popularizado el seudónimo de *Cándido* en diversas publicaciones, con frecuencia en *ABC.*

Fray Justo Pérez de Urbel, monje benedictino, historiador medieval, catedrático, académico, alférez en la Guerra Civil, asesor religioso de la Sección Femenina de F.E.T. y de las J.O.N.S. y abad de Santa Cruz del Valle de los Caídos. La *Historia del Condado de Castilla* (1944) pasa por ser su mejor obra. La *colaboración* de *Cándido* con él se centró, al parecer, en su obra hagiográfica, en cinco tomos, *Año Cristiano.*

Baltasar Porcel, escritor mallorquín (1937) en catalán y castellano: periodismo, narrativa, ensayo y teatro.

Joan Josep Tarradellas, político catalán fundador de la Esquerra Republicana de Catalunya. Presidió el Gobierno catalán en la Guerra Civil y, a su retorno del exilio (1977), fue elegido Presidente del Gobierno Autónomo de Cataluña.

Si hoy revelo que yo escribí el mensaje de Franco —historiadores y vanidades al margen— es para que se sepa de una vez por todas la verdad verdadera de por qué aquel texto que me había encargado el coronel Saiz acabó costándole la vida al propio jefe del Servicio Operacional de Presidencia[2]. Lo de Aquilino Saiz (*el Sopas* para los íntimos) no fue un «presunto suicidio, descartándose cualquier indicio de homicidio», como repitieron por obligación todos los periódicos del 2 de enero con las mismas cuatro líneas perdidas en sucesos. Tuvieron que pasar catorce años para que yo descubriera todo el misterio de lo que realmente fue un asesinato causado por el mensaje de Su Excelencia; un secreto que desde hoy mismo, con este testimonio escrito, deja de pertenecerme.

De quién había sido en verdad el causante de la muerte del coronel Saiz —los sesos destapados— ni su misma viuda sospechaba lo más mínimo cuando me telefoneó para lloriquearme lo mucho que me estimaba su marido. Precisamente sus últimas palabras habían sido para mí: «Andrés, eres un grandísimo», había escrito al margen del mensaje de Su Excelencia, que encontraron ensangrentado bajo su cabeza tronchada por el pistoletazo. Balbucí, con más corazón que fingimiento esas excusas bobas de lo mucho que le queríamos y de la pérdida irreparable. Ya imaginaba yo, ya sabía yo cuánto me apreciaba. La prueba es que después de algunos apuntes y de discursos tontos para tomas de posesión, primeras piedras, primeros de octubre[3], clausuras y enredos menores, al fin me había cabido el honor —engolé la voz— de recibir de su boca el encargo de hacer el mensaje de Su Excelencia, por primera, y también, todo hay que decirlo, por última vez. Era natural que la viuda se deshiciera como una magdalena con sus «gracias por el sentido pésame, nunca lo olvidaré».

Así que yo era un grandísimo discursero, o quizá el coronel había querido decir un grandísimo arreglista, o quién sabe si un

---

El médico, que trabajó en África, quizá fuera Sanz Gadea. El *negro* novelista era Premio Planeta y pergeñó también las *Memorias Autobiográficas* de un cantante: Camilo Sesto.

[2] El *Servicio Operacional de Presidencia* es pura ficción, pero, durante la época de Carrero Blanco, debió de existir en Presidencia del Gobierno algo parecido.

[3] El *primero de octubre* se celebraba la Fiesta del Caudillo.

grandísimo plumilla, a las pruebas de aquel mensaje me remito. Yo le había cogido el gustillo a fabricar discursos de encargo, después de tanto tiempo trampeando y a salto de mata. Siempre me había creído que Saiz debía haber muerto con mi nombre en sus labios, sin sombra de duda. No es raro que las esquelas aseguraran la bendición apostólica y hasta la comunión reconfortante: era de misa diaria, como el almirante volador[4]. («¿A qué venían tantos golpes de pecho para luego irse de cabeza al infierno pegándose un tiro?», me refunfuñaría años después el padre de Saiz, un vejete asmático y desconfiado que aún aguanta con su tenducho de cuerdas y tripas en la calle de la Paz. Le he vuelto a visitar un par de veces para hurgarle en las historias de trapicheos y miserias de su hijo, por si algún día me pongo a escribir, pero de su muerte no sabe mucho más que lo dicho en los periódicos; mejor así).

Al coronel le gustaban mis silencios, mi sangre de horchata y mis frases de final acaramelado, «melodioso» era su palabra. No pasaba de corregirme ceremoniosamente un «tiene lugar» por un «se celebra», repartir ilustrísimos y excelentísimos delante de los nombres y recomendarme que cuanto menos hubiera que decir tanto más solemne había que solfearlo. Desde el mismo instante en que Bea me llevó a finales de 1970 hasta la covacha del Servicio Operacional de Presidencia —«antro» llamaba ella a aquel sótano del chalé desnudo con una planta noble arriba, que pasaba por ser oficina de la Editora del Estado[5]—, Saiz me acogió como un ejemplo de experto —«todo un experto»— y me estrechó su mano sebosa mientras yo me removía incómodo por la falta de costumbre. Años hacía que no me ponía traje y corbata.

Cuando Saiz aparecía por el *antro,* de tarde en tarde, reprendiendo bonachón al jardinero para que no se cuadrara, yo era un manso escribidor clavado en la mesa parda. Pero sin Bea y sin él mis ojeadas filmaban todo: las estanterías con el Casares y el Ma-

---

4 *El almirante volador.* Alusión a la *voladura* y asesinato en Madrid del Presidente del Gobierno, Luis Carrero Blanco, por la ETA, el 20 de diciembre de 1973.

5 Corría el rumor entre periodistas de que, en un chalet de El Viso, barrio residencial de Madrid, operaba el servicio de espionaje español (Cesid).

ría Moliner[6], el anuario de estadística, los discursos encuadernados de Su Excelencia, y en cuanto me quedaba solo abría los archivadores para zambullirme en las carpetas confidenciales de los ministerios. Algún día me habría de servir todo aquello, cuando yo fuera autor y además de best-sellers, aunque el material no era muy diferente de lo que yo había supuesto mucho antes, tal cual se traslucía por lo que me había contado Bea sin secreto alguno.

Porque antes de aterrizar por el *antro* yo había ayudado ya a Bea poniendo música a varios encargos de Saiz: párrafos lánguidos, palabras machaconas, adjetivos pegajosos o restallantes, frases pensadas para que saltaran a titulares, arias de conspiración judeo-masónica, valses de acelerado proceso institucional, coros celestiales en la unidad de todos los hombres y las tierras de España, españoles todos, resonando como una bóveda vacía.

No sé quién copiaba a quién, pero Saiz me repitió lo de la bóveda vacía con el mismo ademán recalcado como Bea hacía en la emisora desde siempre. Bea me presentó ante el coronel como redactor suyo en Radio Nacional, encargado de los rellenos para los desfiles. Y no le faltaba razón: mis chuletillas hilvanaban y volvían a zurcir los tiempos muertos de los Cubedos cuando retransmitían el roncar de escuadrillas en perfecta formación y el paso bizarro y todo lo demás de estos batallones y de esos otros cadetes que, «marciales y entre vítores indescriptibles, enfilan ahora el paseo de la Castellana».[7]

Pero yo no era redactor de Bea ni de nadie: no tengo carnet de periodista. Lo mío no va por ahí. Además, odio las nóminas y la fijeza, nunca me he dejado atrapar por horario alguno, me gusta lamerme solo a fin de mes y a mediados, desaparecer en invierno para amarrar en una playa desolada como la de mi primer

---

[6] Julio Casares: *Diccionario Ideológico de la Lengua Española.* María Moliner: *Diccionario de uso del español.*

[7] *Los tiempos muertos de los Cubedos.* David Cubedo, jefe de locutores en Radio Nacional, y compañeros suyos, transmitían los desfiles conmemorativos del día de la Victoria, 1 de abril. Cuando no pasaba nada —ni tropas, ni aviones, ni bandas o cornetas—, tenían que rellenar los tiempos muertos leyendo, como si improvisaran, unos textos-chuletillas que redactaban gentes como el protagonista del cuento: tópicos sobre la hermandad de las tierras y los hombres del campo, frases sobre los logros del Régimen, etc.

encuentro con ella. Ni las gaviotas ni las ansias aliviaron lo que fue un fracaso amoroso, por más que nunca sabía bien si éramos amigos, hermanos, pareja o náufragos en la misma tabla.

Bea me había aleccionado: «al coronel lo que le importan son los resultados, y paga religiosamente, permíteme la precisión». «Resultados», me dijo Saiz, escrutador, «hechuras, garbo y salero dentro de un orden. Házme cestas vistosas, que los mimbres poco importan o no hay; quiero decir que nunca podrás salirte del sota, caballo y rey, ¡para qué engañarnos! Así que quiero escuchar cantar a las palabras, que parezcan nuevas». Y después sus sonrientes ojillos se dirigieron a Bea: «no hay palabra inocente, ¿verdad, Elvireta?». Bea le respondió con sorna: «Sí, señor Saiz», y al pasar a su lado, comiéndole las distancias y arqueándose en plan Lauren Bacall[8], supuse que, por la manera de no rozarse, se habían tocado muchas, pero que muchas veces.

En ocasiones Bea le ronroneaba, le encelaba, le enrabietaba para verle temblequear la papada: «Vendrán los rojos y se acabará la censura, las escuchas, los torturadores.» Saiz cortaba: «Habrá otros, o los mismos.» Bea: «Abortaremos aquí.» Saiz: «En Londres.» Bea, con aspavientos: «Millones de rojos os comerán crudos.» Saiz, secreteando: «Carrillo está compinchado con El Pardo para no mover un dedo.» Bea, exagerando: «Llenaremos ese palacio de turistas y al *Azor* lo echaremos al estanque del Retiro para que los isidros pesquen barbos»[9]. Saiz: «Eso no lo verás tú, porque Su Excelencia piensa celebrar en 1992 su primer centenario y el quinto del Descubrimiento.» Bea: «¡Y una eme!, con

---

8 *Lauren Bacall* (1924), actriz francesa de cine de turbulenta existencia, voz de trasnoche y sinuosos encantos, que trabajó en Hollywood y, a los veinte años, se convirtió en la cuarta y última esposa de Humphrey Bogart, después de actuar juntos en *Tener y no tener* (1944). Los dos aparecen también en *The Big Sleep* y *Two Guys from Milwaukee* (ambas de 1946). Autobiografía: *Lauren Bacall por sí misma*.

9 Santiago *Carrillo:* Político gijonés (1915). Pertenece al Partido Comunista desde 1936. De gran actividad política durante la Guerra Civil y en el exilio, llegó a ser Secretatio General del P.C.E. Cuando se legalizó el Partido en España (1977) fue diputado y continuó ejerciendo de Secretario General, hasta su dimisión.

Compinchado con El Pardo, es decir, con Franco, que residía en el palacio de El Pardo, cerca de Madrid. El *Azor* era el yate del Caudillo y, en Madrid, *los isidros* son los aldeanos y forasteros que acuden a las fiestas de San Isidro, en la capital.

perdón. Los partidos se cargarán al ferrolano[10]. Usted es que no se entera, señor Saiz». Y el pobre coronel, dudando de la broma, de Bea y de sus superiores («jamás vendrán los partidos so capa del contraste de pareceres»), resoplaba en su retirada: «No te diría yo que no, Elvireta. La verdad es que si nunca sabes por qué pasa lo que pasa, ¡imagínate el futuro! Cuanto más te cuenten, de menos te enteras. ¿Dentro de diez años? Pues si toca ser demócrata, yo más que nadie».

Yo miraba como un pánfilo, aguardaba tras mis gafas como vasos. Con Bea disimulaba, seriecito. Escribía algo, Saiz lo corregía, arriba lo pasaban a máquina y después quemaban mi manuscrito en una estufilla. Bea me ayudó cuanto pudo durante 1971, incluso puso más empeño ante mi ocasión histórica del mensaje navideño, a pesar de que por entonces iba poco por el *antro* y apenas se hablaba con Saiz, a raíz de la bronca que les escuché desde el rellano. Jamás me quitaré esta maldita manía de deslizarme silencioso y pegar la oreja tras las puertas. Nunca lo comenté con Bea; me hubiera negado todo. Era una apabullante sorda de condición (no oía lo que no quería), y cuando me enviaba sin remite camisas de rayitas cremosas o púrpuras —jamás violetas—, o agendas, o perfumes carísimos y rebeldes —que yo volvía a regalar en seguida a Dioni—, era un frontón para mis cumplidos: «¿Quién, yo? Perdona, pero no sé de qué me estás hablando. Excúsame». Me lo cobraba al instante con un cuadro por colgar, un disco por estrenar, un atardecer por saborear, algo aguardándonos en su chalé. Empezábamos (formalitos, la mesa llena de discursos) desatrancando verbos, aligerando plomo, atizándonos otro chinchón[11], desenmarañando todos los pronombres desparejados. «Terco eres un rato, pero habilidoso mucho más», me decía Bea, maliciosa, recordando quizá nuestra primera mirada cómplice, cuando en la emisora se hizo tal lío, atrapada, incapaz de dar con el resorte mágico que todo lo abre en esos casos, sin que nadie fuera capaz de poner en orden aquel revoltijo hasta que acudí yo.

---

[10] *al ferrolano:* Francisco Franco Bahamonde nació (1892), en la Base naval gallega de *El Ferrol,* La Coruña.

[11] *Atizarse otro chinchón:* Beberse otra copa de aguardiente de Chinchón, pueblo de la provincia de Madrid, con ruinas romanas y árabes, famoso por sus aguardientes y anisetes.

Era ladina, mentirosa, medio loca, resultona de envoltura[12]. Pero los doce años que me sacaba me parecían una eternidad. Y su modo de cotorrear sin tasa, su piel de maquillaje rasposo, como lengua de gato. Una mujer tan escurrida de caderas, tan sobrada de cumplidos sin venir a cuento, tan falta de depiladora, mandona y huérfana de amigos, labios ansiosos y con prisas (la mayor cagaprisas del mundo). Todo eso junto era como para asustar. Se aguantaba unas horas, quizá una noche (porque a nadie le amarga un dulce), pero yo no estaba por la labor. Reconozco que su cuello parecía hecho para lucir su surtido de pañuelos de seda, y hasta sus manos, garfiosas, podrían amansarse. Pero insisto en que si me dejé querer nunca fue a cambio de promesas ni entusiasmos. Lo puedo jurar.

Que fui el ojito de Bea no lo niego, y mucho más en los preparativos del maldito mensaje de 1971. Aún la recuerdo regalándome estribillos, un surtido variado de perlas para permitir a Franco penetrar en la intimidad de nuestros hogares, o para llevar el timón de la nave patria, o para abominar, entre arduas tareas y tareas arduas, del «desdichado y artificial engendro de los partidos políticos» que sonaría el día 30 en la vocecita de Su Excelencia a náusea meliflua, perdida ya en la Historia (con mayúsculas) aquella «broncínea voz con diamantinos armónicos» que le alabara un comentarista algo baboso[13].

Debí hacerla caso cuando unos días antes de la grabación me llamó por teléfono, cantarina y como despreocupada, alabándome el aguacero bretón que estaba compartiendo con Sophie. Como si se le olvidara, improvisando una despedida tranquilizadora, la muy falsa me deslizó: «¡Ah, querido! Te lo digo por tu bien, aunque nunca me lo agradecerás lo bastante: esfúmate. Acabo de hablar con Saiz y está desolado: ha recibido un anónimo contándole lo tuyo. "Un solitario con dos barajas. ¿A qué juega?", me ha respondido el pobre. Yo he tratado de convencerle de que no hay nada de nada, todo infundios, ¿verdad?, pero por si sí o por si no, majo, esfúmate. Te pueden costar caro

---

12 *Resultona de envoltura:* Que satisfacía a su pareja, pero aspiraba a envolverla, a continuar con ella.

13 Una de esas frases adulonas que idealizaban al Jefe y que pudo acuñar Eugenio Montes, José María Pemán o cualquier otro.

tus otras compañías, no soporta que le engañen». Y la muy zorra afilaba sus risitas.

Antes de entregar al coronel el borrador final anduve deshilachado, disperso, rato y rato sin leer lo que leía, vuelta a deletrear, en vela hasta las tantas, decidido a romper todo y salir corriendo. Era peor el remedio. Lejos de mí entonces cualquier atisbo del crimen pasional que se avecinaba. ¿Y si todo fuera una broma de Bea, una de sus fantasías, un cebo para volver a engatusarme? ¿Qué le importaba a Saiz un chisgarabís, un mindundi, un chiquilicuá como yo?[14] Mi vida era mi vida. Yo cumplía sus encargos y punto. ¿Acaso no engañaba tambián él, Bea y todos los que en el *antro* y en otros tres pisos más, según había podido enterarme, escuchaban teléfonos pinchados, redactaban noticias falsas, escribían discursos para otros? ¿Por qué no podía hacer yo de mi vida un sayo? No engañaba. Sencillamente, arreglaba: por la mañana, blanco; por la tarde, rojo. Tenía oficio. Le presentaba un guión y a los diez minutos de aprobármelo tenía el discurso listo.

Yo era un señor profesional, un experto. Eso era y eso había sido todo. De eso vivía y de eso había vivido en los peores momentos lejos de las aulas: poniendo diálogos a guiones infectos, redactando publirreportajes[15] de Galerías Preciados, amañando refritos para la agencia de noticias. Cuando en 1960 escribí mi primera crónica para Prensa Unida, como enviado especial a la boda de Fabiola, ya me dijo don Lucas que haría carrera; me quedaron bordados los saludos a dos manos de la reina, el tierno Balduino mimándola por el brazo, rezumando interés humano en vivo, como decía don Lucas. Yo fui «nuestro enviado especial a Bruselas, André Aïgu», colorista, directo, escrutador, en el foco de la noticia. ¿Era peor crónica porque no me hubiera movido de Madrid, siguiendo a distancia la primera boda europea televisada?[16] Y fui el enviado especial Antonio das Andras con

---

14 *Chisgarabís, mindundi, chiquilicuá* o chiquilicuatro. Expresiones familiares sinónimas, como zascandil y mequetrefe. Hombre entremetido y bullicioso, comúnmente el de cuerpo pequeño y poca presencia.

15 *Publirreportajes:* Reportajes de publicidad.

16 En 1960, se celebró, en Bruselas, el matrimonio de Balduino I, rey de los belgas, con la aristócrata española Fabiola de Mora y Aragón.

el Papa en Fátima, y había que verme desde la oficinilla vallecana de Prensa Unida al retransmitir la crónica a un periódico de al lado, con el pañuelo tapando el auricular, para que la Cova de Iria aún pareciese más lejana[17].

Por qué llamar entonces juego de dos barajas a verme por las tardes con Dioni, Carmelo y Enrique —la célula del Terol[18]— para ponerles en regla panfletos, octavillas, frases de pintadas, revistas a ciclostil, en suma, abundante material subversivo, que dirían los de la Social?[19] Ni Dioni ni Carmelo ni Enrique sabían cómo empezar un texto, dónde meter lo de la contradicción interna del régimen que le lleva a su descomposición, qué tono dar al hecho palpable de que las exigencias populares —estudiantes y obreros unidos jamás serán vencidos— avanzan inexorables en su lucha permanente por derrocar la oligarquía terrateniente y capitalista. Acabábamos en el mesón, desechando el bar de abajo porque estaba atestado de parroquianos vocingleros dando mandobles al dominó y olvidada la cafetería porque a Dioni le apestaba a capitalismo burgués.

A veces les dejaba cocidos en El Paleto, ahogando en valdepeñas *La internacional* susurrada[20]. Si la noche era murriosa y yo andaba deshabitado, prefería acercarme hasta la moqueta de Bea. Los dos tumbados, sabiendo que la vida es eterna en cinco minutos, bajo el aguacero hermoso de Víctor Jara recordando a Amanda en estéreo, la calle mojada, corriendo, la sonrisa ancha, la lluvia en el pelo[21]. Bea, callada, haciendo sentir su silencio.

---

[17] En la *Cova da Iria*, Fátima, Portugal, se apareció seis veces la Virgen del Rosario (1917) a tres pastorcillos, Jacinta, Francisco y Lucía y, como lugar de peregrinación, lo visitó Juan Pablo II en mayo de 1982, el primer Papa que ha viajado —dos veces— a Fátima.

[18] *La célula del Terol* —una de las muchas que se formaron con militantes o simpatizantes del Partido Comunista—, alude al barrio madrileño del Terol, en el camino de Carabanchel, cerca del Puente de Toledo.

[19] *Los de la Social:* La Brigada Social era, tal vez, la más insociable de las brigadas policiales y atendía a lo político-criminal.

[20] *les dejaba cocidos.. ahogando en valdepeñas la Internacional:* Les dejaba bebidos, ahogando en vino de Valdepeñas (villa manchega afamada en vinos, en la provincia de Ciudad Real) *la Internacional,* el himno marxista de los partidos obreros socialistas de todos los países e himno nacional de la U.R.S.S. hasta 1943. Letra de Eugène Pottier (1871) y música de Pierre Degeyter (1891).

[21] *Víctor Jara* fue un cantautor y guitarrista chileno famoso en el mundo hispánico en la época de Salvador Allende. Durante el régimen de Pinochet le tortura-

«¿Cómo va a ser pecado esto tan bueno?», se preguntaba, sofocada y, en ese instante hermosa, mirando fijamente la lámpara del techo. De madrugada me deslizaba esquivando ladridos, desandaba las calles de charol y, otra vez en el cuartucho de Carmelo, seguíamos arreglando el mundo con los panfletos.

Cuando Bea me recomendó que me esfumara pensé que al coronel Saiz poco le hubiera costado darme un papirotazo, hacer que me cayeran por la ventana de una comisaría[22], aplicarme la ley de fugas[23], quemar mi ficha en la Dirección General o negar que yo hubiera escrito el mensaje. Todo menos pegarse un pistoletazo por minucia tal. También podía haberme sonsacado, pues ya no andaba tan receloso conmigo. De vez en vez se permitía incluso la confianza de preguntarme por Bea, de explayarse con la última película que había visto hacía quince años o de comentarme lo suertudo que era el padre de Bea, viejo compañero del Cuerpo, porque vivía de las rentas desde que había metido todo su dinero, y no era escaso, en una empresa de apartamentos que le sacaba mucho, pero mucho provecho, el 12 y más. Sofico se llamaba[24].

Saiz iba más a menudo por el *antro,* coincidía casi siempre con Sophie, la normanda de abuela cruzada con indochino, algo taponcilla, de ojos dispares y pelo lacio y frío. Una Sophie de porcelana silenciosa a quien el coronel llamaba «mi tuertilla francesa», cuando no «experta», como a todos los principiantes. Saiz me ponía de ejemplo, con ocasión o sin ella: «Fíjate», —se acercaba zalamero a Sophie— «éste me ha vendido un eslogan para el Ministerio del Ejército que dice: "OTAN, sí, gracias", y quiere vender otro a Información y Turismo que diga: "Otan, no, de

---

ron (le cortaron las manos) y asesinaron. En su canción más famosa, oímos: «Te recuerdo Amanda, la calle mojada, corriendo a la fábrica, donde te espera Manuel. Son cinco minutos, la vida es eterna en cinco minutos.»

[22] *Que me cayeran por la ventana:* que me tiraran por la ventana, para zanjar el hecho como suicidio.

[23] *Aplicar la ley de fugas:* Permitir que un preso o detenido se fugue para perseguirle y matarle luego, alegando su peligrosidad y el delito de fuga.

[24] *Sofico* fue la empresa de un militar muy vinculado al entorno del poder, que ofrecía alta rentabilidad comprando apartamentos en la Costa del Sol. Después, la propia empresa se encargaba de alquilarlos a terceros, pero, al parecer, un mismo apartamento lo vendían a varios compradores, y llegó un momento en que se descubrió y constituyó un escándalo.

nada". ¿No es gracioso?». «Éste es capaz de vender los dos al mismo imbécil», sentenció Bea, y Saiz se daba palmaditas en el hígado, muerto de risa, y después repetía el palmoteo en la rodilla de Sophie, y más arriba, mientras la mirada de Bea le asesinaba. Ya nunca más volvió a bromearle con lo de señor Sáenz, o Sáez, o Saiz, o Sanz.

Soy tan imbécil que durante todos esos años de peregrinaje lo único que he recordado de la bronca que escuché agazapado ha sido la furia: los insultos feroces rebotando por la penumbra de la escalera; Bea, como un energúmeno, soltando un portazo, un «cacho cabrón» y una amenaza: «¡No vuelvas a llamarla Elvireta!, ¿me oyes? ¡Y no se te ocurra ni rozarla, porque ese día te rajo!» Rato después, al entrar yo como de nuevas, la pobre Sophie seguía pálida, muda y con tiritera. Saiz murmuraba tamborileando: «Cada día está más rarita». Puse cara de palomino en trance de asistir a una revelación celestial cuando el coronel se sinceró, hablándome del padre de Bea, el pobre (un comandante de carabineros al cual expulsaron aún joven, aunque, por suerte, cuando ya un par de alijos oportunos le habían puesto chalé), como si Bea no me lo hubiera contado cien veces. «Todos nos necesitamos. ¡Lo que no habré hecho por esa familia cuando le echaron! Para bien o para mal, del carro vamos a tirar siempre los mismos. Hay que estar unidos entre nosotros».

Me habló como a un hijo: «¿A los de arriba qué les importan nuestros desvelos? Lo único que les preocupa es tener el discurso a tiempo, las palabras adecuadas, cómo no decir lo que no quieren decir, pero como si lo estuvieran diciendo. ¿Y todo eso para qué? Muy sencillo, hijo: primero, para mandar, y segundo y principal, para seguir mandando siempre. Nosotros sí que tenemos que ayudarnos los unos a los otros», me dijo muy padrazo, a punto de añadir: «como Cristo nos enseña». Porque si bien había abandonado la costumbre de ir a misa todas las mañanas, era porque iba todas las tardes y así podía tener una excusa en casa para revolotear por donde anduviera Sophie a esa hora.

Tan cegato soy que tampoco me extrañó entonces lo melosa que anduvo Bea cuando se enteró de que Saiz me había encargado el mensaje de fin de año. Al menos podía haberme maliciado que el coronel era un estorbo, incluso que la vengativa y alocada Bea quisiera eliminarle, pero ni el más calenturiento adivinaría que la pistola era un papel que Bea puso en mis manos para el balazo certero, sin retroceso, limpio, a distancia y con silenciador infalible.

Tuvieron que pasar catorce años para que yo lo descubriera agazapado en ese malhadado mensaje de 1971. *El País* me había encargado un artículo largo (para aquel tiovivo desenfrenado de recuerdos del extinto[25] y de la guerra incivil, al cumplirse medio siglo de su estallido) y nunca me arrepentiré lo bastante por haber aceptado. Al hilo de los discursos vi saltar primero la chispa y al fin el fogonazo del asesinato certero, sintiendo en las noches en blanco lo que realmente aquel descubrimiento me gritaba: eres un vulgar asesino. De haber elegido el tema *Diez años sin él* o *La dictadura desde fuera* todo seguiría igual. También podía haber contado cómo encontré el país al regresar de Polonia, llenos los bolsillos de papeles y vacía la cartera, repleto de promesas, empezando por la de Román; atisbando desde la orilla del Centro de Encuestas y Mercadeos[26] aquella marejada de las primeras elecciones. (El descalabro de otros vaticinando aún más escaños para don Joaquín y sus cristianos[27] no tuvo perdón; nosotros al menos no gastamos un céntimo porque nos inventamos sondeos y porcentajes con mucho suflé[28] de contextos empíricos, cristalización actitudinal paradójica y dicotomía salvavidas del no sabe o no contesta). Debí escribir una crónica a lo Rosa Montero[29] para hablar del estadio alfombrado que tenía por despacho Román, que se hacía llamar Excelentísimo y no paraba de hablar por teléfono desde el coche y se reía a risotadas mentirosas cuando le decía que yo escribo primero el texto y después saco un guión. Con sus encargos también. Al principio venía algún fin de semana y aún nos veíamos con Carmelo, que

---

25 *Recuerdos del extinto:* Recuerdos de Franco, que había muerto en 1975.

26 *Centro de Encuestas y Mercadeos:* Empresa de sondeos inexistente, equivalente a otras reales, como Sofemasas, Ecoteles, CIS, etc.

27 *Don Joaquín y sus cristianos:* Don Joaquín Ruiz Jiménez (1913), catedrático de Filosofía del Derecho y Derecho Natural, embajador en la Santa Sede, ministro de Educación nacional (1951-1956), presidente internacional de Pax Romana, fundador de la revista *Cuadernos para el diálogo,* defensor del pueblo, etc.

28 *suflé:* Del francés *soufflé,* con mucha hinchazón o vaciedad.

29 *Rosa Montero* (1951): Periodista, colaboradora de *El País,* autora de varias novelas: *Te trataré como a una reina* (1983).

sigue dudando entre si irse con los legales o los moscovitas o hacer la revolución pendiente por su cuenta. Enrique teje mantas de lana virgen en Tomillero de la Sierra[30]. Cuando subí a verle le encontré desinflado —«ahora es que se ríe mucho menos la gente sana, ¿no lo has notado?», se excusó—, añorando los panfletos, quizá porque entonces éramos jóvenes. «No, macho» me cortó; «es porque entonces soñábamos con que algún día estrenaríamos. Eso es ya imposible, pero aún así y todo te digo una cosa: virgencita, que me quede como estoy».

Debía escribir *Diez años sin él* y no dejarme embaucar por *Españoles todos,* la verdadera historia de los 750 discursos[31], arengas, alocuciones y mensajes que he ido destripando entre demonios familiares, que si a nosotros nos honra a ellos les envilece. De cómo por la gracia de Dios el Generalísimo, *salvador de la patria,* anduvo emperrado en estar con nosotros mientras Él le diese vida; sirviéndonos hasta el último aliento, mi pulso no temblará trabajando por la patria mientras Dios quiera, emplearé lo que me quede de vida en vuestro servicio. Incluso encontré su minuto de filosofía cuando dijo: «El mundo es como es y no como quisiéramos que fuera», y además no le pesaba haber perdido su libertad para que la tuviéramos nosotros. Monaguillo con roquete de cordero aquí, mesías tronante allá, saliendo al paso de las maliciosas especulaciones de quienes dudan de la continuidad eterna de nuestro glorioso Movimiento, haciendo enemigos suyos a los enemigos conjurados de la patria, reconociendo yo mi musiquilla al leer —mensaje de 1971— que los recalcitrantes de la vieja política liberal se extinguen progresivamente sin pena ni gloria, y aquella frase emocionada para quienes estáis forjando el futuro.

Retrocedí un año y de repente (¡no es posible!, mensaje de 1970, no hay duda) estaba allí: era el arma invisible de la muy ladina. Recuerdo a Bea, de pie a mi lado —noviembre de 1971— ayudándome con frases hueras, rellenos lacios, ideas

---

[30] *Tomillero de la Sierra:* Pueblo inexistente.

[31] Más de 750 discursos, arengas y alocuciones pronunció Franco como Jefe de Estado —en ocasiones de horas, casi siempre con el pórtico de «sólo unas palabras»—, según un artículo de *El País* del 20 de noviembre de 1985, a los diez años de la muerte de Franco.

nulas, farfolla, palabrería mocha, cansinos renglones, papelitos, chuletas: «Mete todo este párrafo al final, fíjate, broche de oro». «Es una pijada, Bea». «A Saiz le chiflará, créeme». «Bea, *denuedo* resulta cursi, mejor *labor,* y si le hago decir a Su Excelencia que se le ha ocurrido un *pensamiento* no se lo cree ni Carrero. Tampoco pondría lo de *fraguando el futuro;* suena a herrería barata. Es más fino *forjar*». Estaba allí, coma a coma. Bea lo había fusilado tal cual del mensaje del año 1970: «A vosotros, los que trabajáis en los apartados rincones de la geografía española o del extranjero, a los que creéis que vuestro *denuedo* es ignorado, quiero llegue hoy, con mi *pensamiento* de aliento y de esperanza para el año próximo, mi reconocimiento emocionado por la manera abnegada y tenaz con que estáis *fraguando el futuro*». Al cabo de un año, yo lo había copiado sin saberlo y yo había obligado a Franco a repetirse al pie de la letra.

Ahora es cuando revivo una y otra vez hasta la nitidez obsesiva la llamada de Bea telefoneándome a buen resguardo en Francia, feliz por aquel tiempo maravilloso de niebla y lluvia, paseando descalza por la playa de arenas blancas, jamás vi chalada igual, sentada junto al faro, arropada en el cafetucho por el aroma dulzón de la sidra. A su lado Sophie, libre del asedio militar y de cualquier disimulo; una Sophie capaz de ser en ese momento, ella y únicamente ella, quien encontrara el resorte mágico que siempre acababa por abrir el paraguas plegable de Bea, la mujer más alérgica a las malditas varillas metálicas.

Y días después, aquella mañana del 2 de enero de 1972, el telefoneado sería Saiz. Me desazona pensar que el coronel se destapó los sesos convencido de que fui yo quien le metió el gol, como le haría creer la arpía mentirosa de Bea. El coronel sabía que el almirante y toda la camarilla no se lo hubieran perdonado; por más que don Luis era un buenazo, sus cejas de ogro engañaban[32].

Saiz me había contado con qué cariño le encargó un día el almirante Carrero escoger la montonera de papeles de su mesa de Presidencia: «Usted, que es hijo de cordelero, déjemelo todo atado y bien atado, Saiz», creía que le dijo. Y ahora —tuvo que

---

[32] *El almirante..., don Luis:* Luis Carrero Blanco. La E.T.A. calificó su atentado de «Operación Ogro», debido a la superabundancia de sus cejas.

pensar el estúpido coronel— una traición semejante, palpable. ¡Qué deshonor! Y nada menos que al primer soldado de la nación, a la lucecita de Occidente, al caudillo por la gracia de Dios —Saiz me aseguró que se le ocurrió a él esa frase; yo nunca me lo creí—. Todo por culpa de un grandísimo, que era yo. Antes de que algún rata de hemeroteca descubriera tamaña vergüenza y la deshonra cayera sobre él, ensuciando su hoja de servicios inmaculada hasta dar con sus huesos en un castillo o quien sabe si delante de un pelotón, el coronel prefirió desenfundar su Astra calibre nueve milímetros y puso punto final.

El pistoletazo trajo la paz y el alivio para todos. Recuerdo la voz sosegada de la viuda recién estrenada: «Soy Elvireta. Gracias por su pésame y por todo cuanto ha hecho».

Nunca escribí *Españoles todos*. Sigo tomando tranxilium y no pasa día sin ver a Saiz entre sueños. ¡Grandísimo, grandísimo!, me zarandea.

Alguien me contó que Sophie puso una sidrería en Concarneau[33] y que Bea no volvió de un viaje a Thailandia. Yo me casé, me separé y escribo.

Por cierto: no se llamaba Beatriz, como ella decía, sino Melibea[34].

---

[33] *Concarneau:* Puerto atlántico y balneario francés en el Departamento de Finistère, antiguo condado de Cornouaille, cerca de Quimper.

[34] *Melibea:* Es decir, amante metida en intrigas de amor humano, en contraposición a la paradisiaca Beatriz de Dante.

Colección Letras Hispánicas

Colección Letras Hispánicas

DE PRÓXIMA APARICIÓN